図解 教養事典

科学

INSTANT SCIENCE

ジェニファー・クラウチ=著 川村

NEWTON PRESS

INSTANT SCIENCE by JENNIFER CROUCH

図解　教養事典
科学 INSTANT SCIENCE
インスタント・サイエンス

第 1 章
数学

第 2 章

物理学

第 3 章

化 学

第 4 章

生物学・医学

第 5 章

地質学・生態学

第 6 章

テクノロジー

はじめに

科学は，電磁気力や重力などの自然現象のふるまいを説明します。またそうした説明をより明確にするために数学という言語も用います。しかし科学は，自然それ自体ではありません。物理学者ニールス・ボーア（1885～1962）は次のように述べています。

「物理は自然そのものではなく，自然を説明するものに過ぎない」

科学は（すべての知見がそうであるように），科学実験を実行し，開発し，管理したり，データを分析したり，実験器具の精度を改善したり，測定結果を解釈したりする方法を含めた人間行動を通じて集約されます。科学は物体のふるまいを予測したり説明したりすることができ，テクノロジーの発達に欠かせません。科学にはこうしたよい面もありますが，危険を生み出すこともあります。また公的資金にも左右されます。そのときどきで変化する政治的関心や投資の影響を受けやすく，中立的であるとはいえません。社会や社会的なバイアス，社会問題にひもづいた資金や政治から逃れることはできません。

本書は2020年現在の知識を紹介するものです。新しい発見がなされることにより，5年，10年，50年，100年のうちには，おそらく内容を完全に書き換える必要があるでしょう。本書の目的は，数学や物理，化学，生物，医学，生態学，地質学，テクノロジーの分野にまたがる160のトピックについて，科学的な考えを，簡潔な説明と歴史を添えて短い文章で説明することです。各トピックを1ページに限定しているため専門用語などについては必要に応じて巻末の用語集や，単位表，科学者リスト，データシート，方程式のリストを参照してください。

科学知識やその慣例は，新しいコミュニケーションやコラボレーションの手段と同様にテクノロジーや絶えず変化する実験方法とともに進化します。科学の方法論は，理論を発展させる仮説を構築することです。科学の文脈のなかでの理論は，日常的に使われる「理論」とは大きく異なります。科学理論は，それ自体を支える多くの証拠をもっています。たとえば，電磁気学や相対性理論，進化論という理論がそうです。

理論は，バイアスを取り除くために異なるグループの科学者によって反証テストが行われ，実験や測定にもとづく試験によって再現性が得られることで理論として受け入れられます。より多くの発見がなされ，またより正確なテクノロジーを得ることにより，我々の科学も変化していきます。理論は劇的に変化しながらも正当性が担保されることで，受け入れられるものとなっていきます。

  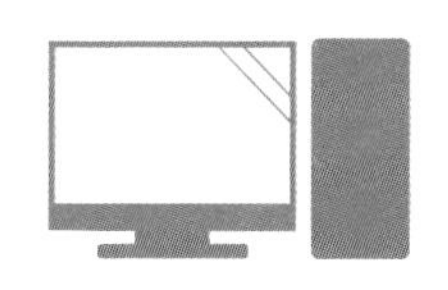 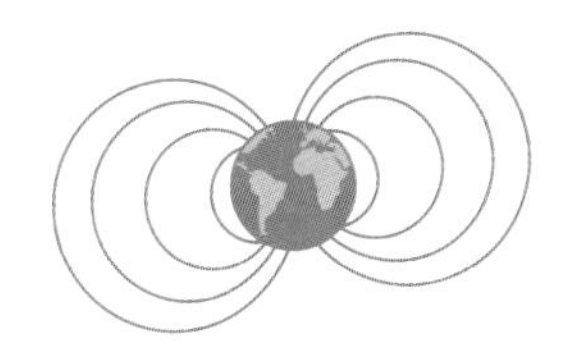

科学は，協力的であり，また互いに科学知識を創生することを分かち合う国際的なプロジェクトに参加する多くの人々の技術や知性，ひたむきな努力に負うところが大きいです。科学はカルチャーの中のカルチャーであり，地球から抽出された素材を使って設計された特別な装置の使用が求められる非常に限定された環境下（研究室など）でチームとして研究する人たちの相互作用に頼っています。これは，発見が進むにつれ新たな問題を生み出します。それはひとたび研究室がつくられると，それを維持していかなければならないということです。

科学することには困難がついてまわります。実際，技術的な壁に阻まれたり，実験が失敗したり，培養した細胞が死んでしまったり，磁石冷却装置が破裂したりと成功せずに終わることが多いです。とても複雑で骨が折れ，たとえうまくいったとしても明確な答えが得られないこともあります。実際，科学の歴史は失敗に満ちあふれています。輝かしい，科学の見方を変えるような発見や変革の連続と捉えるよりも，むしろこのような数々の失敗の存在を知ることこそ（本書ではご紹介しませんが）重要です。こうしたたくさんの苦労が，自然の記述を生み出していきます。

これに加え，人種差別や同性愛嫌悪，性差別，階級差別，社会的な嫌がらせを経験したことのある個人や集団が直面するパーソナルな課題にはこれからも立ち向かっていかなければなりません。CERN（欧州原子核研究機構）のParticles for Justice ウェブサイトには次のように記されています。

「人種や民族，ジェンダーアイデンティティ，宗教，障害，見かけ上の性別，セクシャルアイデンティティといった生得的なアイデンティティに関わらず，いかなる人の人間性も議論を必要としません」
（出典：particlesforjustice.org）

科学は非常にパーソナルであり，インターネットから戦争に使用される科学兵器，グリーンエネルギー，建築，工学，医療の発達まで，あらゆる面で私たちに影響を及ぼしています。私たちはみな科学から利益を享受しています。私たちは，誰が利益を得，誰が害を被り，地球上でどのように使われるのかという疑問について考えることができるように，我々の世界観に対して，魅力的なものがあると理解する権利をもちます。

数

量の理解と数の概念は，すべての人が学び必要とするものです。

歴史における数字

生活様式や移動手段，農作物の栽培，資源の管理，貿易，文化交流が少しずつ変化するのに従い，新しい数字の書き方が現れます。

イシャンゴの骨

イシャンゴの骨は古代アフリカの加工品で，およそ2万年前のものです。計算を思わせる**線**がいくつも刻まれているため，数を表す最古の例であると考えられています。

シュメール人

少なくとも紀元前4000年のものとされるシュメール人の加工品は，算術が使われていたことを示す**最古の証拠**です。シュメール人は**60進法**を用いて数を数えていました。

1　2　10　100

古代エジプト人

古代エジプト人は，幾何学的概念を表したり，ピラミッドの建築計画を行うために**象形文字の記数法**を用いていました。

1　2　3　4　5

10　20　50　100

マヤ人

古代**マヤ**では**20進法**が用いられていました。

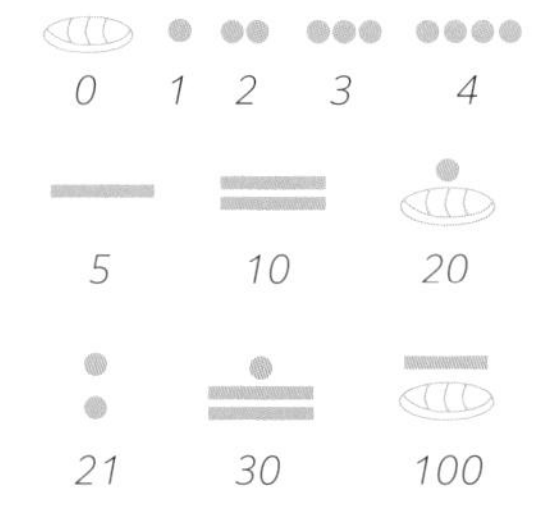

ローマ数字

ローマ数字はトスカーナのエトルリア文明が起源とされています。

現代数字

現在広く使われている数字の書き方は**アラビアとインドの数学者**によって誕生しました。紀元前6世紀の**ブラフマグプタ**と紀元前5世紀の**アーリヤバタ**という二人の古代インド数学者がこの数字の書き方を世界に広めたとされています。

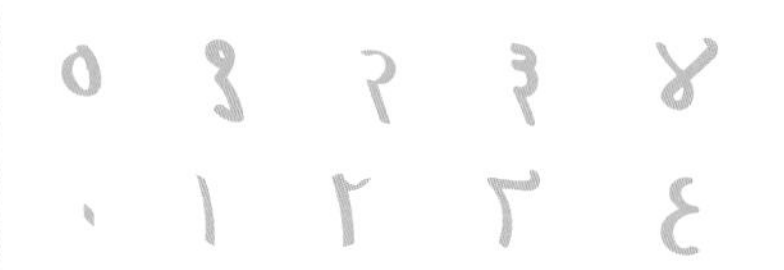

漢数字

中国でもインド・アラビア数字が使われているものの，ほかに二つの記数法が存在します。一つは日常的に使用する文字を用いた**漢数字**，もう一つは財務上で使用される**大字**で，不正を防ぐために用いられてきました。

人間以外の生物も「**量**」という内的概念を持ち合わせています。たとえば**大きな浅瀬に住む小魚やムクドリの群れ**，**集団で行動するさまざまなタイプの動物**などです。ミツバチでさえ巣と食べ物の間の目印を数えています。

位取り記数法（n進法）

目的によって異なる記数法（n進法）が用いられます。

10進法

10進法は最も広く使われている進法です。**10を基準とし**，すなわち，10を1単位として数えます。**10進法では空白のスペースを埋めるために，位取り，小数点，数字の0が用いられます。**

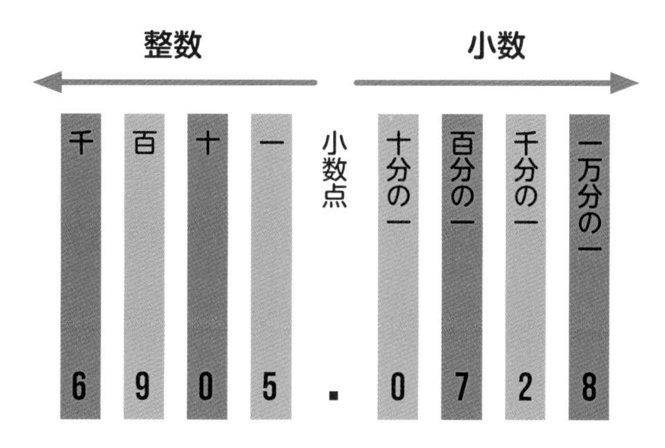

2進法（バイナリー）

2進法は**2を基準**とし，**10進法のすべての数を0と1だけ**を使って表します。

2進法での数え方

1. 2進法で数字を記すには，数字の先頭に「1」を加え，桁を0に「リセット」する。
2. 右から左へ「0」のプレースホルダを「1」で満たす。
3. 2進数を1で満たしたら，次の数字の後に「0」を加える。

- **0** = 0
- **1** = 1
- **10** = 2
- **11** = 3
- **100** = 4
- **101** = 5
- **110** = 6
- **111** = 7
- **1000** = 8（8で0がリセットされる）
- **1001** = 9
- **1010** = 10

8ビット：興味深い2進数

8 = 1000；2 × 2 × 2（0が三つ）
16 = 10000；2 × 2 × 2 × 2（0が四つ）
32 = 100000；2 × 2 × 2 × 2 × 2（0が五つ）
8ビット整数はプログラミングに用いられます。8ビットと64ビットのイメージの比較からわかるように，8ビット整数のシステムはコンピューターグラフィック（CG）の解像度を上げるために用いられます。

16進法

16進法は**16を基準**（8ビットを倍にした）としたもので，2進法を簡素化するために用いられます。

60進法

60を基準にしたもので，紀元前3世紀に**シュメール人**が初めて使用しました。古代**バビロニア人**も使用しました。**現在でも時間，角度，座標の計測に用いられています。**

12進法

12進法。すなわちインチ，フィート，一日の時間は12を基準としたものです。24時間表記は単純に12時間表記を倍にしたもので，午前と午後を区別する必要がありません。

対称性

数学における対称は，空間的な関係や，あるいは幾何学的な変形，回転，拡大縮小やそれらを複合的に行う場合にみられます。

対称のルール

あるものを平面で切断した際に二つまたはそれ以上の同一の形に分割することができ，または拡大縮小，回転，反射させても同一の形であるなら，**幾何学的に対称な物体**といいます。

対称変換の種類

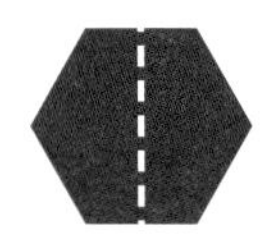

鏡映対称は，**鏡面対称**または**左右相称**であり，中央を通るように物体に線を引いたとき，左右が同一，または鏡に映したイメージと平面上の形が同一であるものを指します。

回転対称は，物体をある固定点で回転させても全体の形が変わらないものを指します。

放射対称は，ヒトデやクラゲ，アネモネのように中心軸の回りに回転させたものをいいます，**曼荼羅**も放射対称にデザインされています。

並進対称は，全体の形を変えることなく移動（平面上を移動）させることができる形を指します。

らせん対称は，**三次元空間**に広がる，対称に回転する二重らせんです。その軸は**らせん軸**となります。

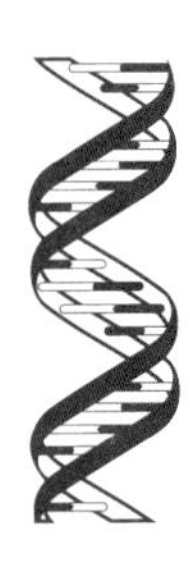

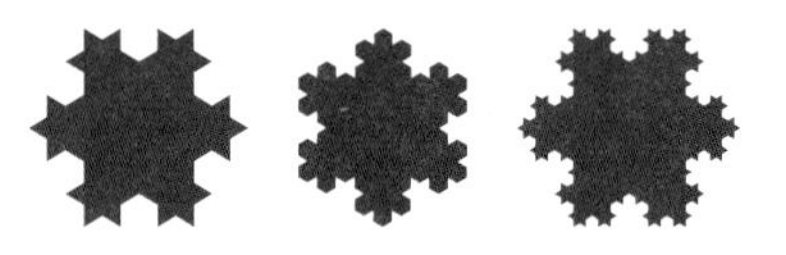

スケール対称は，形が**拡大**または**縮小**したものを指します。スケール対称のよく知られた例は**フラクタル**です。スケール対称の発展的な事例は，上図に示した「**コッホ雪片**」における正三角形の使用です。

映進対称と**回映対称**

雪の結晶

雪の結晶が完全な対称になることはありませんが，コントロールされた環境下では**確実に六重の放射対称を形成します**。氷の結晶構造は六角形です。**核**と呼ばれる小さな六角形の氷粒から成長します。

立方体

もちろん，三次元的な形状のものは対称になりえます。たとえば**立方体には九つの対称面があります**。

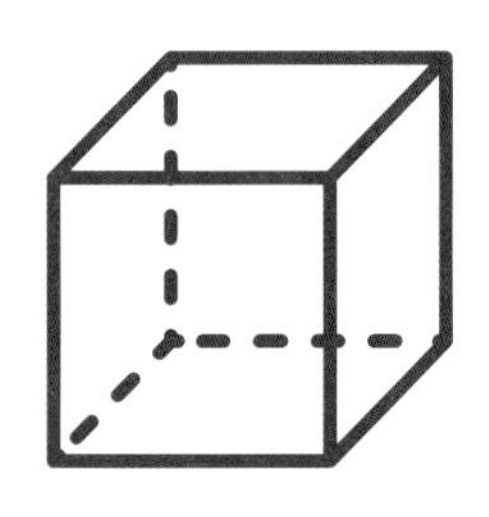

ユークリッド原論

ユークリッド原論とは，二次元平面における幾何学的関係を説明する公理（論理的な議論）を集めたものです。ユークリッド幾何学は曲面には適用できません。

ユークリッド幾何学の公理

1. 直線は任意の二つの点をつなぐことによって描ける。

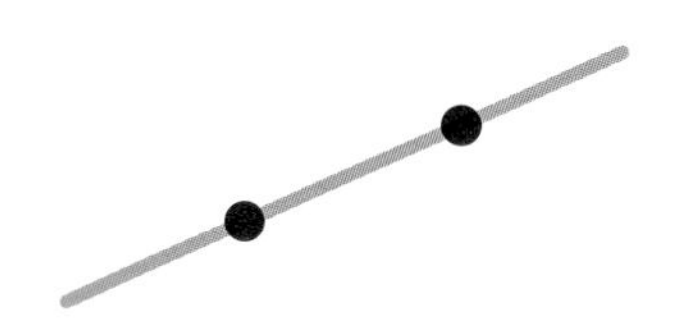

2. 線分は，無限の直線に延長できる。

3. 任意の直線を半径とし，その一端を中心として回転させることで円を描ける。

4. すべての直角は等しい（合同）。

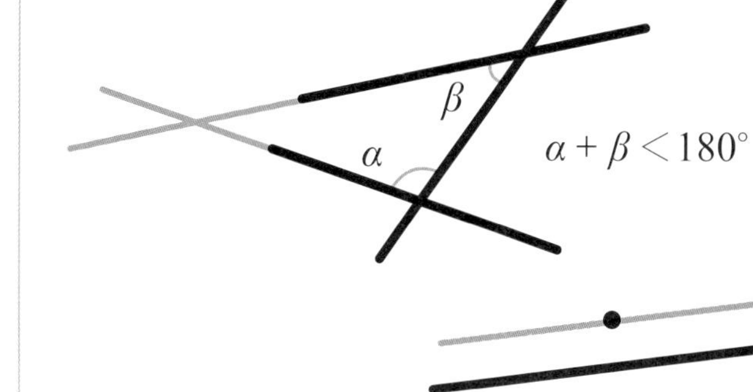

5. 直線がほかの二本の直線と交わると，同じ側に内角がつくり出される。この内角が 180°より小さい場合，その二直線が無限に延長されると最終的に二つの内角と同じ側で交差する。

五つ目の公理は，これまで多くの人が証明を試みたものの未だ証明されていません。これらは最初の五つに過ぎず，ユークリッドはこれ以外にも多くの公理を発表しています。

平面充填

平面充填とは，形をすき間や重複なく敷き詰めて繰り返しのパターンを形成することです。

正平面充填

同じ形をすき間や重複なく敷き詰めてつくられたパターンです。正平面充填には**六角形**，**正四面体**，**三角形**が用いられます。

半正平面充填

異なる多角形をすき間や重複なく敷き詰めてつくられたパターンです。正平面充填と同じく**六角形**と**三角形**に加え，**五角形**，**七角形**，**八角形**が用いられます。

内角

正平面充填に特定の形しか用いることができない理由は，内角で説明するのがよいでしょう。二次元の平面では一周が360°です。すき間や重複なく敷き詰めるには，多角形の中心から広がる内角の和が360°でなくてはなりません。

五角形

五角形の内角は108°であり，その和は360°ではないので，五角形のタイルを用いて正平面充填とすることはできません。

それぞれの先端の周囲にタイルを敷く

・すき間が残る：3 × 108 = 324
（360°以下）
・重複する：4 × 108 = 432
（360°以上）
しかし，残された空間を生かして，とてもおもしろい半正平面充填のパターンをつくることができます。

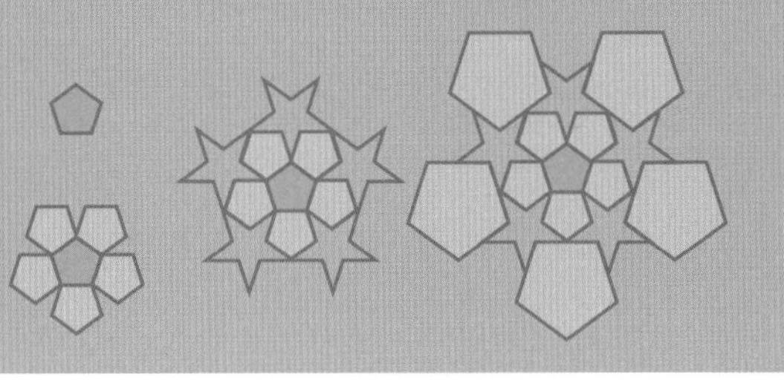

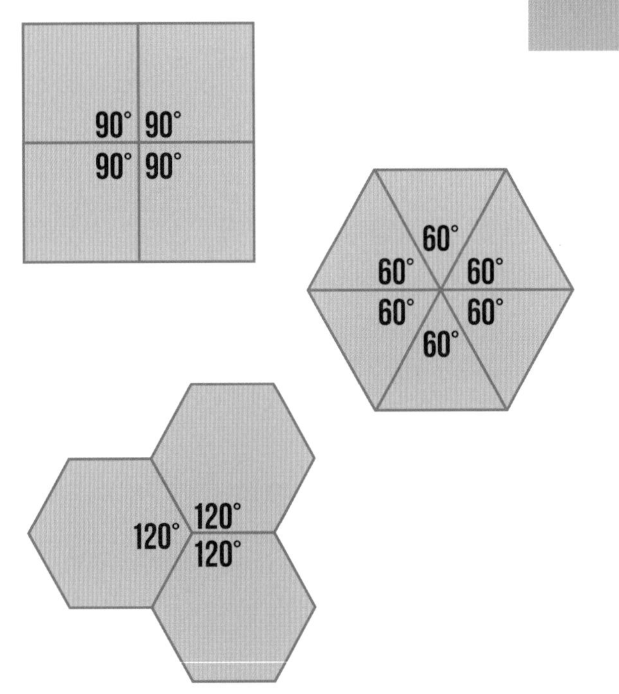

不規則タイリング

不規則な形を用いてつくられます。不規則タイリングでは，**何でもあり**です！ 多角形をランダムに使用して空間を埋めていきます。

ペンローズタイリング

ペンローズタイルは平面に**非周期的に**（繰り返すことなく）タイルを敷いた，「**カイト**」と「**ダート**」と呼ばれる形の組み合わせです。カイトとダートが**ひし形**にならないようにタイルを配置しなくてはなりません。

アルハンブラ宮殿

889年，ムーア人よって**スペイン，グラナダに建てられたアルハンブラ宮殿**では，その至る所に複雑で美しいタイル張りを見ることができます。

正多面体

**正多面体は立体です。各面が同一の多角形で，
それぞれの多角形は頂点で接しています。**

正多角形

正三角形，正方形，正五角形など，各辺の長さと内角が等しいのが正多角形です。

プラトンの立体

プラトンの立体となるには，すべての面が同一であり，かつ正多角形でなければなりません。プラトンの立体は五種類しかありません。

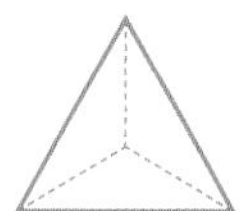
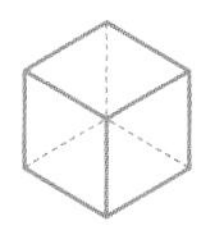
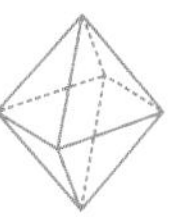
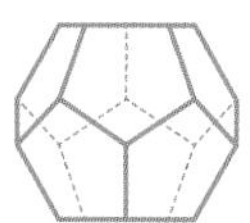
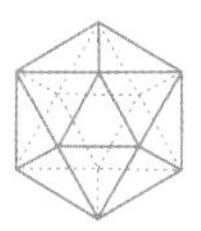

プラトンの形の世界

古代哲学者**プラトン**は，上に示した形を摩訶不思議であると考えました。彼はまた，場所，または重層空間である**「形の世界」**があると信じ，そこには実際にプラトンの立体が存在しました。**プラトンの神秘主義**においては，これらの形が**土，火，天体，水，空気の五つの要素**を体現していると信じられていました。

抽象と具体

科学や数学，哲学でしばしば話題となるのは，**抽象的なものはこの世界または私たちの頭の中に実在するのか**，ということです。観測できる宇宙についての私たちの理解は，それを説明するために使う抽象的なものに依存しているのでしょうか？　**数学的な概念は発明，もしくは発見されたものなのでしょうか？**

その他の立体

ほかの多角形を用い，異なる多角形を組み合わせた新しい形を発見あるいはつくり出せる可能性はまだまだあります。

小星型正十二面体

小星型正十二面体は**二等辺三角形**からつくられています。

五方十二面体

この十二面体は，各面が**五角錐**でおおわれています。

アルキメデスの立体

アルキメデスの立体は，**二つ以上の異なるタイプの正多角形が各頂点の周囲に配置されています。**アルキメデスの立体は十三種類あります。

小星型正十二面体

五方十二面体

アル=フワーリズミー

780年から850年にかけて生きたアル=フワーリズミー（Al-Khwarizmi）は，ウズベキスタン出身のペルシャ人数学者です。バグダードの「知恵の館」で教師を務めた彼は，代数学の発明者としても知られています。

813年から833年にかけて，アル=フワーリズミーは**『約分と消約の計算の書』**と呼ばれる代数に関する書を出版しました。**バビロニア，ヒンズー，イスラムの数や数学に関する知識を体系化したもの**で，**一次および二次方程式**を示した最古の例の一つとされています。

・代数（algebra）の語源は，アラビア語で「復元」や「完了」を意味するアル=ジャブルで，方程式を簡単にするため，**負の数や平方根や二乗**を取り除きます。
・**同類項の整理**を意味するアル=ムカバラは，現在も方程式を解く際に用いられています。

平方完成のはじまり

平方完成は，**二次多項式を，ある定数を用いて適切な項をつくる**ことで，求めたい値を簡単に得るテクニックです。たとえば

ax^2+bx+c を

$a(x-h)^2+k$　　（h および k は定数）

と書き換えることができます。

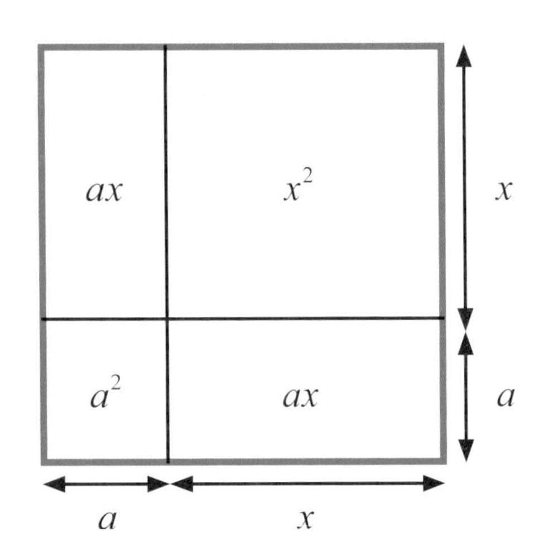

二次方程式を因数分解で解く現代的な解き方

1. ＝0になるように方程式を整理する。
2. 因数分解する。例：$2x^2+x-3$ を整理して $(2x+3)(x-1)$ の形にする。
3. 各因数を＝0になるように設定する。
4. これらの方程式を解く。
5. **代入**して検算する。

二次方程式の解の公式

$$x=\frac{-b\pm\sqrt{b^2-4ac}}{2a}$$

平方完成の例：

$$x^2-10x+25=-16+25$$
$$(x-5)^2=9$$
$$x-5=\pm\sqrt{9}$$
$$x-5=\pm3$$
$$x=5\pm3$$
$x=8$ または $x=2$

フィボナッチ数列

フィボナッチ数列とは0と1からはじまる無限の数列で，先行する二つの数字の和が次の数字になるものです。1170年頃に生まれたイタリア人数学者レオナルド・フィボナッチ（Leonardo Fibonacci）が比率の啓発書を著したことで広まりましたが，彼以前にも多くのエジプト人やバビロニア人によって研究されていました。

右の**線形の漸化式**によって定義することができます。 $$F_n = F_{n-1} + F_{n-2}$$

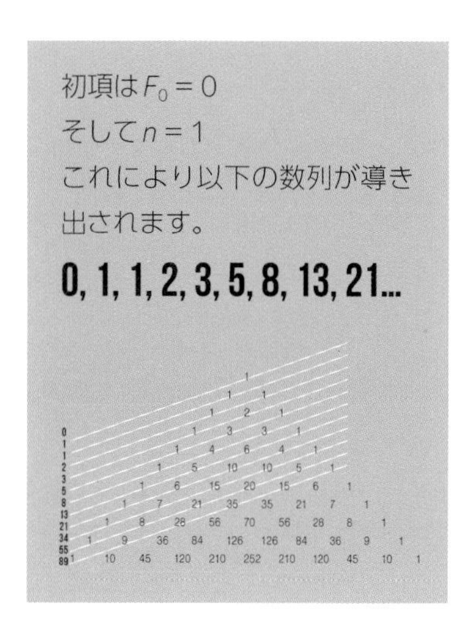

フィボナッチと黄金比

各フィボナッチ数を先行する数字で割るとその値は黄金比に近づいていき，**黄金比に収束していきます。**

$1 \div 1 = 1$
$2 \div 1 = 2$
$3 \div 2 = 1.5$

さらに続けていくと……

$144 \div 89 = 1.6179$

人間はパターンが好き

パターンを追い求める（そしてパターンを愛する）生き物である私たちにとって，このような数字はまるで魔法のよう。しかし，そのように捉えていると黄金比について誤解が生じかねません。**至る所に見られるフィボナッチ数列と黄金比を宇宙の力と関連づける多くの主張は明らかに間違っています。**

黄金比

黄金比は以下の比率で示される**割合**です。$a + b : a$

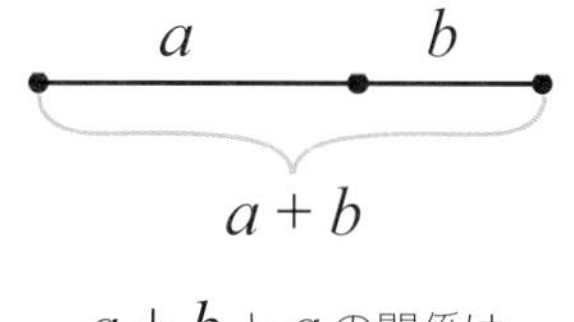

$a + b$とaの関係は，
aとbの関係と同じ

黄金比は下記の式を用いて計算された**無理数**です。

$a \div b = a \div (a + b) =$
$1.618033988749894 8420\cdots$

黄金らせん

次の図のらせん形は，黄金比の割合に従って長くなる線を用いて描かれています。**連続したアーチが線をつなぎ，らせん形になっています。**

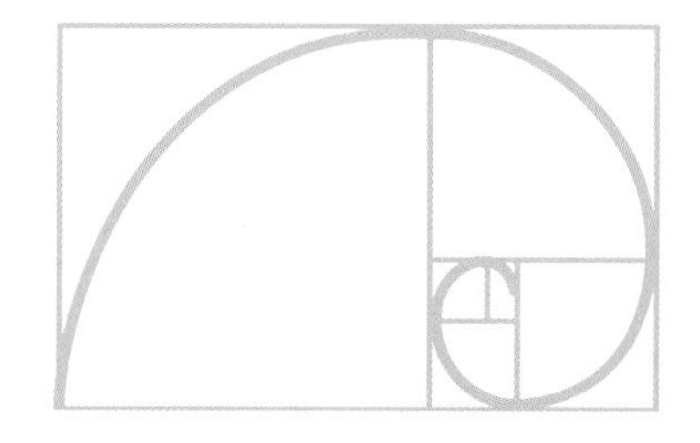

植物の成長

黄金比はある種の植物や生物の成長にも見られます。しかし，**この幾何学的比率に従わない植物や生物も同じだけ多く存在する**ことを忘れないでください。パイナップルやヒマワリ，松ぼっくりでは，種子や葉の配列は黄金比となっています。

無限

**無限の概念は，数学者と物理学者が
限りない量を表すときに用いるものです。**

無限を表す記号は 

異なる種類の無限と集合論

無限は単に大きい数字というだけではありません。無限にはいくつか種類があります。**集合論は数学の一分野で，カテゴリーを研究するものです。**異なる数列を定義し，その性質を探り，説明するパラメーターを特定します。**ほかの数学的概念と同様に，無限は集合を用いて体系化できます。**

無限個のものからなる集合：

∞ 正数
∞ 負数
∞ 分数
∞ 無理数
∞ 平方数

無限の小数位

無限小数も無限の一種であり，すべての数字の間に無限小数があると考えられます。1/3のように，無限小数になる分数もあります。

$$1/3 = 0.33333\cdots\cdots$$

終わりのある数字または循環小数であり，分数として表せる場合，それは有理数です。**二つの整数の比として表せない数字は無理数と呼ばれます**（詳しくは26ページ「虚数」参照）。

ゼロで割る

どのような数字であれ，ゼロで割るとその値は無限ではなく，定義されません。なので，数直線上で表すことができません。

漸近解析

下記の関数では，漸近が生じます。**漸近曲線はある値に限りなく近づきますが，決してその値に達することはありません。**

関数$y = \tan(x)$ および $y = 1/x$ は漸近的な不連続が生じます。

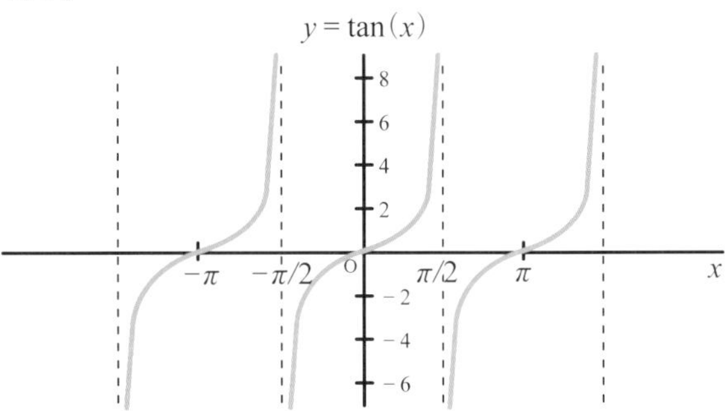

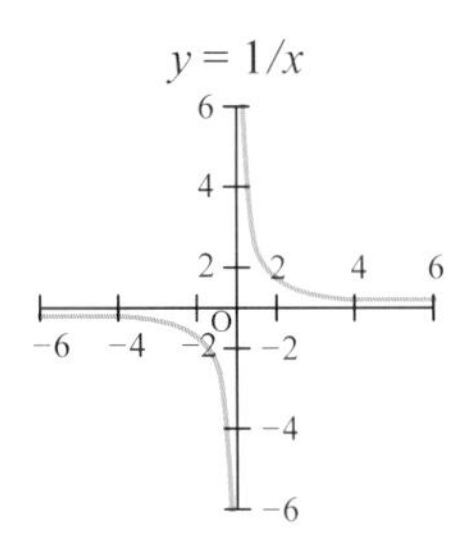

不連続関数と連続関数

不連続関数は連続している曲線ではなく，分かれてみえます。不連続関数の曲線を描く際には少なくとも一度は鉛筆を持ち上げる必要があります。一方，連続関数は平面上に切れ目なく流れるように線をつなぐことができます。

π

πという数字（アルキメデスの定数とも呼ばれる）は，数学定数です。直径に対する円周率として定義されています。

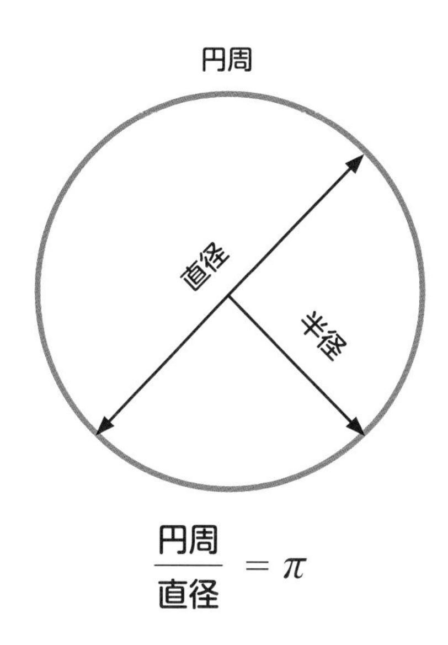

$$\frac{\text{円周}}{\text{直径}} = \pi$$

πは無理数で，無限小数です。

3.141592653589…

超越数

πは**超越数であり，代数的数ではありません。**

代数的数

整数や関数といったすべての代数的数は，**整数，分数，その他の整数係数とともに，ゼロではない「多項式」方程式の平方根**と説明されます。
たとえば，二次方程式は下記形式をとる多項式の一種です。

$$x^2 + bx + c = 0$$

普通の代数的数は**多項式（二次方程式など）を用いて表現されます。**このとき，bとcは整数または分数です。

πを特別にしているのは，これらのタームを用いて表現できないことです。円を正方形にすることは不可能だからです。
円の面積＝πr^2。半径1の円の面積はπです。πと同じ面積をもつ正方形の一辺はπの平方根でなければなりません。**しかし，多項式と同様にπのような超越数を表現することは不可能です。円を正方形にすることはできないからです。**

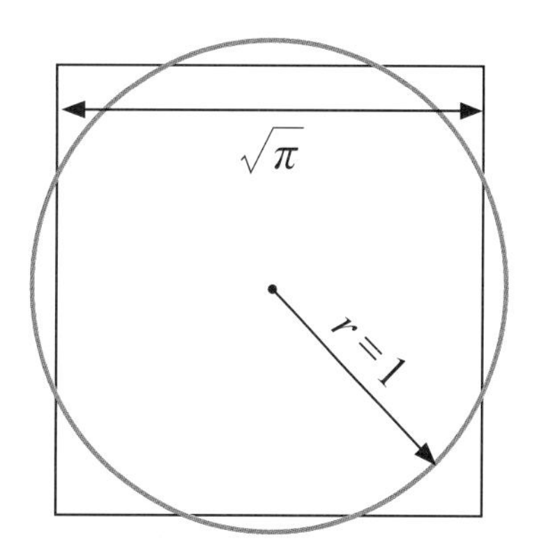

多角形近似

πは辺の数を増やした多角形を用いて概算できます。**この方法で完全なπの値を求めることはできませんが，多角形の辺の数を増やしていけば漸近的に近づいていきます。**

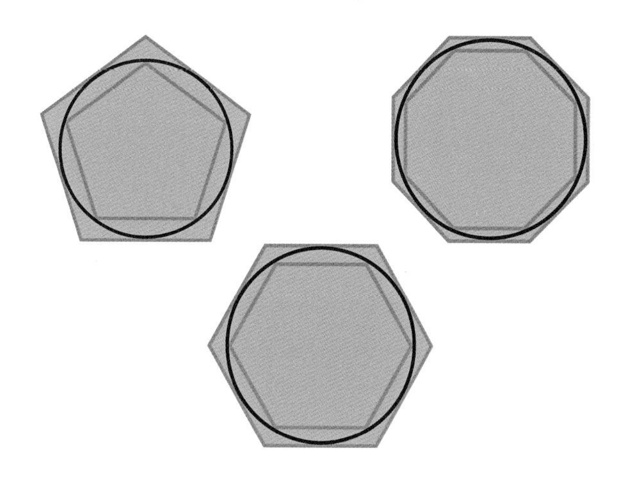

素数

素数とは１とその数字自身でしか割りきれない数字です。素数は無限にあると考えられていますが，ゼロから無限に向かうにつれより少なく，間隔はより広くなっていきます。

素数は小さい順に並べると以下のようになります。
2，3，5，7，11，13，17，19，23，29，31，37，41，43，47，53，59，61，67，71，73，79，83，89，97，101…
表にするとパターンがわかりやすくなるでしょう。

1	**2**	**3**	4	**5**	6	**7**	8	9	10
11	12	**13**	14	15	16	**17**	18	**19**	20
21	22	**23**	24	25	26	27	28	**29**	30
31	32	33	34	35	36	**37**	38	39	40
41	42	**43**	44	45	46	**47**	48	49	50
51	52	**53**	54	55	56	57	58	**59**	60
61	62	63	64	65	66	**67**	68	69	70
71	72	**73**	74	75	76	77	78	**79**	80
81	82	**83**	84	85	86	87	88	**89**	90
91	92	93	94	94	96	**97**	98	99	100

ユークリッドの証明

単純に，**素数は無数に存在する**と述べられています。

素数定理（PNT）

自然数nとゼロの間に素数がいくつ存在するかという，**素数の漸近分布**を述べるものです。

$$\lim_{x\to\infty}\frac{\pi(x)}{x/\ln(x)}=1$$

素数公式

この公式で，**数直線上における素数の分布**を推測できます。

$$P_n \fallingdotseq n \ln(n)$$

・P_n：n番目の素数
・n：自然数
・ln：自然対数（23ページ「対数」参照）

ベルトランの仮説

「任意の自然数 n に対して，$n < p \leq 2n$ を満たす素数 p が存在する」という命題です。
$n \geq 1$であるとき，下記の条件を満たす素数pが少なくとも一つ存在します。

$$n < p \leq 2n$$

素因数分解と暗号学

素数は**サイバーセキュリティや暗号化**に用いられます。二つの大きな素数を掛けてある数字をつくるのは簡単ですが，大きな数字を選び，掛け算された元の大きな素数を特定するのはむずかしいのです。

・**「パブリックキー（公開鍵）」**は，二つの大きな素数から生成され，メッセージを暗号化するために用いられる。
・**「シークレットキー（秘密鍵）」**は，暗号化されたメッセージを解読するために用いられるそれらの二つの素数で構成されている。
・暗号化されたメッセージを解読するために必要なシークレットキーを持っているときのみ，パブリックキーを公開できる。

微積分学

微積分学は，変化についての数理的研究であり分析です。微分学（短い時間内の変化を見積もる）と積分学（全体の変化を見積もる）で構成されています。

変化率

人口増加や**気温の変化**という変化は**時間の関数**としてグラフに表せます。x**軸のある点におけるグラフの傾きから，変化率がわかります**。変化率はギリシャ文字の「デルタ」で表されます：∂，Δ

極限

極限は，**ある点における関数が，どのような様相になるかを示してくれます。**

区間

区間は，グラフのx軸上の二点間の幅です。無数の狭い区間を用いることで，**関数の変化をより正確に見積もることができます。**

微分の記法

$y=f(x)$ または y は x の関数

（xに関する）yの導関数は，xに関するyの変化です。

これは次のように表せます。

$$dy/dx$$

これを合わせると，次のようになります。

$$\frac{d}{dx}f(x)$$

積分の記法

積分は，**微分の逆，つまり「元に戻す」ことです。**
下記曲線の面積のことです。

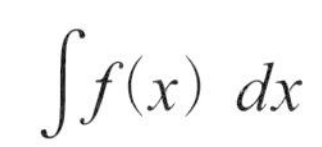

$$\int f(x)\ dx$$

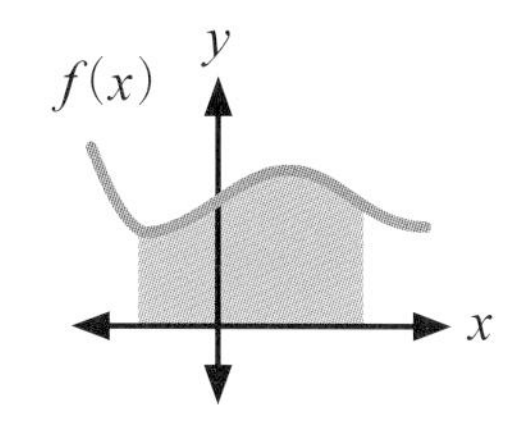

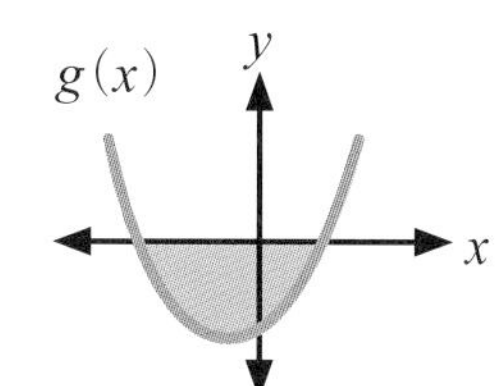

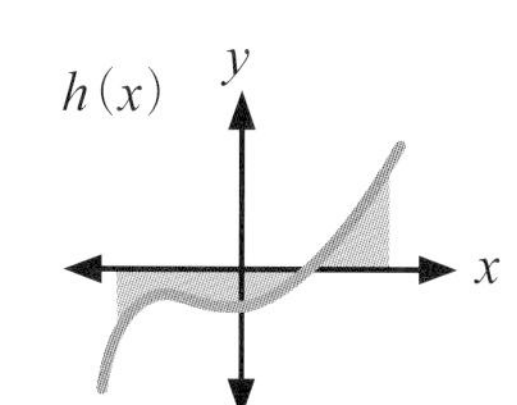

例：位置，速度，加速度

位置，速度，加速度の例から，**微分と積分の間に幾何学的関係があること**がわかります。

- 曲線$v(t)$は，**加速と減速**，いわゆる**速度変化**を表す。
- 加速度は速度の導関数：v-t曲線の傾きは，与えられた点における加速度を表す。$a(1)$，$a(2)$，$a(3)$は異なる時刻における加速度を表す。
- 速度は位置の導関数：下の曲線のt_1とt_2の間の区間は，積分することで，**移動距離（位置の変化）**がわかる。

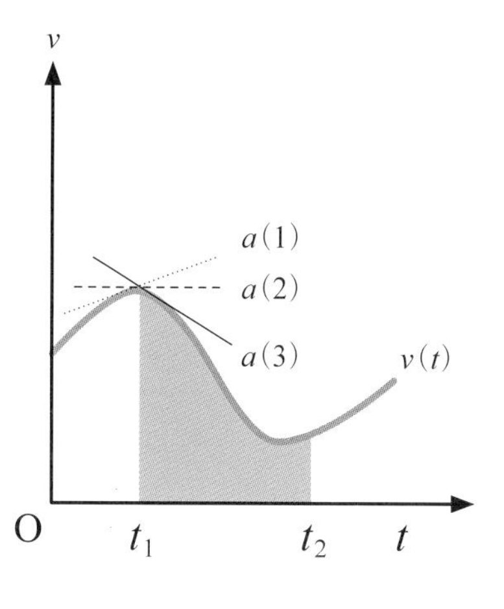

導関数と三角関数

$\sin x$ と $\cos x$の導関数は，以下のように互いに関係があります。
$\sin x$の導関数は$\cos x$
$\cos x$の導関数は$-\sin x$

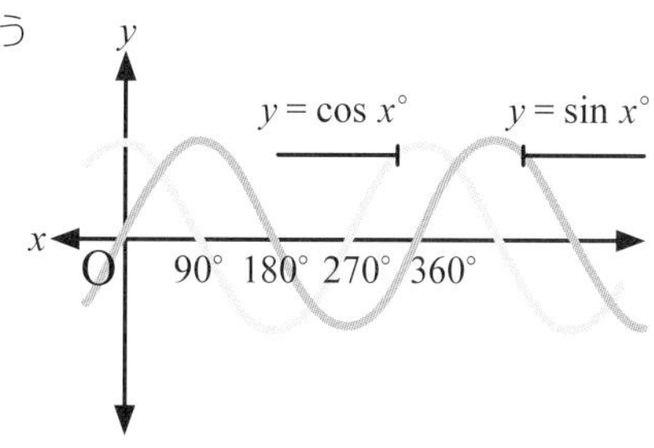

論理学

**論理学は，考えの説明，信念の表現，
建設的な議論に用いられる論理的思考の方法論です。**

- 前提：**結論を導く**命題
- 命題：**普遍的**（万人にとって），**個別**（一部の人にとって），**肯定的**（確認），**否定的**（反論）なもの
- 結論：**信念の表明**
- 有効性：前提がある結論を導き出したとき，有効とされます。**有効性は，内容よりもむしろ「形式」によって決まるので，正しいことと同義であるとは限りません。**

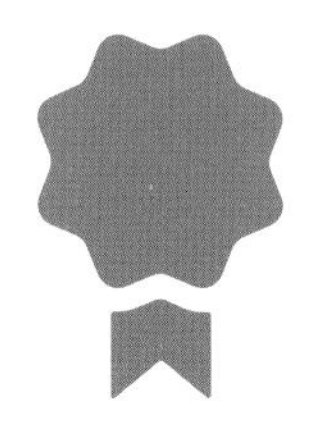

論理の種類

演繹法：三段論法の論理。**三段論法**は，前提が「正しい」のであれば，結論も「正しい」はずであるという考えによって結論を導き出す議論のタイプです。

- 前提1：デイジーは牛である
- 前提2：すべての牛は蹄（ひづめ）をもつ
- 結論：ゆえに，デイジーは蹄をもつ

帰納法：さまざまな事実や事例から導き出される傾向をまとめあげて結論につなげる論理的推論方法。

仮説推論：入手可能な情報によって決まる。いつもすべての情報が入手可能とは限らない。

類推：類似性の認知を用いて，まだ観察されていない類似を推察する帰納的な論法。

背理法（帰謬法）：矛盾から結論の不合理性を示し，ある意見が間違っていることを証明するもの。

逆説：正しい前提から有効な推論を示すものの，矛盾する結論を導き出す。

床屋のパラドックス

自分でひげを剃らない人全員のひげを剃るが，それ以外の人のひげは剃ることができない**床屋**がいるとします。この床屋は自分のひげを剃るでしょうか？

- 自分でひげを剃らない人のひげしか剃れないので，この床屋は自分のひげを剃れない。
- しかし，この床屋が自分のひげを剃らないとすれば，床屋は自分で自分のひげを剃らない人全員のひげを剃らなくてはならないので，自分のひげも剃らないといけない。

A＝自分で自分のひげを剃る人々
B＝自分で自分のひげを剃らない人々

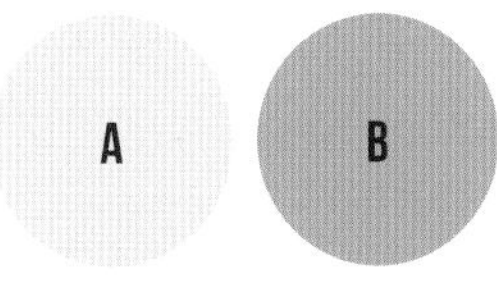

床屋はAとBのどちらでしょう？

数理論理学

数理論理学は四つに分類できます。

1. 集合論
2. モデル理論
3. 再帰理論
4. 証明論と構成主義的数学

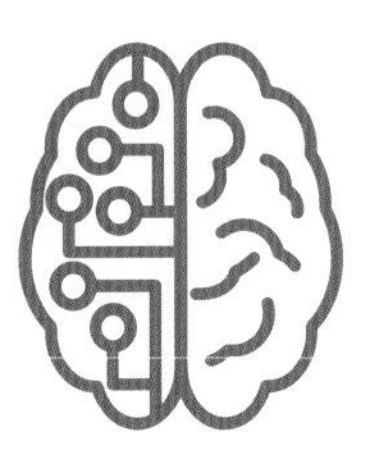

対 数

「累乗の指数を含んだ」関数，または曲線は，与えられた式に従って変化する指数関数で表せます。これはよく「～の～乗」といいます。たとえばxの二乗であれば，2が指数となります。

対数は，ある決まった数を底として，その肩に乗せる指数です。対数関数は，**指数関数の逆関数**（逆関数について詳しくは21ページ「微積分学」参照）です。対数を使えば，大きな数を表現できます。

- 問題：2の何乗が16となるか？
- 答え：方程式「2を底とする16の対数は……」すなわち$\log_2 16 = 4$を用いる。答えは4
- 2の4乗は16である。

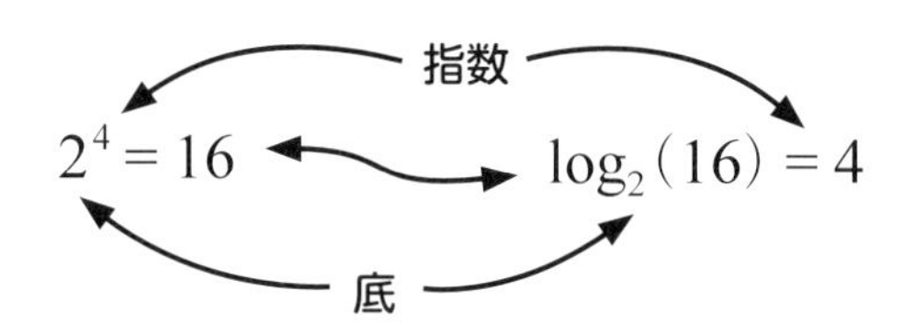

対数には２種類あります

- **常用対数**は10を底とし，$\log x$と記述される。
- **自然対数**は$\ln x$と記述され，底は無理数e（≒2.718）となる。

（定数eについて詳しくは，29ページ「ネイピア数」参照）

（自然対数） $\ln N = x \longleftrightarrow N = e^x$

対数計算では，掛け算は，足し算とします。

- $a = b \times c$
- $\log a = \log b + \log c$

指数関数的変化

指数関数的増加または指数関数的減少は，**時間の経過とともにより加速または減速します。**

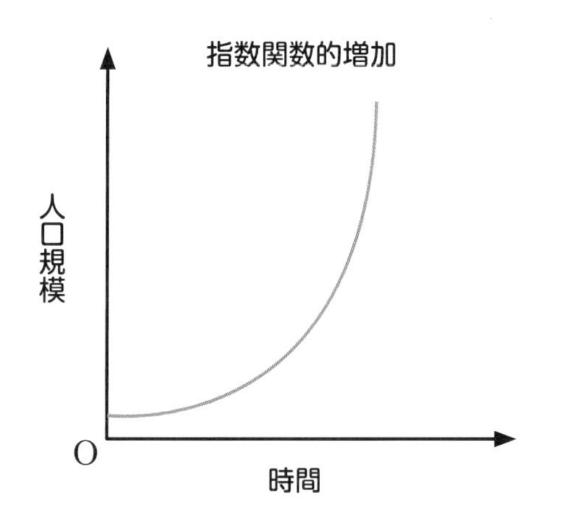

下表は指数における演算則と対数における演算則を表しています。

指数における演算則	対数における演算則
$x^a \cdot x^b = x^{a+b}$	$\log(ab) = \log(a) + \log(b)$
$\dfrac{x^a}{x^b} = x^{a-b}$	$\log\left(\dfrac{a}{b}\right) = \log(a) - \log(b)$
$(x^a)^b = x^{ab}$	$\log(a^b) = b \cdot \log(a)$
$x^{-a} = \dfrac{1}{x^a}$	$\log_x\left(\dfrac{1}{x^a}\right) = -a$
$x^0 = 1$	$\log_x 1 = 0$

対数の歴史：ジョン・ネイピアと対数表

スコットランドの数学者**ジョン・ネイピア**（John Napier）は，20年の歳月をかけて**対数表**を完成させ，1614年に発表しました。

確率と統計

確率とは，物事が起きる可能性を測定するものです。確率は0から1で表され，0は不可能，1は確実を意味します。統計はデータ分析にフォーカスした数学の一分野です。どのようにデータを収集し，整理し，提示し，分析し，解釈するかも含まれています。

中央値の算出

・**平均値**：**データセット内の平均値**。すべての数値の合計を数値の個数で割って算出する。
・**中央値**：データセットを並び替えた数値の「**真ん中**」**の数値**。
・**最頻値**：**最も頻繁に表れる数値**。

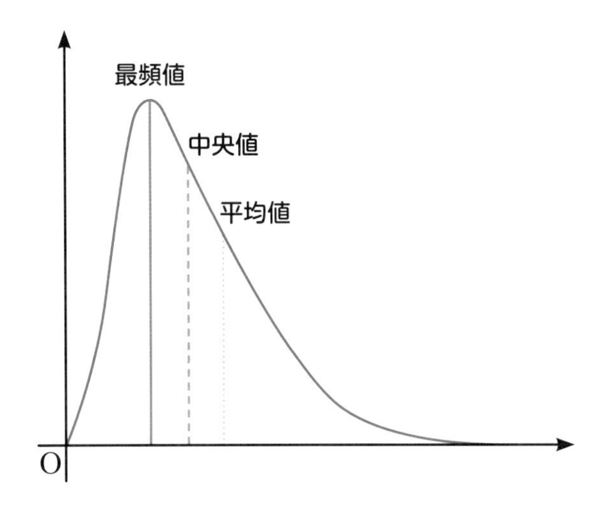

偏差の算出

・**範囲**：**最低値と最高値の間の差**。
・**四分位数**：四分位数は下記のように定義されます。
1. データセット内に数値のリストを順番に並べる。
2. リストを四等分し，四分位数を求める。

・**四分位間範囲**：**第1四分位と第3四分位の間の差**。
・**パーセンタイル**：**データを大きさ順でならべて100個に区切り，小さいほうからのどの位置にあるかをみるもの**。
・**平均偏差**：**平均値が中央値からどれくらい離れているかを示す数値**。
・**標準偏差**：**データセット内で数値がどの程度ばらついているかを示す**もので，σ（シグマ）で表される。

二乗平均平方根は，**数値を二乗し，すべての数値を合計したものを数値の個数で割ったものの平方根**です。

データ比較と相関

同種のデータを同じグラフ上に提示し，比較することができます。**異なるデータセット間に見られる一致の度合いを相関といいます**。相関は1から−1を用いて測定されます。1は完全な正の相関関係，0は無相関，−1は完全な負の相関関係を表します。

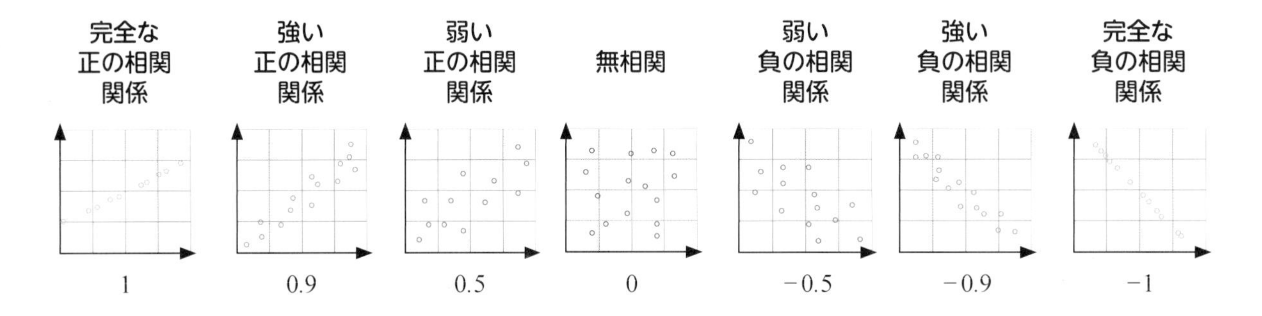

カオス

カオスとは複雑なシステムを数学的に描写したもので，初期条件におけるわずかな変化が結果に劇的な影響を及ぼします。

カオス：**確定系内で起こる一見したところランダムなプロセス**。カオス系は力学系（発生系）で，そのアトラクターはフラクタルになる。

アトラクター：**力学系が収束する平衡状態または数値**。

ストレンジアトラクター：**フラクタルである場合**，アトラクターは**ストレンジ**と呼ばれる。

　フラクタル幾何は，どんなスケールで測定しても，断片が生じるような構造をしています。

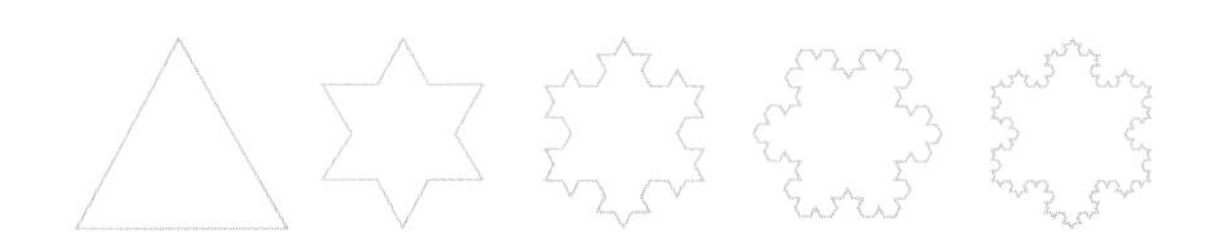

下：ローレンツアトラクターと呼ばれる，
視覚化されたストレンジアトラクターの一つ

初期条件：システムにおける初期条件の**わずかな変化**によって，最終結果に**劇的な違い**をもたらす可能性があります。

決定論的：初期条件について十分な情報があり，また時間の経過とともにそれが結果に対してどのような変化をもたらすかが**予測可能な**システムです。

二重振り子：**振り子は決定論的**ですが，（34ページ「単振動」参照）これらを二つつないで**二重振り子**にすると（振り子の先端にもう一つの振り子を連結する），**一貫性のない動き**を示します。一貫性のなさの度合いは，振り子が放たれる高さによって決まります。

バタフライ効果

ペルーの熱帯雨林に生息するチョウが羽を羽ばたかせると，最終的にグラスゴーの天気に影響を与えるという考えを基にした原理です。チョウの羽ばたきのみならず，大西洋上を吹く風などほかの作用も考えられるため，この例は誇張であることがほとんどです。

天気予測

気象のシステムには，測定可能な初期条件があります。天気は，**ある程度の予測はできますが，変化する変数が多すぎるため，正確な予測はできません**。

疑似乱数

疑似乱数はその多くがソフトウェアやハードウェアによって生成されます。**これらは決定論的で，完全なランダムにはなりえません**。本当にランダムに数字を選ぶなら，**数字が選ばれる確率が等しく完全に予測不可能でなくてはなりません**。

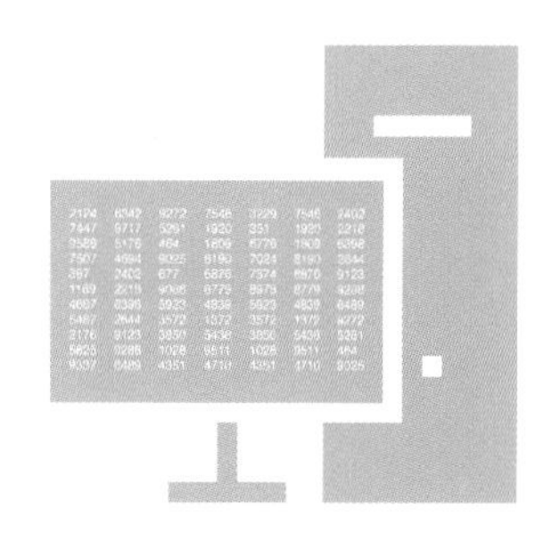

虚数

虚数とは「複素数」とも呼ばれ，二乗すると負の数になる数字です。方程式$x^2 = -1$の解で，実数に「i」を乗じた数として書き表します。

iは$i \times i = -1$によって定義され，ここでのiは負の数の平方根です。 $\sqrt{-1}$

ピタゴラスの定理 $a^2 + b^2 = c^2$ を用いることにより，虚数を**座標**で表すことができます。複素数は**数直線**上ではなく，**実数平面**または**複素平面**上に存在します。虚数の場所を決めるために座標を描くことができます。

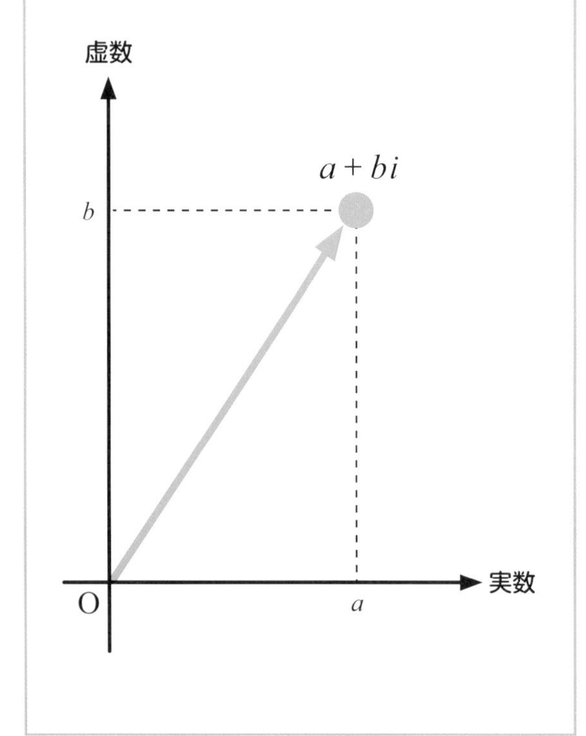

iについての掛け算を行うことで，とても素晴らしい**四つの結果**が導き出されます。

- $i \times i = -1$
- $-1 \times i = -i$
- $-i \times i = 1$
- $1 \times i = i$

iの指数は，以下のように計算できます。

$i = \sqrt{-1}$　$i^2 = -1$　$i^3 = -\sqrt{-1}$　$i^4 = 1$
$i^5 = \sqrt{-1}$

これらの結果はサイクリックなルールに従っています。虚数が**周期的現象または振動現象に適用可能である**のはこのためで，**信号処理や通信**，**ワイヤレス技術**，**画像技術**，**音分析**，**電子工学**，**レーダー**，**自然サイクルなど**幅広い技術に応用されています。

振動現象が見られる至るところに，虚数が適用されています。もし虚数がなかったら，**デジタルテクノロジーもアナログテクノロジーも，インターネットもなかった**に違いありません。

「imaginary number（虚数）」という語が初めて用いられたのは17世紀のこと。**誰も理解できない（imaginary）数学**に対する，軽蔑的な意味が込められていました。

非ユークリッド幾何学

ユークリッド幾何学において平行線は永遠に平行線のままです。しかし，数学ではさまざまな種類の幾何学が用いられ，すべての幾何学にこの平行線の法則が当てはまるわけではありません。

ユークリッド幾何学は，湾曲のない二次元の座標上に適用されます。非ユークリッド幾何学は，球体（楕円）やサドル（双曲線）の表面といった**あらゆる曲面に適用されます**。

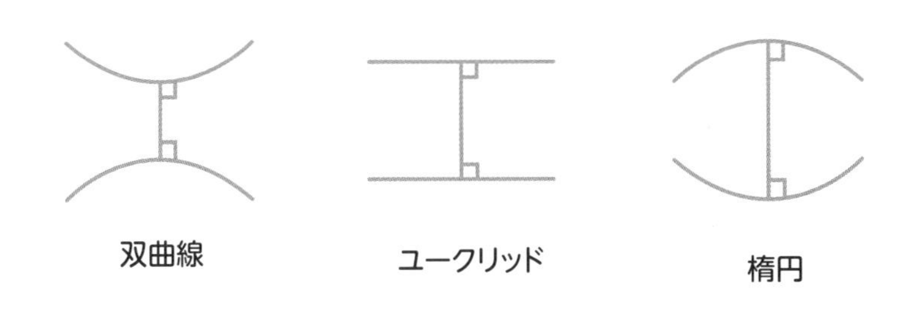

ユークリッド平面

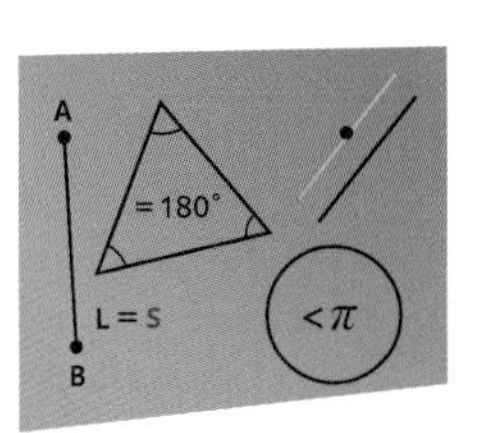

曲率ゼロ
ユークリッド幾何学

球体の表面

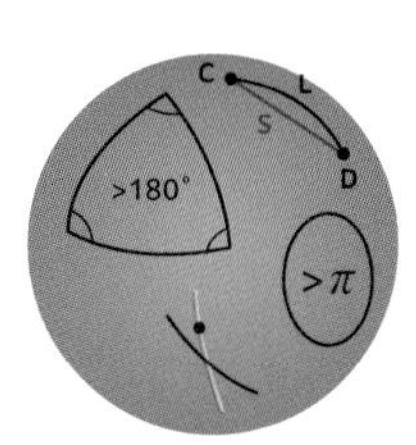

正曲率
楕円幾何学

サドルの表面

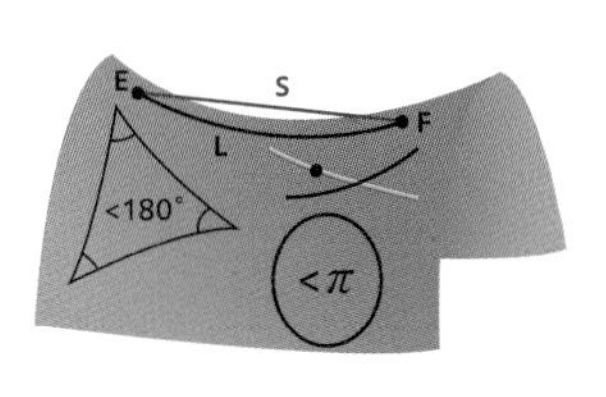

負曲率
双曲幾何学

例として三角形の内角を見てみましょう。**ユークリッド幾何学では，内角の和は必ず180°になります。しかし非ユークリッド幾何学（楕円幾何学または双曲幾何学）では，内角の和は180°ではありません。**

- **楕円幾何学**＝正曲率をもち，**三角形の内角の和は180°以上**
- **双曲幾何学**＝負曲率をもち，**三角形の内角の和は180°以下**

非ユークリッド幾何学は**電磁場や重力場における曲面**を説明する際に用いられます。

楕円図法

北京からトロントに向けて飛ぶ飛行機を想像してみてください。飛行機の視点で見ると直線を進んでいるようですが，**実際は曲線を航行しています**。

双曲幾何学

双曲幾何学では，**アインシュタインの相対性理論**においても重要ないくつかの模型が用いられています。

ポアンカレ球体模型：
双曲幾何学の曲線を
二次元で表した投影モデル

ベルトラミ・クライン模型：
曲面を二次元の球体に投影し，
結果として直線で
表されている投影モデル

フェルマーの最終定理

ピエール・ド・フェルマー(Pierre de Fermat，1607～1665)は，数学をこよなく愛したフランスの法律家で，ピタゴラスの定理に類似した方程式に関心を寄せていました。方程式を二乗することに制限せず，三乗，四乗，五乗，六乗……した場合でも有効であるかどうか考えていました。

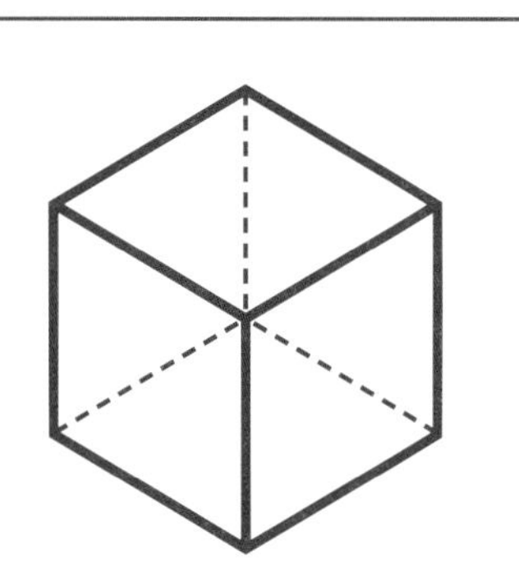

フェルマーの最終定理は以下の通りです。

$n > 2$ のすべての整数において，$x^n + y^n = z^n$ を満たす**三つの整数 x，y，z の組は存在しない。**

ピタゴラス数

$n = 2$ のとき，ピタゴラス数は，**無数に存在します。ピタゴラス数**とは，$x^2 + y^2 = z^2$ を満たす数です。

例：

$$3^2 + 4^2 = 5^2$$
$$9 + 16 = 25$$

$$161^2 + 240^2 = 289^2$$

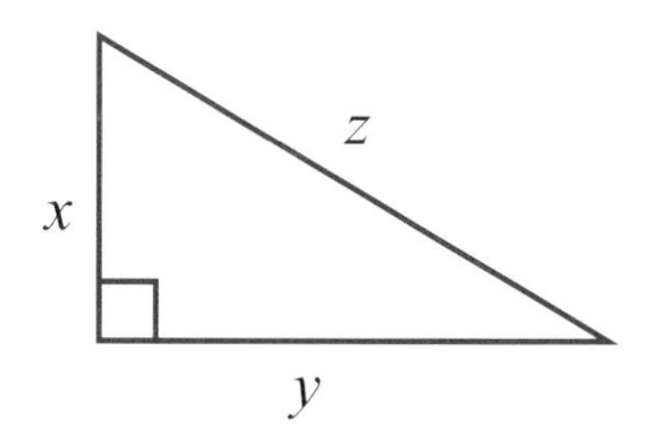

フェルマーによれば，x，y，z **の指数が3以上の場合，答えは存在しません。**たとえば以下の式には答えが存在しません。

$$x^5 + y^5 = z^5$$

フェルマーはこれを証明できると考えました。あまり行儀がいいとはいえませんが，彼は読んでいた本の余白にこの問題の解答を書きました。しかし**「この本の余白では足りない……」**と書き残して亡くなりました。

それから何世紀もの間，数学者たちはフェルマーの最終定理の証明を試みてきました。

数学における協力

数学も，**協力して**研究するメリットはあります。つまり，数学者が自らの成果を発表するとき，ほかの数学者がそれを確認するのです。フェルマーはこの問題の証明を発見したと考えましたが，それはフェルマーが一人で行っただけで，**誰もその計算を確認していません。**そのため多くの数学者たちは，それは彼の幻想にすぎないと考えています。

多くの数学者たちがこの定理の証明に近づいたものの，ほかの人が確認し，反証されています。1994年，数学者**アンドリュー・ワイルズ**(Andrew Wiles)がフェルマーの最終定理の一部を証明し，他者による**完全証明への道を開きました。**

ワイルズは，フェルマーの最終定理が部分的に証明できることを実証しようと，**谷山・志村予想**を証明するために**岩澤理論**を用いました。**谷山豊**(1927～1958)と**志村五郎**(1930～2019)**の予想(モジュラリティ定理とも呼ばれている)**は，**楕円曲線を研究し，数論と位相幾何学を組み合わせました。**岩澤健吉の理論は数論の一部です。

ネイピア数

ネイピア数「e」は，2と3の間の無理数です。
数学で最も重要な定数です。

$e = 2.718281828459045235360287471352 7\cdots$

レオンハルト・オイラー（Leonhard Euler，1707～1783）は，スイス人数学者で，視力を失った後も精力的に数学の研究に取り組みました。
定数eは，増加と関連するもので，**応用数学**や**物理学**に用いられます。例として**人口増加**や**気温変化**などが挙げられます。

ヤコブ・ベルヌーイ（Jacob Bernoulli，1655～1705）は，**変化率**や**複利**の調査の際に，初めてこの研究に取り組みました。

硬貨を一枚持って銀行にいると想像してみてください。銀行は一年で100%の利息を払うと申し出ています。一年後に硬貨が二枚になるということです。銀行の申し出が6カ月ごとに50%，3カ月ごとに25%，1カ月ごとに12%の場合はどうなるでしょう？

受取利息	年間支払回数	年間合計
100%	1	2
50%	2	2.25
25%	4	2.44140625
12%	12	2.61

期間をどんどん短くしてこれを続けていくと，eの値に漸近的に近づいていきます。**定数eは無限に続いてきます。**

eを計算するほかの方法：

$$e = 1 + \frac{1}{1} + \frac{1}{1\times 2} + \frac{1}{1\times 2\times 3} + \frac{1}{1\times 2\times 3\times 4} + \text{無限に続く}$$

eと増加

$y = e^x$とすると，曲線が得られます。

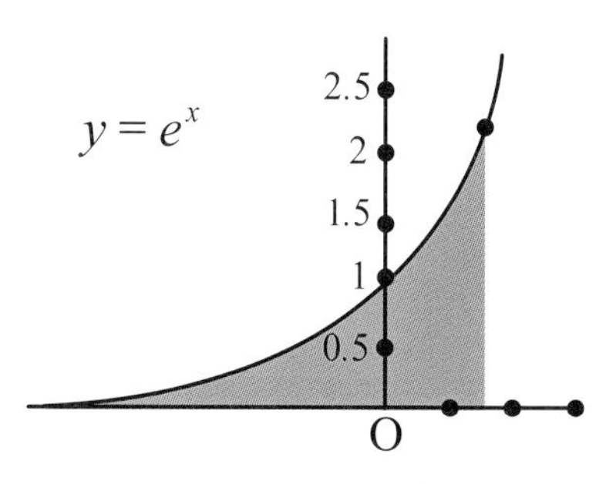

$y = e^x$は，**傾きに沿った点と傾きの曲率と曲線の下の面積が，同じ（e^x）となる唯一の関数**です。この関係は，**微積分学**（変化率を説明する方程式）を，より簡易にしました。

オイラーの等式

πは円周率を表す無理数です。**オイラーはπとeをつなぐ方程式を解きました。**

$$e^{i\pi} + 1 = 0$$

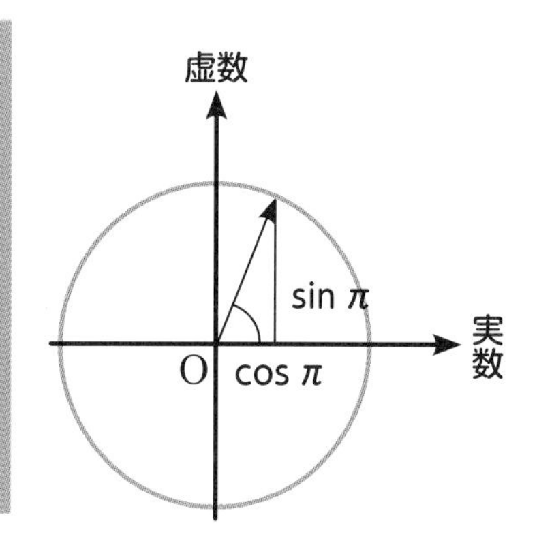

マンデルブロ集合

マンデルブロ集合はその美しさで有名です。
それは，数字の２で明確に制限された関数で複素数が用いられているためです。

マンデルブロ集合がどのようなものか理解するため，**複素平面**から見ていきましょう。

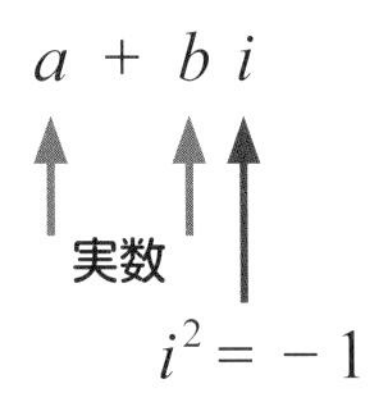

座標のように，複素平面上に複素数を描きます。複素数の大きさは｜$a+bi$｜として表され，下のグラフのようになります。

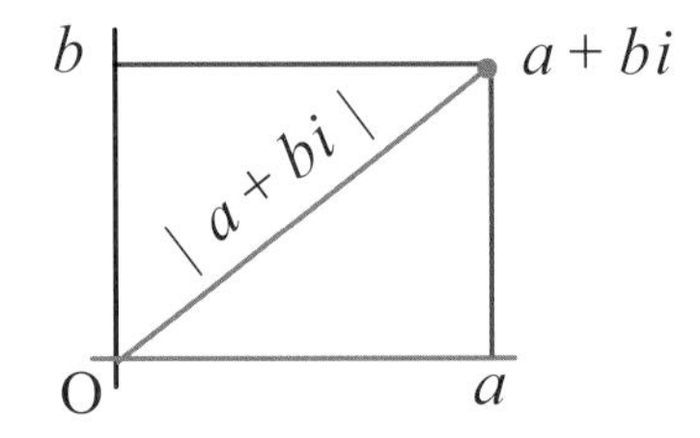

zの関数

ある複素数を「c」とし，関数「z」は次の方程式に従います。$c = 1$であるとき，結果を$f(z)$に循環させると以下の結果が導き出されます。

$$f_1(0) = 0^2 + 1 = 1 \rightarrow$$
$$f_1(1) = 1^2 + 1 = 2 \rightarrow$$
$$f_1(2) = 2^2 + 1 = 5 \rightarrow$$
$$f_1(5) = 5^2 + 1 = 26 \rightarrow \ldots$$

上記の結果は**反復**とよばれ，たがいに供給し合っています。これらはz関数における０の反復行動を示しています。

マンデルブロ集合は｜$a+bi$｜の大きさ，$f(z)$**によって導き出される数**，複素平面上の**座標点の原点からの距離**に関係しています。**この場合反復は無限大です。**
$c = -1$の場合，結果は２以内になります。

$$f_{-1}(z) = z^2 + (-1)$$
$$f_{-1}(0) = 0^2 + (-1) = -1 \rightarrow$$
$$f_{-1}(1) = -1^2 + (-1) = 0 \rightarrow$$
$$f_{-1}(0) = 0^2 + (-1) = -1 \rightarrow \ldots$$

複素数の集合

$f(z)$の結果が２以内にとどまるとき，それらはマンデルブロ集合の境界内に存在し，興味深いパターンを生み出します。２以内では，**反復が無限に拡大するとき関数は発散しません。**

マンデルブロ集合を拡大していくと，自然界において**フラクタル**を形成する**無限に織りなすディテール**や**構造**を見ることができます。

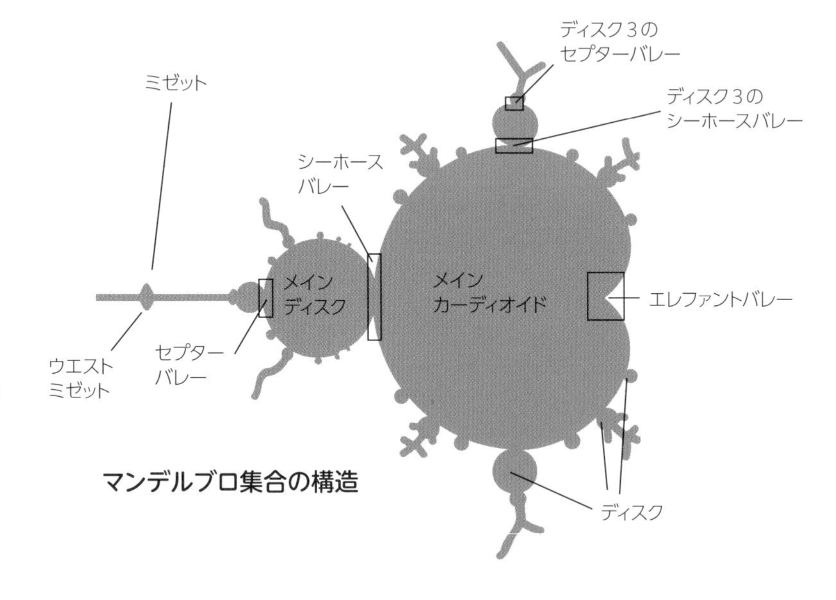

マンデルブロ集合の構造

位相幾何学

位相幾何学とはさまざまな面や空間の研究であり，表面を引き裂いたり切断したり，接着したりしない連続変形が含まれます。

位相オブジェクトは**穴がいくつあるかによって分類することができます。**位相幾何学的では，マグカップとドーナツは同じです。ドーナツを切ったりちぎったりすることなくゆっくりつぶして，マグカップの形にすることができます。

位相オブジェクトの種類

- **トーラス**：**一つ穴**のドーナツ型オブジェクト。
- **ダブルトーラス**：ドーナツを二つつなげたような形。位相幾何学的にいえば，**穴が二つ**ある。
- **トリプルトーラス**：プレッツェルのような形で，**穴が三つ**ある。

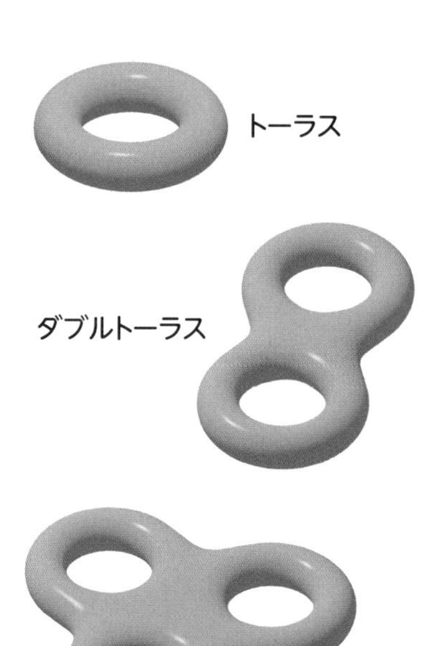

メビウスの帯

メビウスの帯の両端は，それぞれの端とつながっています。一方の端は180°回転した状態でもう一方の端とつながっているため，**一続きの面のようになっています。**数学的にいうと，これは**三次元空間に存在する二次元のオブジェクト**，と表されます。

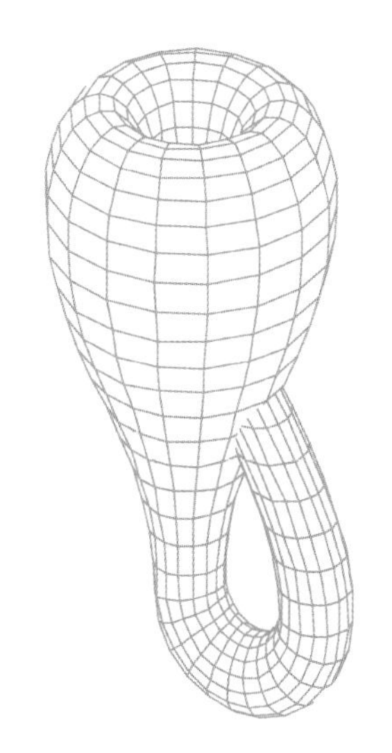

クラインの壺

これは**三次元空間に存在する二次元平面で，壺の外部構造と内部構造は連続しています。**

ジュール=アンリ・ポアンカレ

フランス人数学者**ポアンカレ**（Jules Henri Poincaré, 1854～1912）は，理論物理学者であり科学哲学者でした。**位相幾何学**の分野を発展させ，またその数学的**空間ひずみ**の見解によって**相対性理論**の発展に貢献しました。

ポアンカレ予想は，**トーラス上に置かれた二つの輪を引き締めて一点に収縮することができない**ことを説明しています。これによりトーラスは，輪を一点に収縮することができる球体と位相同型にはなりません。

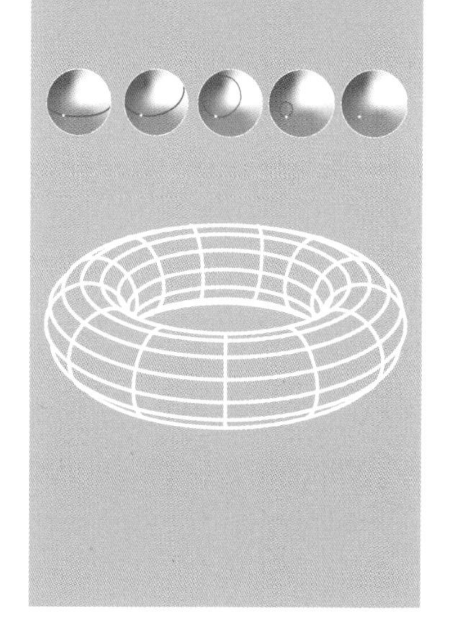

惑星の共鳴

天体力学では，惑星，月の公転軌道，太陽，太陽系，銀河系中心の相互作用を取り扱います。重力が，どのように軌道を維持したり修正に影響をしているかについて明らかにします。

周回する惑星と月は長い時間をかけて運動量を交換し，同期するようになります。周回する天体の比率が整数比であるとき，それらは**共鳴している**といえます。

太陽系を例に見てみましょう

- 火星の軌道＝687日，地球の軌道＝365日。この二つの数字の比率は1.88で，整数ではありません。そのため，**火星**と**地球**は軌道共鳴の状態にはありません。
- **冥王星**と**海王星**は2：3の共鳴状態にあります。
- **土星の衛星**の軌道はそれぞれが完全に関係しあっているわけではない不安定な共鳴状態にあります。これが土星の**美しい環**を生み出しています。
- **木星の衛星であるガニメデ，エウロパ，イオ**は1：2：4の共鳴状態にあります。つまり，ガニメデが木星を一周したとき，エウロパは二周，イオは四周しているということを表しています。

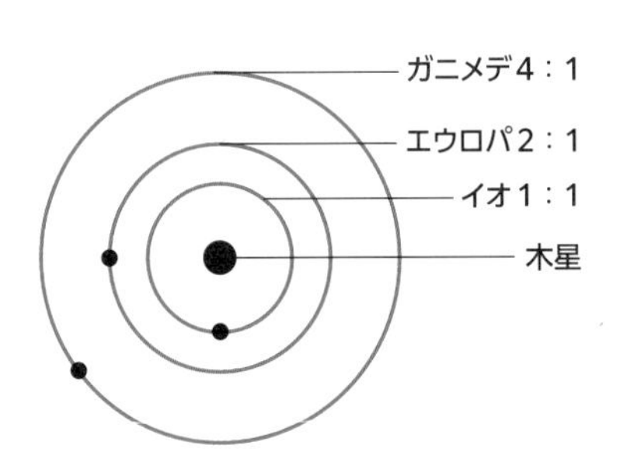

役に立つ数学：比率と共鳴周波数

二つの軌道が共鳴している場合に，比率を単純化することは，それらが割りきれるような数に掛けたり割ったりすることです（すなわち，3：6は1：2と書き換えることができます）。

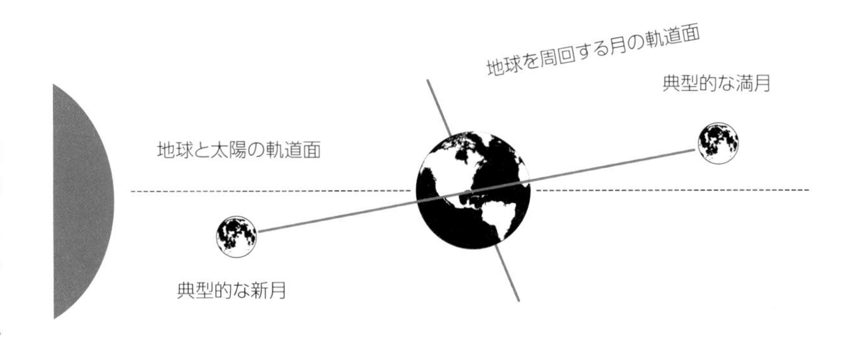

地球と月

地球と月は**「スピン軌道」の共鳴状態**です。地球からは月の片側しか見えないようになっていますが，これは月が地球の周りを公転するのと同じ周期で自転しているためです。月は地球に**潮の干満**をもたらします。**太陽による潮の干満も**あります。

歳差運動

地球の**赤道直径**は約12,755kmで，極軸は約12,714kmです。**月が周回していること**も，赤道付近がわずかに膨らんでいることの原因です。月と地球はたがいに引き合っています。**月と地球の重力相互作用**は**地軸**のぐらつきを引き起こし，これによって地球はジャイロスコープのように**歳差運動**をしているのです。

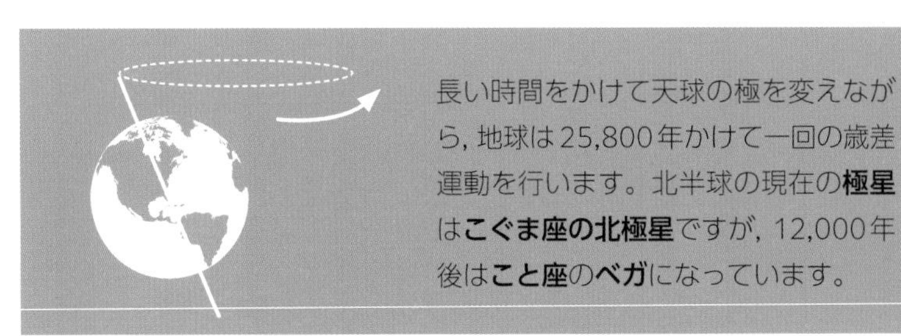

長い時間をかけて天球の極を変えながら，地球は25,800年かけて一回の歳差運動を行います。北半球の現在の**極星**は**こぐま座の北極星**ですが，12,000年後は**こと座**の**ベガ**になっています。

アル=バッターニー

アル=バッターニー（Al-Battani, 850～922）は，イスラム黄金時代の天文学者であり数学者です。現在のトルコにあたるメソポタミア北部の出身らしいとされています。

彼の生い立ちについてわかっていることはあまり多くはありませんが，アル=バッターニーの父親は科学的な道具を製作していたことで知られています。

アル=バッターニーの研究は影響力が大きく，また広範囲に及びました。コペルニクス，**ガリレオ**，**ケプラー**，**ティコ・ブラーエ**はすべてアル=バッターニーの書物を引用しています。

サイン，コサイン，タンジェント

アル=バッターニーの研究は，三角関数が使われた最古のものの一つです。三角関数は科学者が理解しようと探し求める多くの現象を説明するために欠かせません。バッターニーは三角関数を計算するための包括的な表をまとめました。

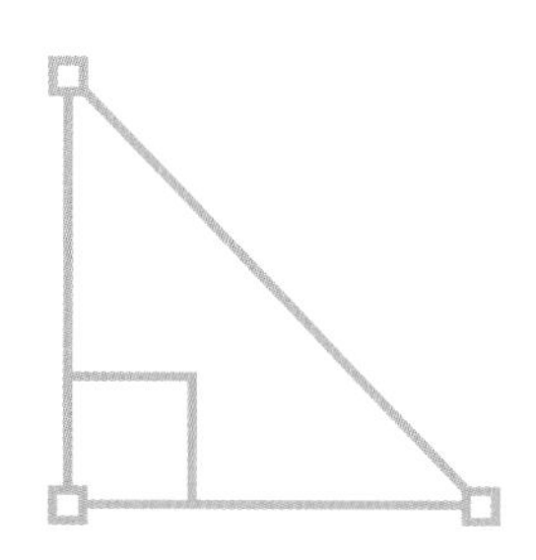

『天文表』

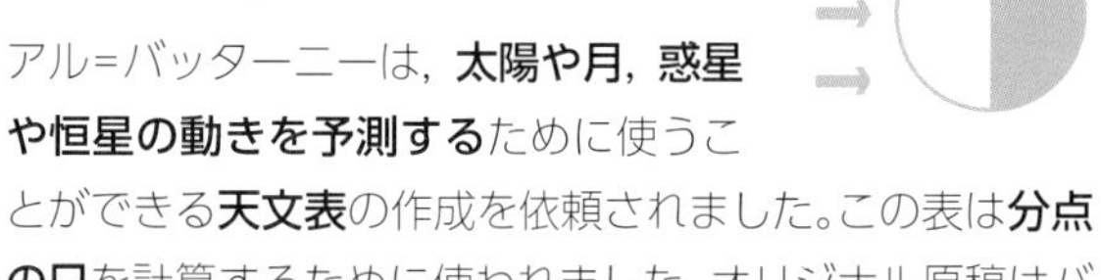

アル=バッターニーは，**太陽や月，惑星や恒星の動きを予測する**ために使うことができる**天文表**の作成を依頼されました。この表は**分点の日**を計算するために使われました。オリジナル原稿はバチカン図書館で保管されています。この表は航海や文化，神学にとって非常に重要なものでした。

アストロラーベ

アストロラーベはイスラム黄金時代に発達した装置です。**傾斜計**としても知られ，**夜空を描写する**ために用いられました。**天体の動きを表す動くパーツ**がついたもので，**座標を描いたり時間を調べる**ためにも使われ，**航海**には欠かせないものでした。

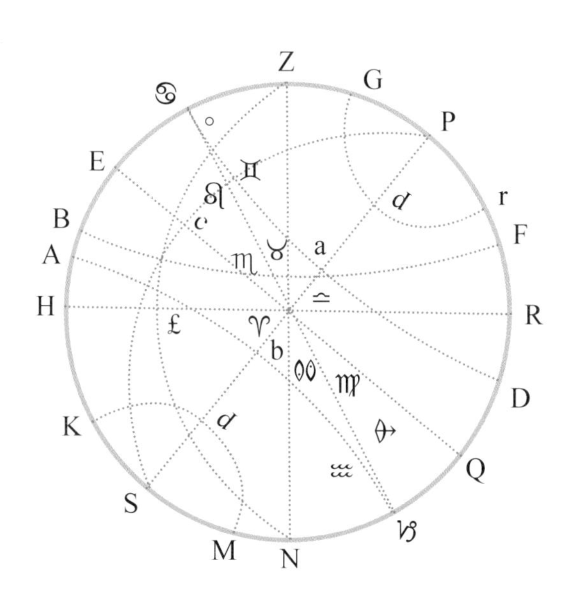

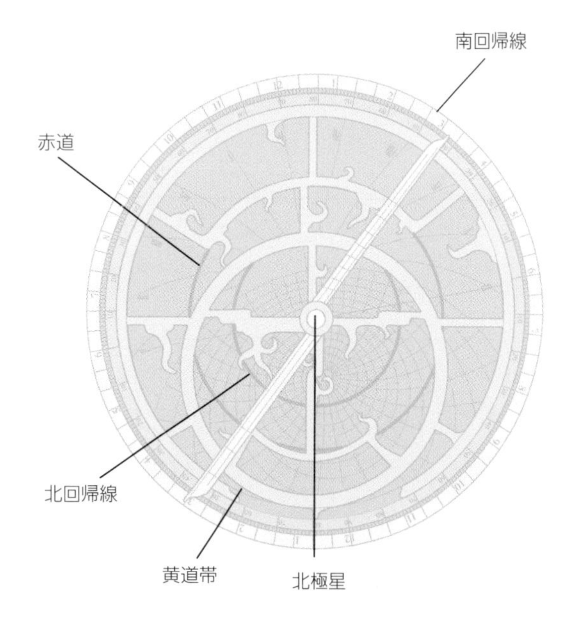

単振動

単振動は振動の解析に用いられます。ポテンシャルエネルギー（*PE*）と運動エネルギー（*KE*），角運動量の相互作用が含まれます。

運動エネルギー（*K*）：運動のエネルギー

$$K = \frac{1}{2}mv^2$$

v：速度 m/s
K：運動エネルギー（J）

ポテンシャルエネルギー（*PE*）：位置エネルギー

$$PE = mgh$$

m：質量（kg）
g = 9.8 N/kg
h：高さ（m）

等速円運動

一定速度での円運動です。
角速度は，以下の式で表せます。

$$\omega = 2\pi f$$

- ω：角速度
- f：振動数
- r：半径

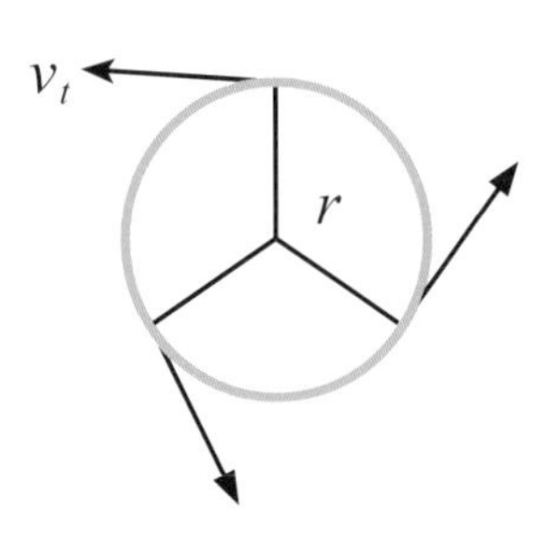

ペンデュラム（振り子）

振り子運動は，**円運動**に用いられるのと同じ数学で説明できます。**振り子での円弧の長さ**は，**円の半径とラジアン単位での角度を掛けたもの**と同じです。**振り子が最も振れた高い位置では，おもりは一度止まって，その後，方向を変えます。**

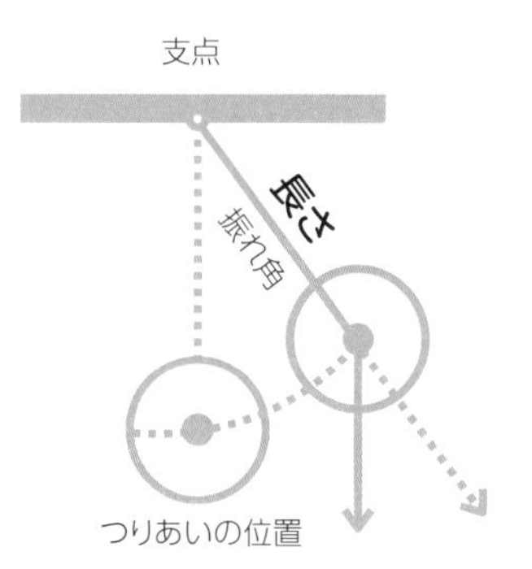

- おもりが止まったとき，$KE = 0$，PEは最大となる。
- おもりがつりあいの位置と同じ位置にあるとき，KEは最大，$PE = 0$となる。

ばねの運動

- ばねが最大に振れた位置で，PE = 最大，$KE = 0$になる。
- 振幅の半分の位置で，KE = 最大，$PE = 0$になる。

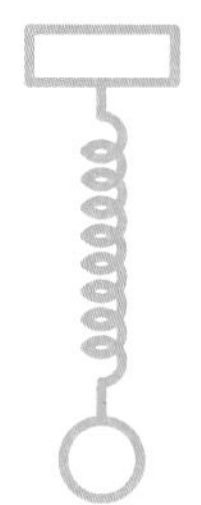

ばね定数とフックの法則

ばねのような伸縮性のある物質は，**ばね定数**とよばれる特性をもっています。これは**小文字の*k*で表されます。**

$$F = k \times x$$

F：ニュートンの法則における力の大きさ（または復元力）　k：ばね定数　x：伸び（単位はm）

周波数

1秒間あたりの振動回数

T = 1波長のサイクルが完了するまでの時間：周期

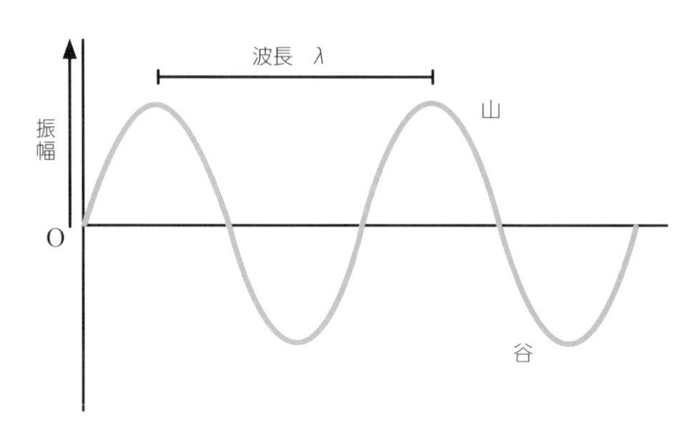

光学

光線モデルは，異なる物質間で，
光がどのように影響を受けるかを説明する視覚的な方法です。

反射の法則

反射面への入射光線は，逆向きに同じ角度で反射します。
入射角＝反射角

屈折の法則

ある物質の境界面に空気中より入射する光線の屈折角は，入射角より小さくなります。屈折角は，**スネルの法則**によって入射角から求めることができます。

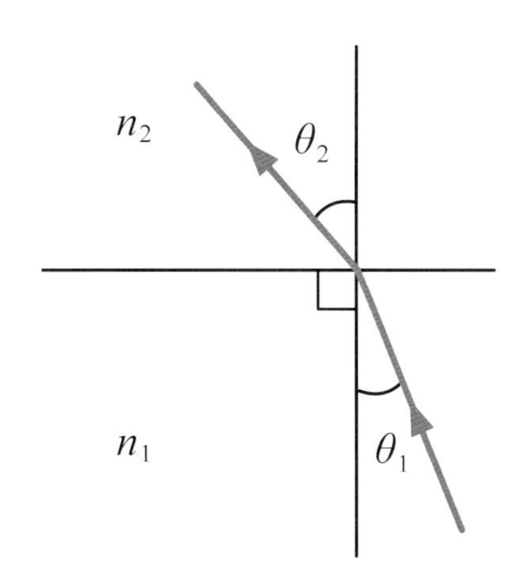

$$n_1 \sin\theta_1 = n_2 \sin\theta_2$$

屈折角は**屈折率**によって決まります。これは物質によって異なる光学特性です。

屈折率：$n = c/v$

- n：屈折率（絶対屈折率）
- c：真空における光の速度
- v：媒質中における光の速度

屈折率が高いほど，屈折角の大きさは小さくなります。

レンズと焦点

レンズの倍率は，次の方程式を用いて計算できます。

レンズの倍率：m
（単位はディオプトリ）
レンズの焦点距離：f（m）

$$m = \frac{1}{f}$$

結像公式

$$\frac{1}{f} = \frac{1}{a} + \frac{1}{b}$$

f：焦点距離（m）
a：物点距離（m）
b：像点距離（m）

凸レンズ（収束レンズ）と凹レンズ（発散レンズ）

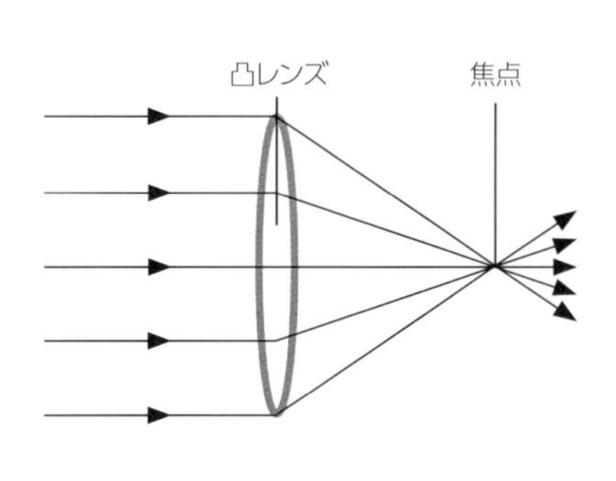

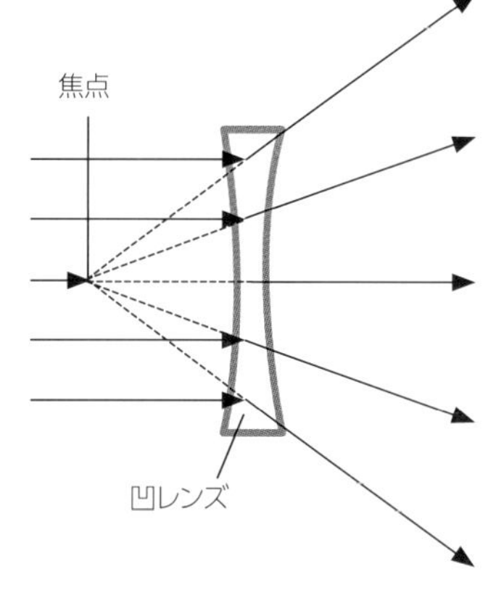

波の強めあいと弱めあい

強めあい：二つの波がお互いに強めあう（山どうし谷どうし）
弱めあい：山と谷が互いに打ち消しあう

回折パターン

強めあったり弱めあったりした結果，得られる縞模様のパターンで，**干渉縞**ともいいます。

音と音響

音とは，媒質における分子の振動であり，
それによって聞こえる（感じる）ものです。

波の種類

- **横波**：波の進行方向に対して，媒質が垂直方向に振動しながら進む波を横波という。いろいろな**正弦波**に分解することができる。光波は横波で，**真空**を進むことができる。
- **縦波**：波の進行方向に対して，媒質が同じ向きに振動しながら進む波を縦波という。**地球**や空気といった媒質を通してのみ進むことができるタイプの波。**疎密波**ともいう。

この図は，**音波などの縦波が伝播する際に，どのように空気分子を圧縮し気圧を変化させるかを表しています。**圧縮間の距離は全体の波長を示しています。

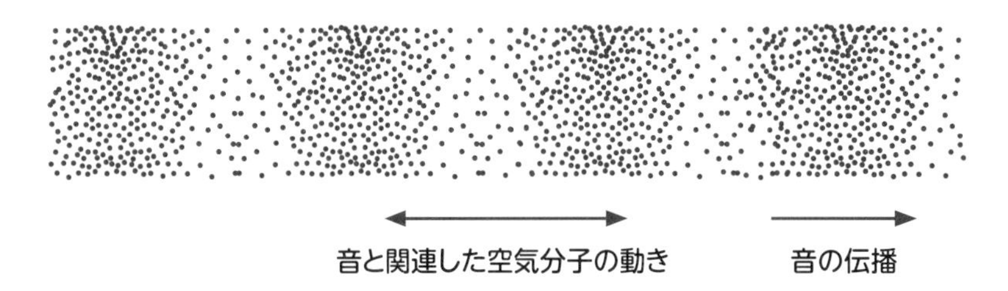

調和

一定の長さに固定された弦は，**二つの節に挟まれ，いろいろな整数で分けた波長の波**をつくって振動します。結果として生じる周波数はたがいに**調和**しています。すなわち，たがいに整数倍となっています。

基本周波数
第一倍音
最初の倍音
第二倍音
二つめの倍音
第三倍音
三つめの倍音
第四倍音

定在波（定常波）：基本モード

ギターの弦のような**楽器の弦**は，**節**と呼ばれる固定点に挟まれています。

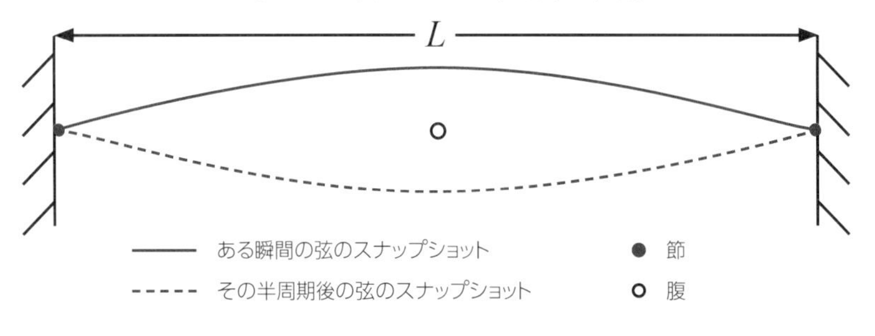

共振周波数

共振（または固有）周波数とは，**弦**，**振り子**や**弾性体**を，自由に振動させたときの，その振動体が示す固有の周波数です。

ドップラー効果

音源が移動しているとき，**自分に近づいてくるときは音がより高く，離れていくときはより低く知覚されます。**これが**ドップラー効果**です。音源が近づいてくるときは，近づく波長の最先端がより密になり，**波長がわずかに圧縮され周波数が高くなる**ことによって起こります。**光源にも同じ現象が見られます。**

望遠鏡

人類の歴史の大部分において，
視覚と想像が宇宙の理解を妨げてきました。

望遠鏡は，**凸レンズ**を用いて，対象物を拡大して見ることができる道具で，イスラム学者**イブン・アル=ハイサム**（Ibn al-Haytham，965～1040）による『**光学の書**』で初めて紹介されました。ラテン語に翻訳されたこの書からインスピレーションを得た科学者**ロジャー・ベーコン**（Roger Bacon，1214～1292）は，彼なりの改良を加えて**13世紀のイギリス**に紹介しました。

望遠鏡

記録が残る最初の望遠鏡は，1608年，**オランダ**に誕生しました。ガリレオ・ガリレイ（Galileo Galilei，1564～1642）といった天文学者たちは，夜空や月を見るために望遠鏡を用い，こうした観察から，私たちは**太陽を中心とする太陽系**に住んでいることが証明されました。

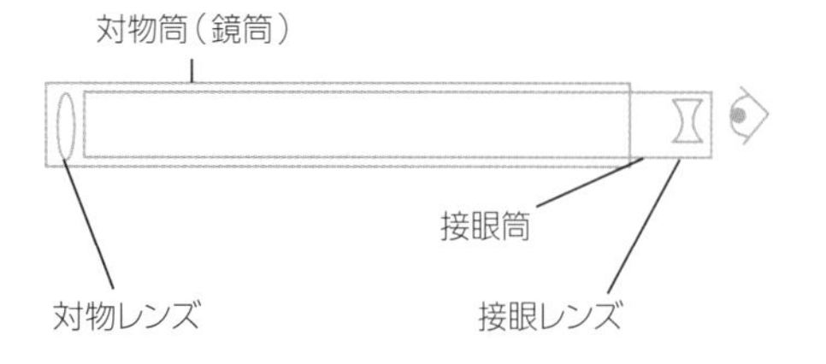

太陽中心の太陽系

地上観測

- **ウラニボリ**は，**ティコ・ブラーエ**（Tycho Brahe，1546～1601）が使用していたデンマークの天文台であり，錬金術研究所。
- 1734年に完成した**ラージャスターン州ジャイプル**の**ジャンタル・マンタル**は，**世界最大の石製日時計と19の天体観測施設を有する**。

光学赤外線望遠鏡

ハワイのマウナケア天文台には天体物理学者の国際研究グループによって建設された12の望遠鏡が設置されています。世界最大の主鏡の一つを備えた光学赤外線望遠鏡は1999年に完成した**日本のすばる望遠鏡**で，口径は8.2mです。

反射望遠鏡

大きな曲面鏡と平面鏡，レンズを組み合わせています。**ニュートン**は1668年に**最初の反射望遠鏡**をつくりました。

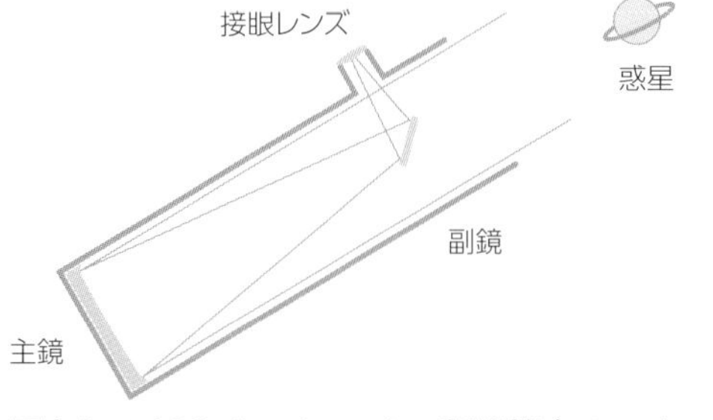

カリフォルニア，ウィルソン山天文台の**100インチフッカー望遠鏡**（1917年に完成）により，1923年，**エドウィン・ハッブル**（Edwin Hubble）は**アンドロメダ星雲**が**銀河系の外側にある**ことを証明しました。

電波望遠鏡群

- **チリ，アタカマ砂漠**に2011年に完成した**アルマ望遠鏡（アタカマ大型ミリ波サブミリ波干渉計）**は，66の独立した電波望遠鏡からなっています。これは**ミリメートル波長およびサブミリメートル波長の電磁波放射**をとらえられます。
- 500m**球面電波望遠鏡**は2016年に完成しました。通称**「天眼」**というこの望遠鏡は**中国南西部，平塘**（へいとう）にあります。

仕事，仕事率，エネルギー

力が物体を動かすときはいつでも仕事が行われています。
持ち上げる，走る，歩く，登る，押すはすべて私たちの体が「仕事を行っている」のです。

仕事

仕事には**仕事を行う力**（F）と**物体が移動した距離**（d）を掛けたものです。仕事は次の式によって計算され，エネルギーと同じ単位，ジュールで測定されます。

仕事＝力×距離

$$W = F \times d$$

- W はジュールで測定される（J）
- F はニュートンで測定される（N）
- d はメートルで測定される（m）

エネルギーは**仕事をする能力**であり，エネルギーは，仕事に使われます。そして**仕事は転移されたエネルギーと等量です**。

エネルギー

エネルギーはつくり出すことも，失うこともありません。ある形態からほかの形態へと変換されるものです。**エネルギーをある形態から異なる形態へと変換させるとき，つねに，エネルギーの一部は失われます**。永久機関は不可能な夢にすぎません。

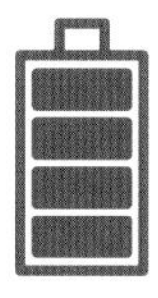

効率

エンジンや電化製品のようにエネルギーが入力から出力へ転移されるとき，システムの効率を知る必要性があります。**効率は，供給されるエネルギーの出力されるエネルギーに対する割合です**。

$$効率 = \frac{転移された有効なエネルギー}{供給されたエネルギーの総量}$$

$$パーセンテージで表した効率 = \frac{転移された有効なエネルギー}{供給されたエネルギーの総量} \times 100$$

仕事率

仕事率によって，**仕事が行われた割合，エネルギーが転移されるまでの時間を知ることができます**。仕事率は，時間単位に行われた仕事です。**仕事を時間で割る**ことで計算できます。

$$P = \frac{W}{t}$$

- P：仕事率，ワットで測定される（W）
- W：仕事，ジュールで測定される（J）
- t：時間，秒で測定される（s）

仕事

仕事（J）＝力（N）×距離（m）

ケプラーの法則

ドイツ人天文学者ヨハネス・ケプラー(Johannes Kepler, 1571～1630)は，数学者であり占星術師でもありました。彼は天体の運行法則を公式化し『ソムニウム(ラテン語で夢を意味する)』というSF小説を発表しました。その幅広い研究によってカトリック原理主義者から迫害されたり，祖国を追われたりすることになりました。

『宇宙の神秘』1596年

ケプラーは，宇宙を，プラトンの立体として知られる**三次元の多面体**であるという考えを用いて，**水星，金星，地球，火星，木星，土星**という六つの惑星が関係性をもっているとして実験を行いました。しかし観測結果と一致しなかったため，ケプラーはこの考えを撤回しました。

ケプラーとティコ・ブラーエ

1600年，ケプラーは天文学者として**神聖ローマ帝国皇帝ルドルフ2世**に仕えていた**ティコ・ブラーエ**に出会います。ティコは優れた観測所をもつ優れた観測天文学者でした。ティコは自身の計測データを厳重に守っていましたが，ケプラーの数学的な専門知識に感銘を受け，一緒に研究を行うようになりました。しかし，たびたび口論になったようです。1601年にティコが亡くなると，ケプラーは皇帝に任命され**数学者として仕えました。**彼は観測所を使用し，ティコの残したデータも見ることができました。これが**惑星の運動に関する三つの法則**の公式化につながりました。

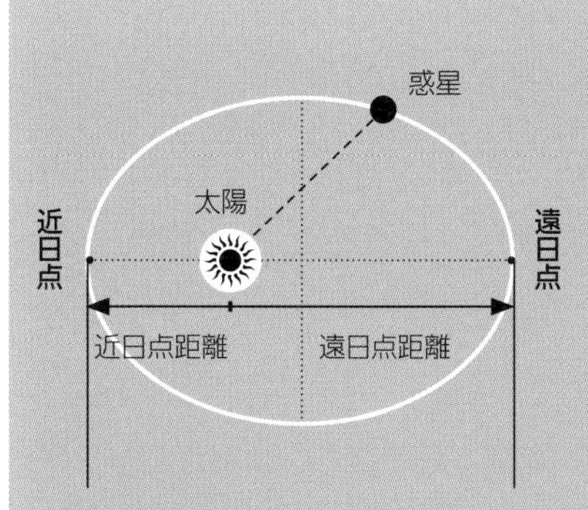

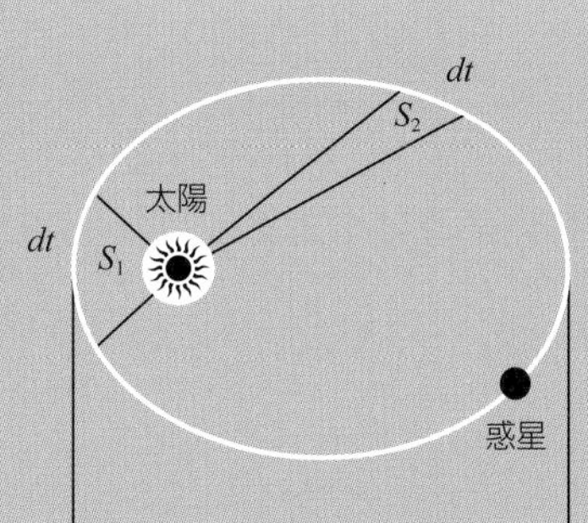

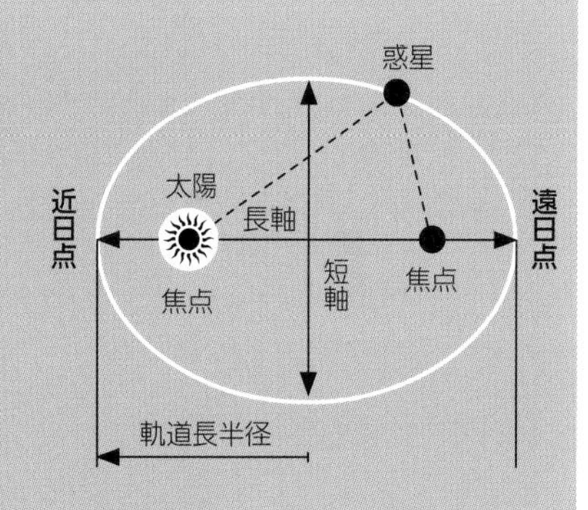

第一法則

すべての惑星は，太陽をひとつの焦点とした**楕円軌道上を運行している。**

- 楕円とは円を平たく変形したもので，いわゆる長円形のこと。
- 軌道離心率は，楕円の度合いによって測定される。
- 0を真円とするとき，軌道離心率は0と1の間をとる。

第二法則

太陽を周回する惑星と太陽とを結ぶ線分が単位時間に描く面積は一定である。

面積 $S_1 = S_2$

第二法則は，太陽を周回する惑星の軌道は，惑星が**太陽に近いときは速度が速くなり，**惑星が**太陽から離れたときは速度が遅くなる**ことを表しています。

第三法則

これは**惑星の軌道周期と太陽からの距離の関係**について述べるものです。

- 軌道周期の二乗は，その軌道の軌道長半径の三乗に正比例する。
- 長軸：最も長い直径。
- 短軸：最も短い直径。
- 軌道長半径：長軸の半分。

ネーターの定理

時間が経過しても，物理系の特性が変わらないとき，保存則が存在することを述べるものです。

角運動量保存

・角運動量は，軸の周りの**回転慣性**や**回転速度**によるものです。
・**外力が作用しない限り，全角運動量は一定のまま**であるため，**全角運動量**は保存されます。
・運動量＝質量×速度

フィギュアスケートの選手は，スピンでは腕を閉じると回転速度が上がります。これは，回転モーメントが小さくなるからです。

ネーターの対称性の不変性

相対性理論における最も重要な点は，すべてが相対的であるということよりも，**光の速さは，あらゆる座標系において一定**である，ということです。多くの物理的現象は保存特性を示します。右の表は保存則と，保存された性質であるその**「ネーターの対称性の不変性」**を示しています。

保存則	ネーターの対称性の不変性
運動量	並進不変性
角運動量	回転不変性
質量－エネルギー（$E=m$）	時間不変性

ニュートンのゆりかご

一列に並んだ振り子の端の一つを放すと，反対の端の球をはじきます。これは運動量の保存または空間的対称性によるものです。

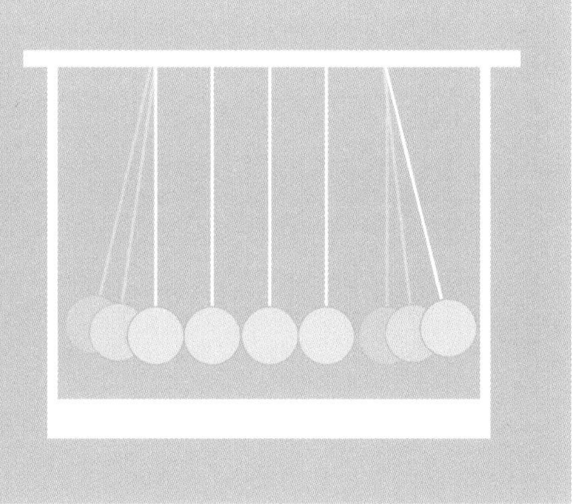

エミー・ネーター（Emmy Noether，1882～1935）はドイツ系ユダヤ人数学者です。**アルバート・アインシュタイン**は，相対性理論を構築するために彼女の広範囲にわたる数学の知識を参考にしました。

ネーターの定理は複雑ですが，概要では**方程式に対称性があれば物理的特性は保存される**と述べられています。

エミー・ネーター

・**不変性理論**は1908年から1911年の間に構築されました。
・ひどい**差別**を経験し，また1923年まで報酬を受け取っていませんでしたが，裕福であったことは幸いです。
・1920年から1926年まで，**位相幾何学の分野**に貢献しました。
・1930年代の**ナチス・ドイツ**によって**迫害され**，強制労働をさせられました。
・**ペンシルベニア州ブリンマー大学**で働くため，**アメリカ**に逃れました。
・1935年，手術後の合併症のため，53歳で**亡くなりました**。

ニュートンの運動方程式

ニュートンの運動の法則は，物体の運動を説明するために用いられます。
1686年，ニュートンは運動の三法則を含む『自然哲学の数学的諸原理』を出版しました。

ニュートンの運動の三法則

第一法則

物体は外部から力が加わらない限り等速直線運動を続ける，または静止している場合は静止し続ける。これは，慣性の法則です。

第二法則

外力が加わると，物体の速度は変化します。合力（すべての加わった力）によって，運動量の変化をもたらすことになります。

$$F = m \times a$$

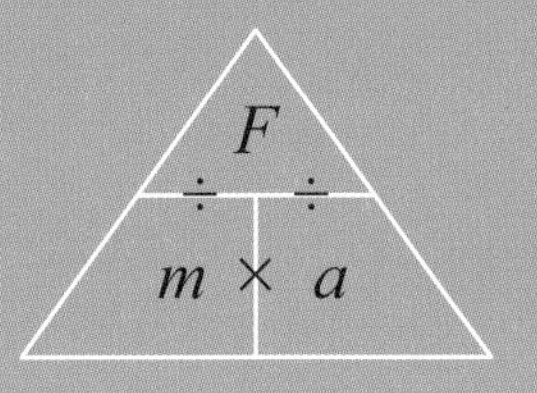

- a：加速度（m/s^2）
- m：質量（kg）
- F：力（N）

第三法則

すべての作用（力）には，大きさが等しく向きが反対である反作用がある。

垂直抗力

垂直抗力は平面上（テーブルや滑り台など）**の物体に作用します。**ニュートンの第三法則に従って，**重さと反対向きに，そして面に対して垂直に作用します。**

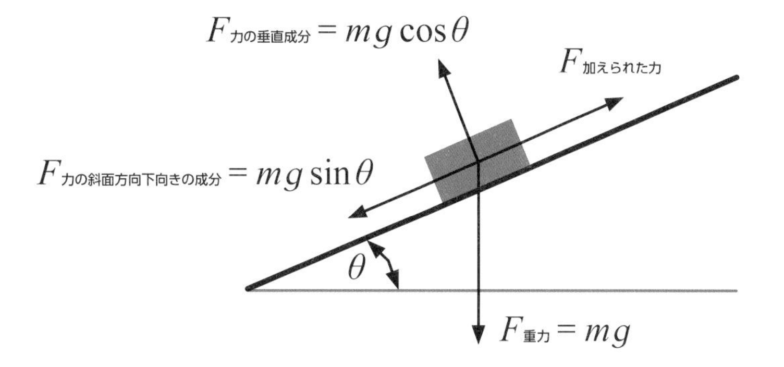

基本条件

運動の科学を理解するための必要事項：

- t：時間（秒）
- s：移動した距離（m）
- v：速度（m/s，位置の変化率）
- a：加速度（m/s^2，速度の変化率）
- u：初速（m/s）

運動方程式

これらの方程式は**運動の基本条件**と，それぞれがどのように関係しているかを説明するものです。

$$v = u + at \quad [1]$$

$$s = ut + \frac{1}{2}at^2 \quad [2]$$

$$s = \frac{1}{2}(u + v)t \quad [3]$$

$$v^2 = u^2 + 2as \quad [4]$$

速さと速度

速さと速度は，単位時間における変化した距離によって定義されます。

- 速さ（speed）は，距離の変化の**大きさ**であり，**スカラー量**です。
- 速度（velocity）は，大きさは距離の変化という意味で同じですが，さらに**向きをもつベクトル量**です。

万有引力定数

科学にはたくさんの自然定数があります。万有引力定数Gは，質量をもつ二つの物体間の重力を決定するために用いられる定数です。

重力

- 重力とは，**光を含む，宇宙におけるすべてがたがいに引き合う力**のこと。
- 重力は**気体や塵を引き寄せることで宇宙の形成に寄与している。**
- **太陽の重力によって惑星は軌道上にとどまっている。**
- **太陽系を含む銀河は重力によって形づけられています。また，ブラックホールが中心になっているものもある。**

相互作用

ボールを落とすと，それらの質量が**重力による相互作用**を生み出すため，地面に落ちます。ボールと地球との間の重力の大きさは同じですが，地球の方がずっと大きいため，ボールは地球に向かって落ちるのです。

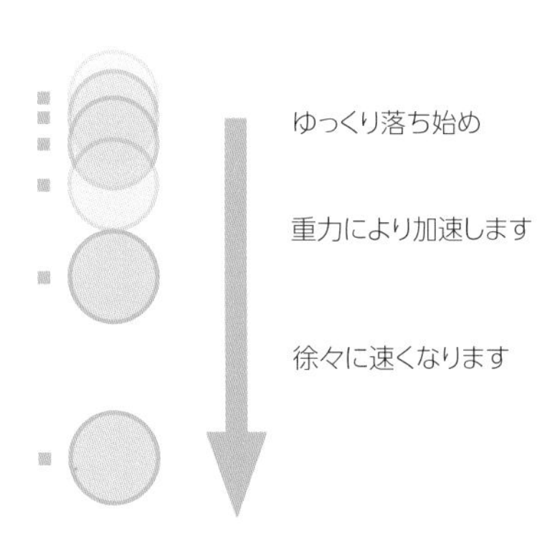

重力加速度

重力によって落下する物体の加速度の大きさはgです。$F = ma$ を用い，**重力の影響下における重力を計算できます。**ここでの**力は重さ**です（これは質量とは異なります）。

- 地球上の**重力加速度**は $g = 9.81\,\mathrm{m/s^2} = 9.81\,\mathrm{ms^{-2}}$。
- **力**は，**ニュートン**という単位で測定され，**質量**はkgで測定される。

二つの質量間の重力は，次式で表されます。

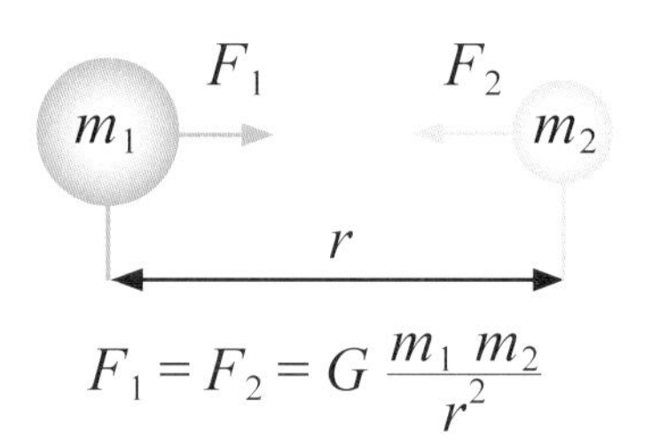

$$F_1 = F_2 = G\frac{m_1 m_2}{r^2}$$

この式は，**逆二乗の法則**となっており，重心から離れるほど力は弱くなります。

逆二乗の法則は物理量間の関係を説明するもので，その大きさは，二物体間の距離の二乗に反比例します。Gは**万有引力定数**です。

$$G = 6.7 \times 10^{-11}\,\frac{\mathrm{Nm^2}}{\mathrm{kg^2}}$$

科学者**ヘンリー・キャヴェンディッシュ**（Henry Cavendish）は，1797年から1798年にかけて，金属のワイヤーで水平に吊った木の棒の両端に鉛球を固定した**ねじり秤**を使って万有引力定数を測定しました。二つの非常に重い球を静止させ，より小さい球がそれらに引き寄せられるかを観察しました。棒が大きい球体の方向にねじれる角度を測定することによってキャヴェンディッシュは質量間の重力を計算しました。

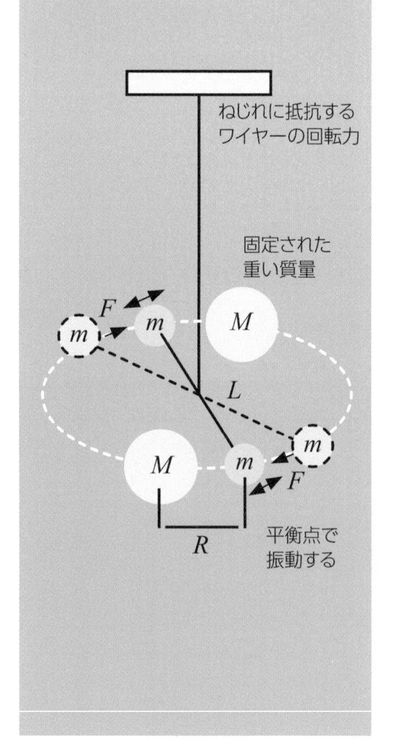

ファラデーの電磁誘導の法則

マイケル・ファラデー（Michael Faraday，1791～1867）は製本屋の見習いとして職業人生をスタートさせました。1805年，ジェーン・マーセットという女性作家が匿名で書いた『化学談義』とよばれる本の製本をしました。これがファラデーの科学への道を開いたのです。

電磁誘導

ファラデーは**電磁誘導**を発見しました。これは後に**ジェームズ・クラーク・マクスウェル**によって発展しました。

起電力

ファラデーの実験は，磁場の変化が**起電力**とよばれる**電圧**を生じさせることを実証しました。彼は**電磁場**が磁気特性をもつことを観察しました。

電動力

ファラデーの起電力の法則による磁場と電場の**相互作用**は，モーターが動く原因の一部です。**単極電動機**は電動モーターの一例です。

DIY 単極モーター

単極モーターは，**ネオジム磁石**の上に電池を乗せ，その上に慎重に曲げた銅線をバランスよく乗せてつくります。正しく配置すれば，ファラデーの法則によって**ワイヤーは回転し熱くなります。**

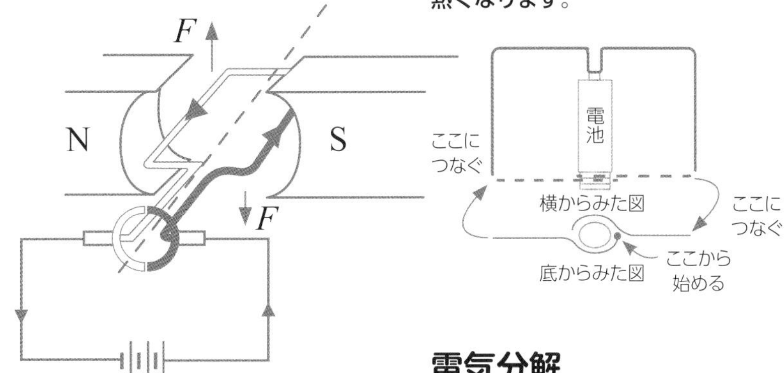

電気分解

ファラデーは**電気分解**を発見しました。電流が**電解液**とよばれる水溶液を通って流れるとき，電解液の中の**陽イオンと陰イオン**は，それぞれ違う極に分かれます。電解液とは，溶液に溶けたイオン（電荷を帯びた原子）の水溶液であり，**電気を通す**ことができるものです。

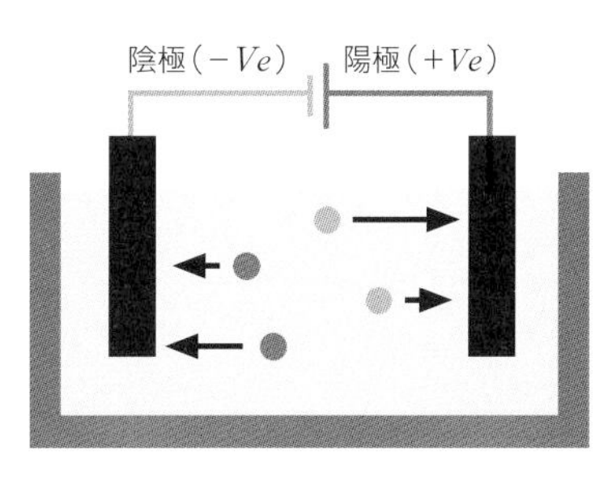

ファラデーの法則によれば，**起電力は磁束の変化率に等しくなります。**

- **磁束**：**磁場**中の各点に働く力の様子を示す線の集合。
- **磁場**：**磁力**を受けるエリアで，そこでは**電荷が力を受ける。**
- **レンツの法則**：**誘導電流**は，**磁束の変化**を妨げる向きに流れるということを述べた法則。

ファラデーの法則

N：銅線のコイルの巻き数
$\Phi = BS$：磁束
B：外部磁場
S：コイルの面積

$$\text{起電力} = -N\frac{\Delta\Phi}{\Delta t}$$

レンツの法則

熱力学

熱力学は，大規模な系におけるエネルギーの効果，動力学理論，熱エネルギーの放射についての研究です。熱エネルギーは，電磁スペクトルの一部であり，低エネルギー光子の放射を含みます。熱力学の四つの法則は，物理学の全体で最も重要な法則の一部です。

第零法則

二つの熱力学系が**熱平衡**の状態にあり，それぞれがもう一つの熱力学系と熱平衡の状態にあるとき，三つはそれぞれ熱平衡であるといえます。

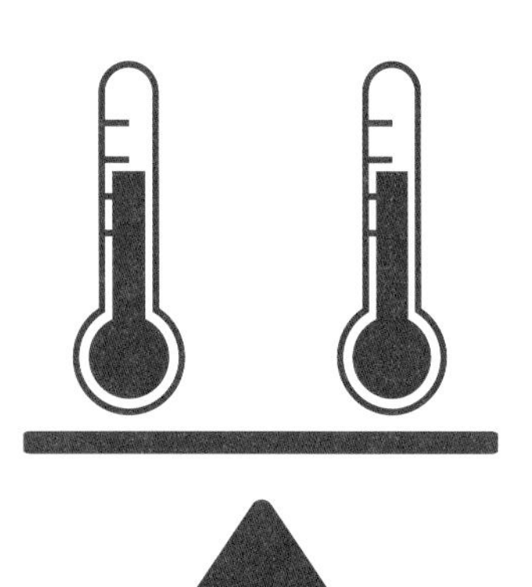

第一法則

エネルギーはつくり出されるものでも，消されるものでもなく，ただ形態が変化するものです。宇宙におけるエネルギーの総量は一定です。総エネルギーの変化は系に供給された正味熱量から系による仕事量を引いたものです。

$$\Delta U = Q - W$$

内部エネルギーの変化（ΔU）　系に加えられた熱（Q）　系による仕事量（W）

第二法則

非平衡の独立した系の**エントロピー**（原子や分子が自由に動き回ることができる度合い）は，**最大値となる平衡状態になるまで，低エントロピーから高エントロピーに向かって増大を続けます。**

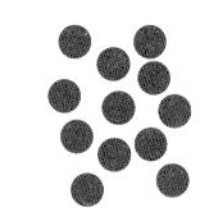

熱は，温度がより高いところからより低いところへ流れます。**熱の伝達**によって，系の内部エネルギーは変化します。

第三法則

温度が**絶対零度**に近づくと，**系のエントロピーは最小値に近づきます。**つまり，絶対零度または－273.15℃では，原子の振動が停止することになるとしています。

宇宙の熱的死

何兆年後の未来，**宇宙のすべての恒星や銀河，未来の恒星や銀河は，星を輝かせるのに，最終的に水素の核融合反応ですべて使い果たします。**ひとたび宇宙のすべての水素が使われ，核反応に処理されると，光子をつくるために燃やすものがなくなってしまいます。宇宙の熱的死は，**宇宙の終焉**を説明するもので，そこでは使うことのできる熱力学的な自由エネルギーがなくなり，エントロピーを増大させるプロセスをもはや維持できなくなってしまいます。

熱的死への道のり

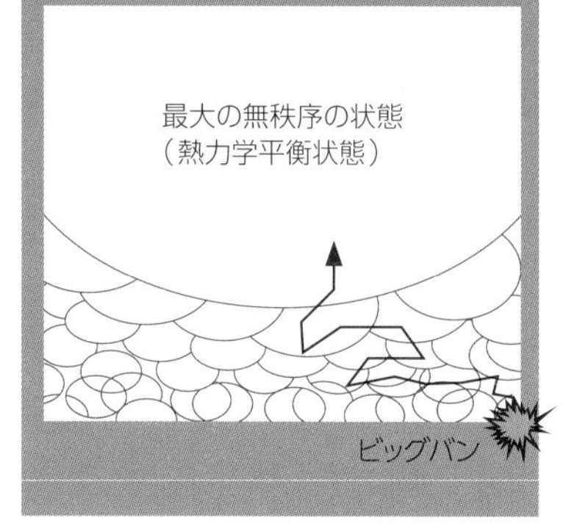

絶対零度

物質と光は最小限の振動エネルギーをもっています。原子は常に揺れ動いているのです！
絶対零度は熱力学的温度目盛の最低点で，ここで原子の振動は停止すると考えられたときもあります。

ケルビン温度

絶対零度の量子力学記述によると，**絶対零度は物質の基底状態，つまり内部エネルギーが最低になるポイントであるとされます。**

可能な最低温度

−273.15℃　−459.67°F　0 K

エンタルピーとエントロピー

- **エンタルピー**は系におけるエネルギーの総量で，エネルギーの変化として測定されます。
- **エントロピー**は物質の無秩序の度合い（動き回ることができる度合い）を計測するものです。

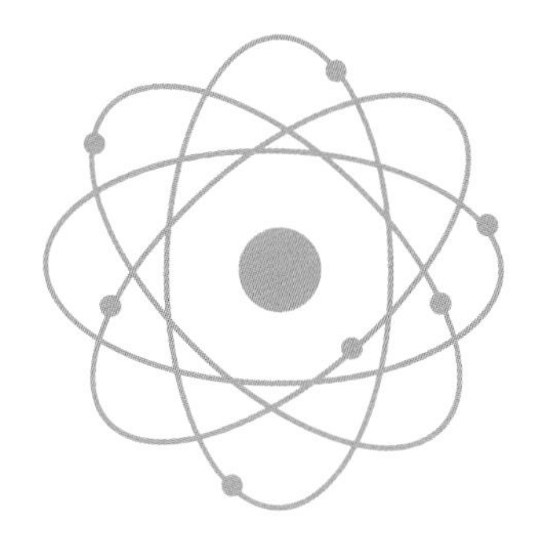

熱と温度の違い

物質または物体を加熱すると，**その分子が振動するエネルギーが増えます**。**熱**は**分子運動の総エネルギー**です。**温度**は**分子がもつ熱または熱エネルギーの平均**です。

絶対零度温度目盛

絶対零度は，**理想気体の法則**を用いて初めて解明されました。

$$pV = nRT$$

p：圧力
V：体積
n：モル数（気体分子の量）
R：理想気体定数
T：温度

過冷却と超伝導

科学者は，正確に絶対零度に到達することはできていません。なんとか，−273.144℃まで近づきました。この温度では**物質は変わったふるまいをします。**分子または原子の全サンプルは**超伝導**や**超流動**といった**量子効果**を示します。

- **水素**や**ヘリウム**といった一部の物質は**過冷却**することが可能で，過冷却すると**粘性のない流体**になります。そのため運動エネルギーを失うことがありません。
- **超伝導**は電気抵抗がまったくない現象です。

マイスナー効果

マイスナー効果は，超伝導体が臨界温度T_c以下まで冷却されたときに起こります。**磁場が物体内部に入らず反発するため，磁場のなかで浮上します。**

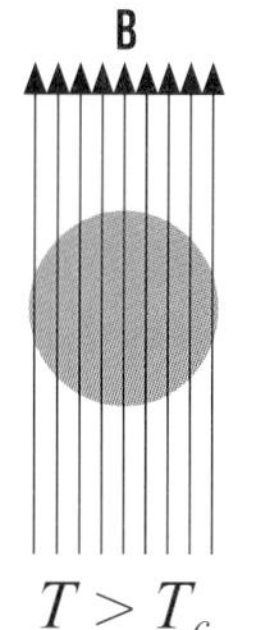

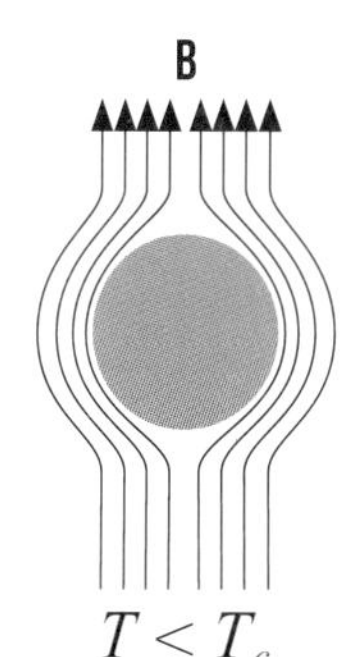

マクスウェル方程式

スコットランド人物理学者ジェームズ・クラーク・マクスウェル（James C. Maxwell，1831～1879）は，電界と磁場を説明する方程式をまとめることによって電磁気学の法則を統一された方程式へと形式化しました。1861年，彼はまた光は電磁波と同じものであることを示し，さらに電磁気学と光学をまとめました。

電磁スペクトル

マクスウェルは，光は次に示す現象の一部であり，**電気と磁性という二つの現象が同じ現象である**ことを示しました。

マクスウェル方程式

$$\nabla \cdot D = \rho$$

ガウスの法則

この法則は，**静電場が電荷とどのように関係しているか**を説明するものです。静電場は，**正電荷から負電荷の向き**を向いています。

$$\nabla \cdot B = 0$$

磁場に関するガウスの法則

磁荷は，電荷と異なります。磁場は，磁気双極子によってループとして現れます。この法則は，**ループに入る磁力線は，必ずループから出る**ことを述べています。

$$\nabla \times E = -\frac{\partial B}{\partial t}$$

ファラデーの法則

この法則は**電磁誘導の現象**を説明するものです。

- **閉じたループ**において**荷電粒子**を動かすために必要な**単位電荷当たりの仕事**は，**磁束の減少率**と同じです。

$$\nabla \times H = -\frac{\partial D}{\partial t} + J$$

アンペールの法則

磁場は**電流の動き**によって生じます。また，**電場の変化**によっても生じます。

電場・磁場・光子

彼の研究における重要な結論の一つは，**変動する電場と磁場がどのように光の速さで進むのか**を示したことです。**電磁波の磁気成分と電気成分**は，互いに90°（直角）を保って進みます。

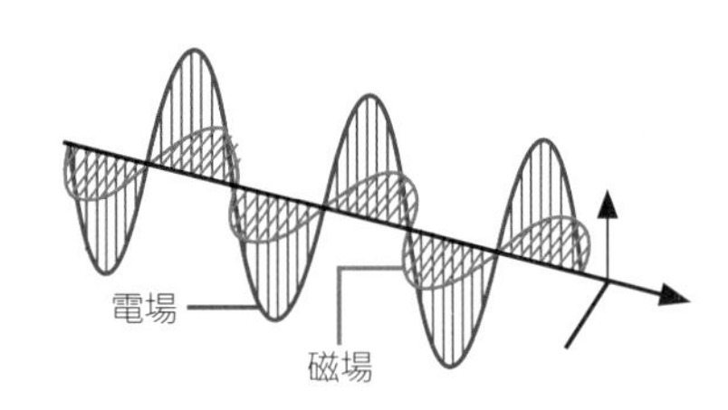

電磁誘導

つながった**コイルを流れる電流の変化**によって**磁場**が生じ，つながった**コイルを磁荷が通り抜ける**と**電場**が生じます。磁場または電場は，**このような動きが遮断されると消失します。**

応用

マクスウェルの法則は，**境界値問題**や**量子力学問題**，**量子電磁力学**における特定の電位と磁位を解明するために用いられます。**アインシュタイン**は**特殊相対性理論**と**一般相対性理論**の研究を発展させるためにこの理論を用いました。

マクスウェル・ボルツマン分布

マクスウェル・ボルツマン方程式は，異なる温度における
気体分子の速度を説明するために用いられます。
下のグラフは，低温，室温，高温における気体の分子速度の平均分布を示しています。

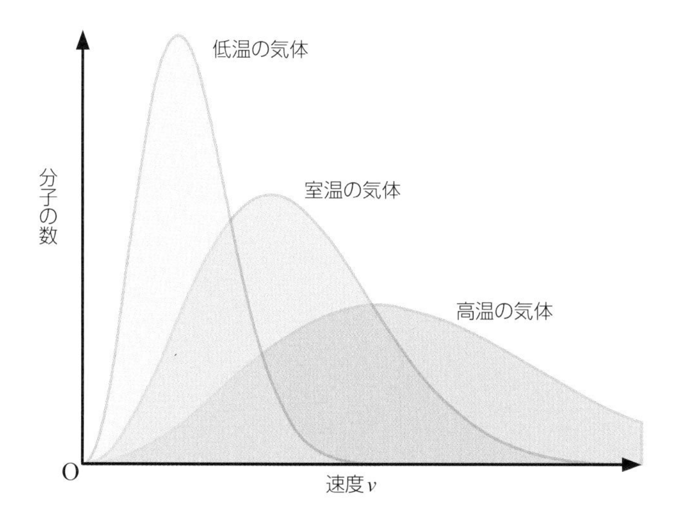

高温，室温，低温を比較すると，**気体の温度が高いほど速度が速い分子が多くなる**ことがわかります。

二乗平均の平方根

統計学では，二乗平均の平方根（RMS）は，**数値を二乗して加え合わせ，数値の個数で割ったものの平方根をとって算出**します。**マクスウェル・ボルツマン分布では，**粒子があらゆる方向に移動していて平均速度を用いたとしても打ち消されてしまうため，**平均速度の代わりに速度の二乗平均平方根が使われます。**

確率密度分布

それぞれの分子のそれぞれの速度は測定できません。そのため気体中の分子の最確速度，**平均速度**，**二乗平均速度**を表すには確率密度分布が最も適しています。

ボルツマン定数

ルートヴィッヒ・ボルツマン（Ludwig Boltzmann，1844～1904）は**統計力学**と**熱放射**の研究をしました。

ボルツマンは常温・常圧における気体粒子の**平均運動エネルギー**を表す定数（k_Bまたはk）を測定しました。この定数を最初に使った**マックス・プランク**は，ボルツマンにちなんで定数に名をつけました。

$$1.38064852 \times 10^{-23}\ \mathrm{m^2\ kg\ s^{-2}\ K^{-1}}$$

平均運動エネルギーの方程式

ボルツマン定数 | k_B | 1.38×10^{-23} JK^{-1}

気体定数 | R | 8.31 JK^{-1} mol^{-1}

ボルツマン定数　**気体定数**

$$\bar{E}_K = \frac{3}{2} k_B T = \frac{3}{2} \frac{R}{N_A} T$$

粒子の平均運動エネルギー　**アボガドロ定数**

アボガドロ定数 | N_A | 6.02×10^{-23} mol^{-1}

$$k_B = \frac{R}{N_A}$$

電子の発見

J・J・トムソン(J. J. Thomson, 1856～1940)は，陰極線管を用いて，陰極線における粒子の比電荷を測定する実験によって電子を発見しました。

陰極線管(ブラウン管)

陰極線管は，**管の端に向かってフォーカスする電子ビーム**をつくる部品のそれぞれの端が陰極と陽極になる真空管(ほとんどすべての空気が吸い出されている)です。

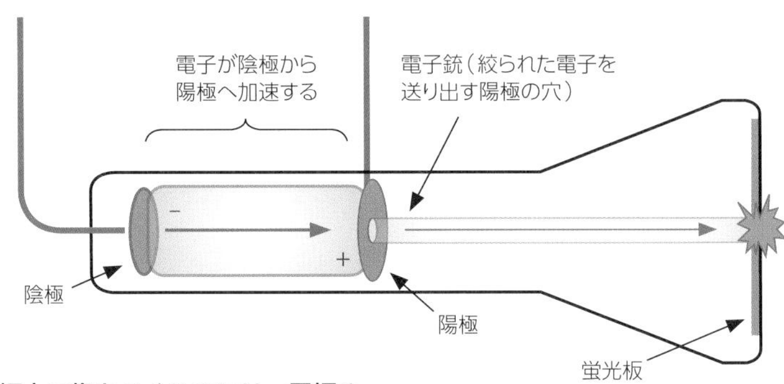

電荷をもったビームをフォーカスさせ，蛍光板上に像をつくるのには，電場や磁場を利用します。粒子加速器や**旧型テレビ，コンピューター端末**はこのように機能しています。

電子の電荷

物理学者**ロバート・ミリカン**(Robert Millikan, 1868～1953)と**ハーヴェイ・フレッチャー**(Harvey Fletcher, 1884～1981)は，**電子ひとつがもつ電荷の量を調べるために油滴実験**を行い，1913年に発表されました。電荷は**ひとかたまりとなって**現れると考えました。二人は二つの金属電極の間にわずかに帯電した油滴を浮かせることによって電子の電荷を計算しました。彼らは，重力による下向きの力に逆らって油滴が浮き上がるように慎重に帯電させた油滴を利用しました。**素電荷は-1.602×10^{-19} C**と測定されました。

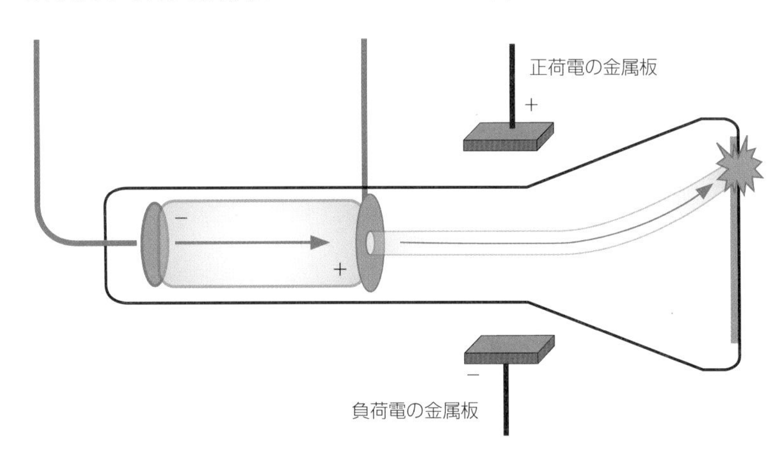

トムソンの発見は**分光法**の発見につながりました。

電磁気力 VS 重力

重力は電磁気力に比べて弱いものです。私たちは，つねに地球の中心に向かって引き寄せる力がはたらく重さのある世界に生きています。それでも人はジャンプできます。冷蔵庫に貼ったマグネットにももちろん重力はかかっていますが電磁気力はそれに難なく打ち勝ち，冷蔵庫にとどまっています。

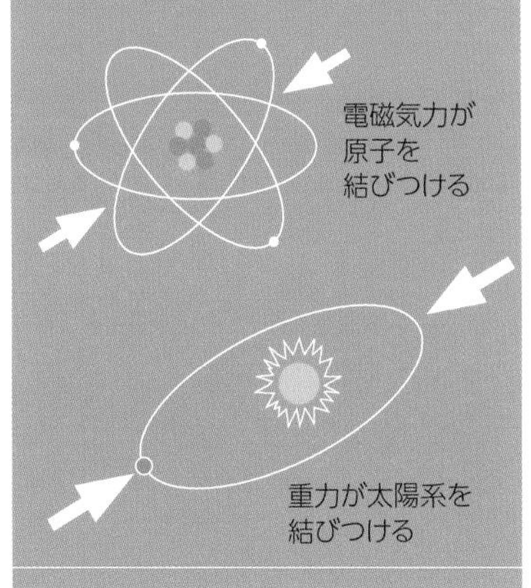

ヤングのダブルスリット実験

光子は，粒子性と波動性の両方を示します。17世紀と18世紀，一般的に光子は粒子であると考えられていました。これが粒子説です。多くの実験が行われるにつれ，光子には波のような特性があるとわかりました。

ホイヘンスの原理

振動するとき，波は非常に独特なふるまいを示します。オランダの物理学者で数学者，天文学者，発明家の**クリスティアーン・ホイヘンス**（Christiaan Huygens，1629～1695）によって，**観測したその位置を明確にすることで，波の次の波面がどこにできるかを示すことができる**ようになりました。

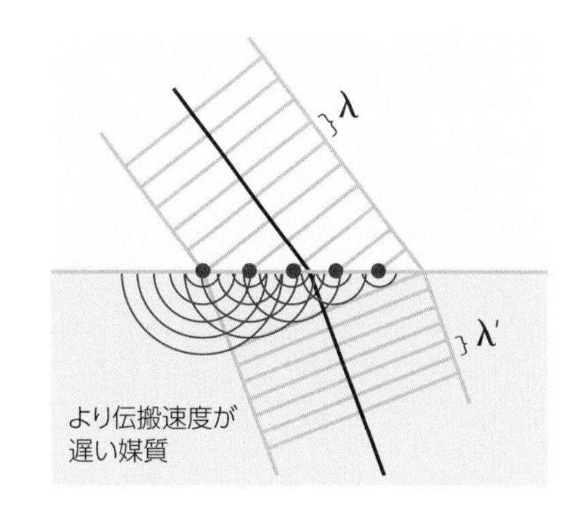

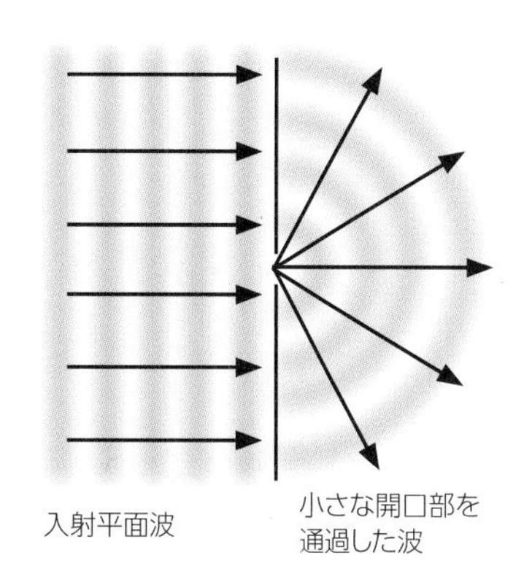

ダブルスリット実験

1801年，**トマス・ヤング**（Thomas Young）によって，初めてダブルスリット実験が行われました。彼は，**細いビーム状の光を，連続して**モノスリットの面に照射しました。その背後に，ダブルスリットを置き，さらにその奥にスクリーンを置いたところ，**干渉縞**が現れました。

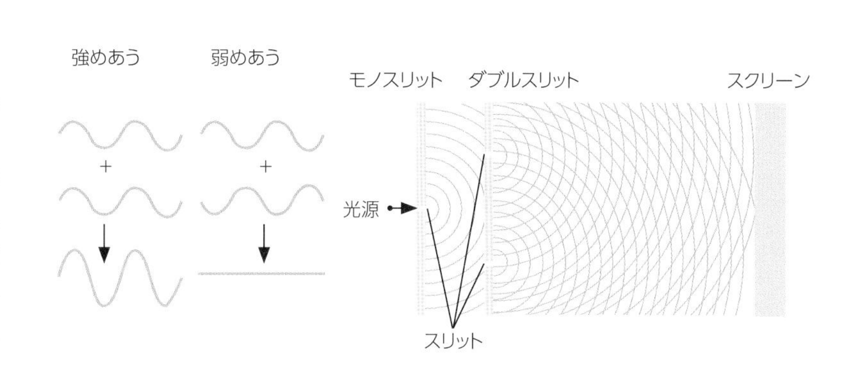

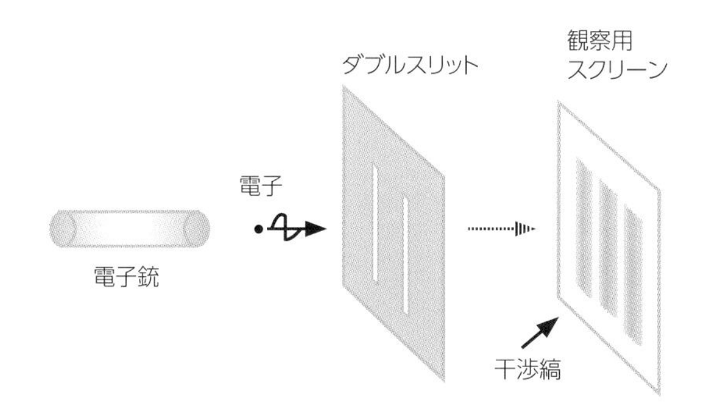

電子の粒子と波動の二重性

まったく同じ効果が**電子ビーム**にも見られます。電子が**磁場**によって制御されており，一度に一個だけ発射される場合，**回折図形**が現れます。科学者**クリントン・デイヴィソン**（Clinton Davisson）と**レスター・ガーマー**（Lester Germer）が1927年に実証しました。二人の実験は，個々の**電子が波動性を示し**，結果として，その正確な位置が示せないことを明らかにしました。この結果は，**古典力学**では説明できないものでした。

光子

光は光子でできています。これは，原子などのすべての粒子と同様に，波のようでもあり，粒子のようでもあります。光子は異なる周波数で振動しますが，同じ速度，つまり光の速さで移動します。

光の速さ（c）は一定：
$c = 3 \times 10^8$ m/s（真空中）

- 振動数が高くなるほど波長は小さく，エネルギーが大きい。
- 振動数が低くなるほど波長は大きく，エネルギーが小さい。

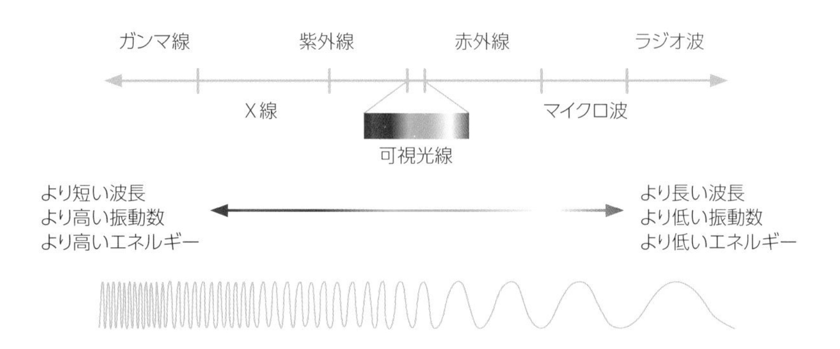

2 物理学

プランク定数

マックス・プランク（Max Planck, 1858～1947）はドイツ人物理学者で，すべての振動数の電磁波を吸収する面（黒体とよばれる）を熱することで，光は，個々の**独立した光子**からできていることを発見しました。プランクは，**再放射**される光は**黒体**から連続して流れ出るのではなく，**個別のパケットで放射されるこ**とを発見しました。

プランクの関係式

$$E = h\nu = \frac{hc}{\lambda}$$

E：エネルギー
h：プランク定数
ν：振動数
c：光の速さ
λ：波長

プランク定数
$h = 6.626 \times 10^{-34}$ J s

素粒子物理学

光子は，電磁力のフォースキャリアです。

質量ゼロの光子

光子は質量をもたないという事実により，**ほかの何よりも速く伝播します**（真空状態では）。

水中の光の速さ

光は物質と相互作用します。物質によって**反射**し，透明な物体を**屈折**して透過します。物質内の原子に吸収されたりはじかれたりしても，**光の速さは低下しません**。反射は**量子力学**で説明することができます。**入射する電磁波の振動**は，物体中の原子の周囲の電子に相互作用をします。それらは**電磁波の重ね合わせ**を形成することで，実際の効果としてわずかに減速します。

屈折率（n）

屈折率n（35ページ「光学」参照）とは，ある物質中での光の速さとcの比です。

ラザフォードの原子モデル

アーネスト・ラザフォード（Ernest Rutherford，1871～1937）は
ニュージーランド出身のイギリス人物理学者です。
1911年，原子の内部構造を理解するための実験を行いました。

ラザフォードの実験

ラザフォードと同僚の**ハンス・ガイガー**（Hans Geiger），**アーネスト・マースデン**（Ernest Marsden）**は，真空中で非常に薄い金箔に向かってアルファ粒子のビームを発射させました。**

アルファ粒子：

アルファ粒子

陽子

中性子

2＋

元素記号

$^{4}_{2}\mathrm{He}$

アルファ粒子はヘリウムの原子核

金箔を通過またははじき返された**アルファ粒子**を検知するために蛍光スクリーン（光に反応する）が使われました。**原子の大部分は空洞**なので，

アルファ粒子の大部分は金箔をまっすぐ透過しました。少数がはじき返され，ごく少数が90°以上の角度で曲げられました。

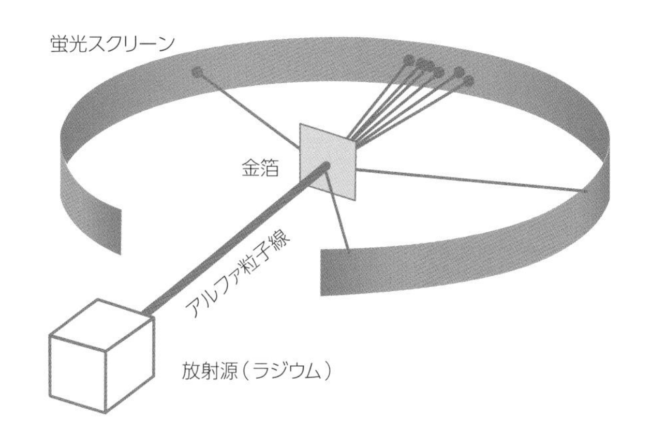

ラザフォードの実験結果

実験により，**原子が，負電荷をもった電子に雲状に囲まれた小さく密度の高い原子核をもっている**ことが証明されました。

この実験は**トムソンのモデル**が誤りであることを証明しました。

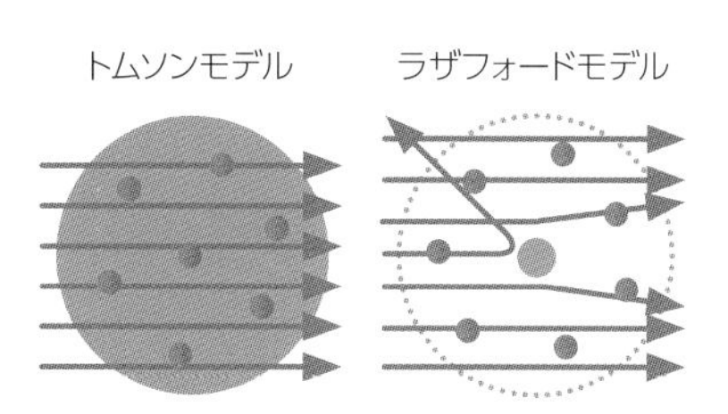

結果

- **平均的な電子雲の直径**は約 10^{-8} cm。
- **平均的な原子核の直径**は約 10^{-12} cm。
- 原子核は**全体的に正電荷**で，原子核は**陽子**（正電荷）と**中性子**（中性，または電荷をもたない）でできている。
- **原子番号**：陽子数で原子が決まる。
- **原子質量**：原子核内の陽子と中性子の総数。

雲，それとも軌道？

電子の位置と運動量を同時に知ることはできません。正に帯電した原子核を**周回する**電子軌道に例えることが役立つときもありますが，電子は**雲**と表現されることもあります。どちらのイメージも電子の真のありようを正確には伝えていません。

原子の構造

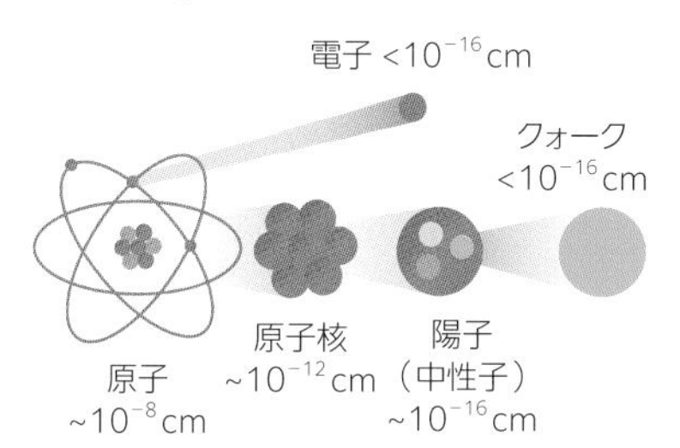

マリー・キュリーと放射能

マリー・キュリー（Marie Curie，1867～1934）はポーランドに生まれ，物理を学ぶためにフランスに移りました。1903年，彼女は夫のピエールとともに放射能発見の功績が称えられノーベル賞を受賞しました。ノーベル賞を受賞した初めての女性であり，また初めてノーベル賞を二度受賞した女性です。

放射性粒子の放出

放射性原子は，異なる粒子の形態でイオン化エネルギーを放出します。

- アルファ粒子：ヘリウムの原子核（二つの陽子と二つの中性子）
- ベータ粒子：電子
- ガンマ粒子：高エネルギーの光子

同位体

元素の同位体がもつ**陽子の数は互いに同じ**ですが，**中性子の数は異なります**。同じ原子番号ですが，原子の質量数（87ページ「元素周期表」，88ページ「放射性炭素年代測定法」参照）は異なります。

放射性崩壊

放射性原子とその同位体は**不安定**なため，**平衡状態**になるまで粒子を放出し，異なる原子に**変化します**。

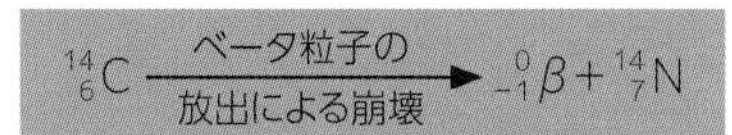

$^{14}_{6}C$ ベータ粒子の放出による崩壊 → $^{0}_{-1}\beta + ^{14}_{7}N$

$^{235}_{92}U$ ガンマ線から発せられるエネルギー → $\gamma + ^{235}_{92}U$

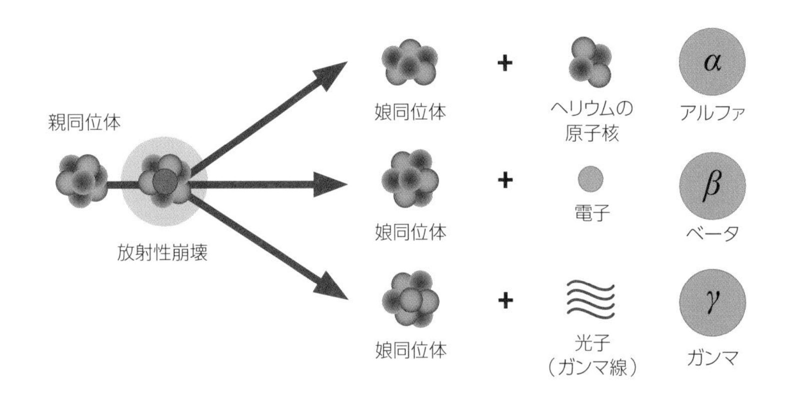

放射性原子から放出された粒子は物質を貫通，または物質によって異なる度合いで吸収されます。放射能は，これらの粒子が**エネルギーをもち**，**細胞を貫通するときにDNAを傷つける**ので**危険**です。マリー・キュリーは放射能の危険性には気づきませんでした。

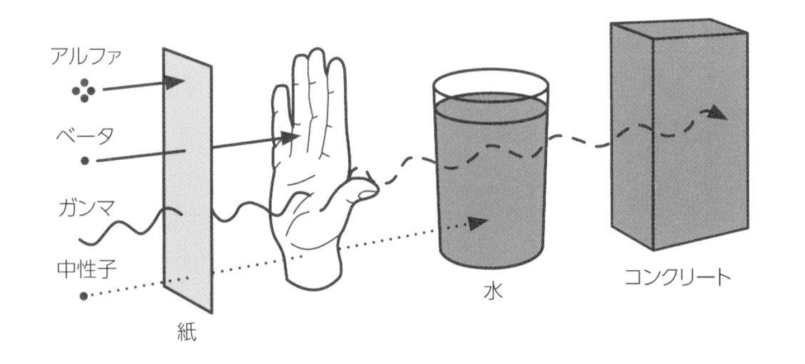

半減期

半減期は，指数関数的に起こるランダムなプロセスです。半減期とは放射性同位体の崩壊率で，**放射性同位体がより安定した原子核へと変化する割合**のことです。

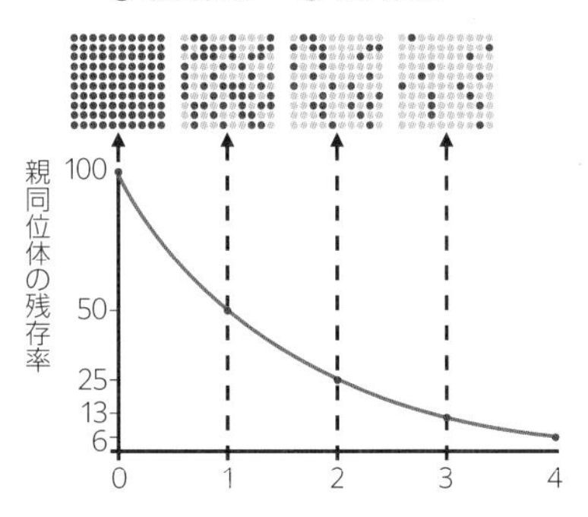

光電効果

光は，回路につないだ金属板から電子を飛び出させることができます。飛び出した電子は，対極まで進み，対極から流入することで回路がつながります。

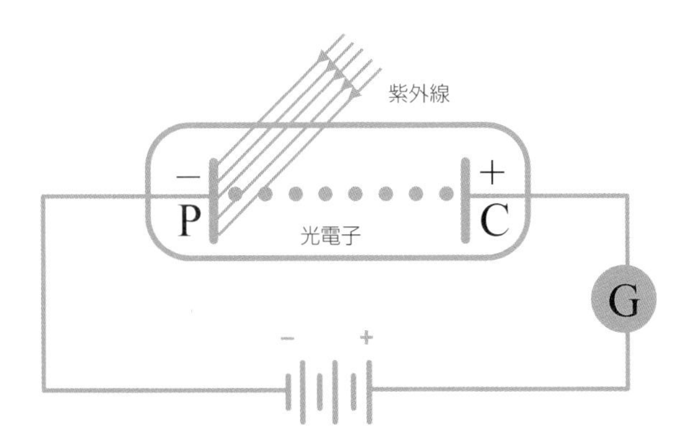

観察の解釈

1. 電子が**金属面から飛び出るのに十分なエネルギー**をもつには，**面に当たる光**が**限界振動数**以上でなければならない。光の振動数が限界振動数以下の場合，電子は放出されない。
2. 電子のエネルギーは，面に当たる**光の光度に左右されない**。
3. 光が面に到達するやいなや電子は即座に放出される。

アインシュタインの解決法：光の粒子性

1905年，**アインシュタイン**は二つの論文を発表しました。一つは**相対性理論**です。もう一つは**光電効果**を説明するために**プランク定数**（h）を用いたものでした。アインシュタインの理論は，**放出された電子の最大エネルギーは，与えられた光の振動数に対して直線的に増加することを予測**することができました。

$$E = h\nu$$

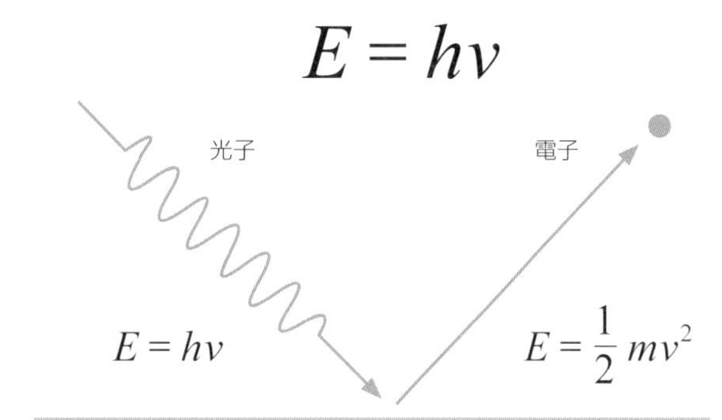

新しい夜明け

光電効果の発見は，量子力学の夜明けとなりました。光の強度によってではなく，特定の振動数の光によって，光電子は放出されます。

$E = mc^2$

1905年，アインシュタインは**最も有名な方程式のひとつにまつわる論文**を発表しました。論文は**質量とエネルギーが等価である**ことを示すものでした。

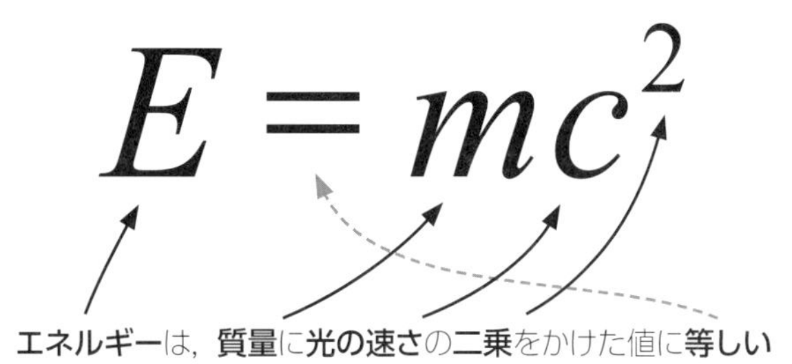

一般相対性理論と特殊相対性理論

アインシュタインの一般相対性理論と特殊相対性理論は空間と時間の関係を説明するものです。物体が重くなるほど，時空の重力によるゆがみはより大きくなります。

座標系

- 運動における座標系は，**相対運動**を示す。
- 物理法則は**すべての座標系において同じ**。
- **光の速度はすべての座標系において同じ**であり，**運動物体と独立**している。

特殊相対性理論

特殊相対性理論は**加速しない**座標系にのみ適用することができます。

一般相対性理論

この理論は，質量をもつ物体（巨大な物体）による**時空のひずみ**から発生する重力を説明します。物体が巨大で重いほど時空のひずみも大きくなります。

相対論的質量

物体の速さが大きくなるほど，運動量が大きくなります。**光の速さに近づくにつれ，そのエネルギーと勢いは漸近的に増加**します。

相対論的質量の増加

$$m(v) = m_0\sqrt{1 - \frac{v^2}{c^2}}$$

重力レンズ効果

科学者**アーサー・エディントン**（Arthur Eddington, 1882～1944）は，**日食**の間に実験を行い，**太陽の質量によって，遠くの星**からの光は，**曲げられている**ことを実測しました。光は質量をもたず直進しますが，**時空のねじれに沿って曲げられます**。これが重力レンズ効果です。

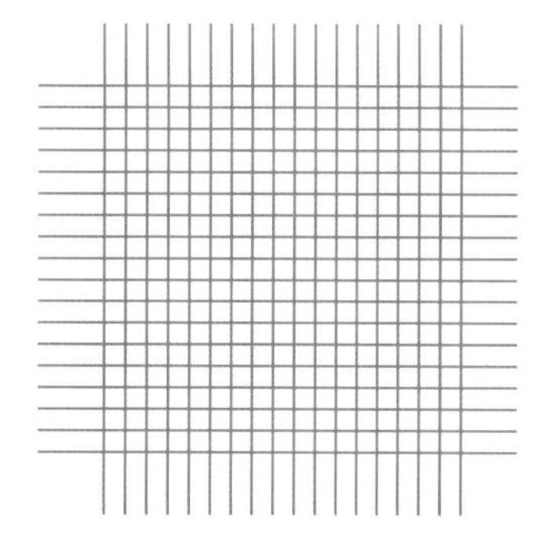

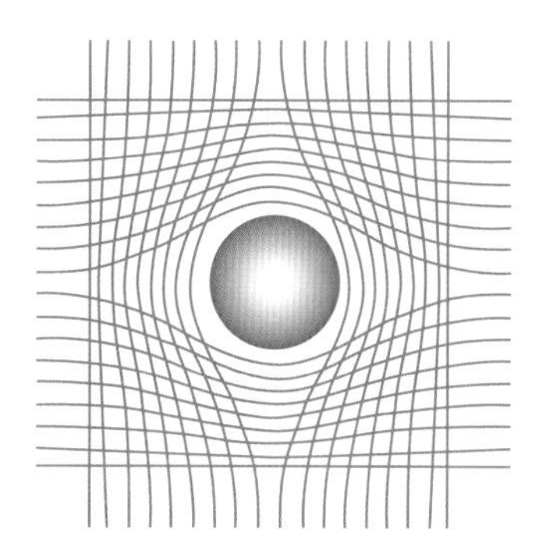

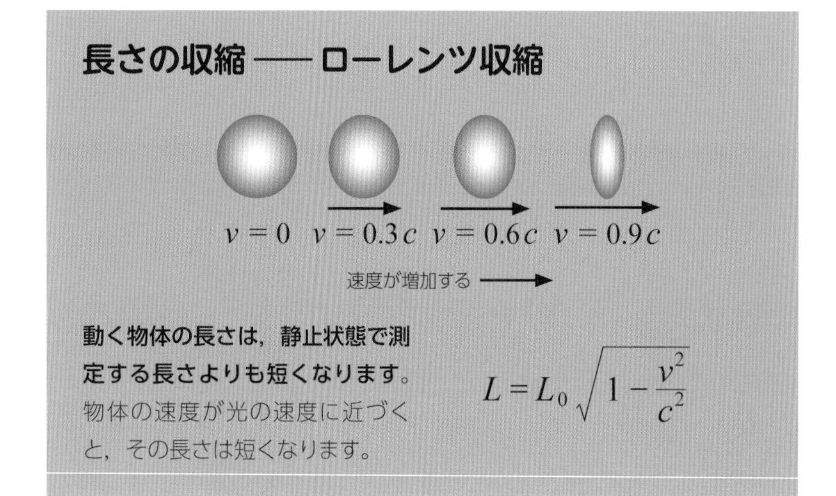

長さの収縮 ── ローレンツ収縮

動く物体の長さは，静止状態で測定する長さよりも短くなります。物体の速度が光の速度に近づくと，その長さは短くなります。

$$L = L_0\sqrt{1 - \frac{v^2}{c^2}}$$

時間の遅れ

移動する座標系内を速さ「v」で進む光は速さ$c + v$では進みません。**光の速さはすべての座標系において同じ**です。その結果，時間の遅れ（80ページ「時間の遅れ」，160ページ「GPS」参照）が生じます。

$$T_0 = T\sqrt{1 - \frac{v^2}{c^2}}$$

シュレーディンガーと波動方程式

エルヴィン・シュレーディンガー（Erwin Schrödinger，1887～1961）はオーストリア人の量子物理学者で，波動関数という方程式を発展させました。粒子が存在する位置の確率を計算するものです。

粒子と波動の二重性

すべての素粒子は，**粒子性と波動性**を示します。

量子力学のコペンハーゲン解釈

1925年から1927年にかけて，**ニールス・ボーア**（Niels Bohr）と**ヴェルナー・ハイゼンベルク**（Werner Heisenberg）は**量子力学**の解釈を提案しました。

・粒子は測定されるまで，決定的な性質をもたない。

・私たちにできることは，粒子の**分布**の可能性を予測することだけである。

・**測定という行為自体が，系に影響を及ぼす。**

重ね合わせ

粒子は**波動であると同時に粒子であり**，どのように計測されるかによって，空間に広がる性質または一点に集中する性質をもちます。それは波動の**重ね合わせ**（合成）です。

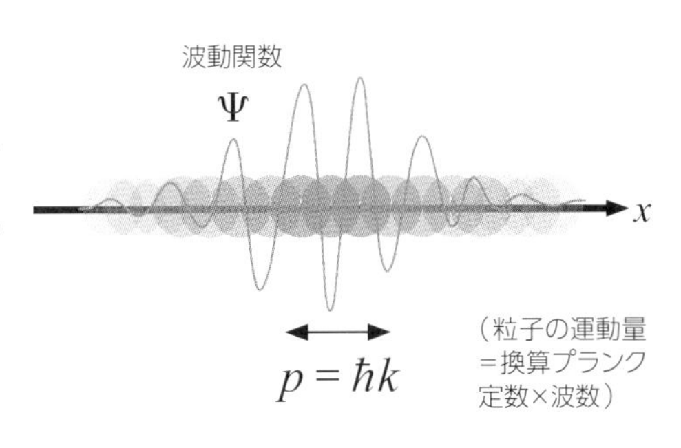

波動関数

波動関数によって，ある場所に粒子が存在する確率がわかります。それは正確な位置ではなく，量子物体の**固有状態***を予測するものです。

*固有状態：詳細な位置の固有値を見つけるための計算を行うまでの，固有状態の重ね合わせにおける波動関数。

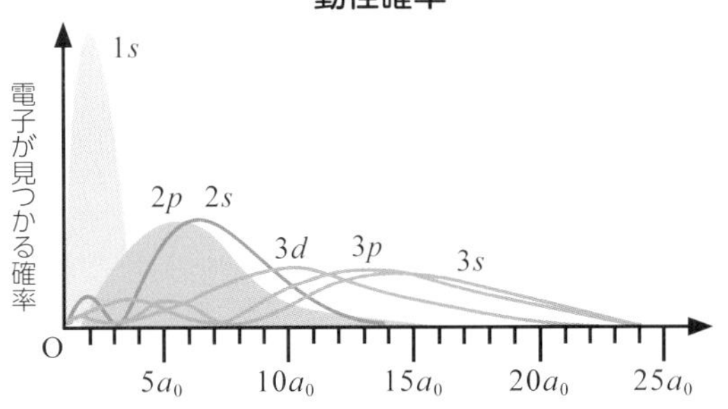

動径確率：原子核から離れた特定領域内で電子が見つかる確率

シュレーディンガーの猫

1935年，**シュレーディンガー**は，**量子力学のコペンハーゲン解釈**をテストするためのある思考実験を行いました。

・毒入りのフラスコ，放射線源，密封された箱内の探知機を考える。検知器が放射能を検知したら装置が作動して箱内のいかなる生物も殺す毒を放出するように配置する。

・猫が箱の中にいたとしたら，放射性粒子の**量子重ね合わせ状態**（**量子物体**は重ね合わせの可能性があり，そのため同時に複数の場所に存在しうる）のため，放射線源は毒の放出につながる出来事の引き金をひく可能性も，ひかない可能性のどちらもある。

・**観察する**（箱を開ける）ことによって，**波動関数は崩壊し**，猫は生きているか死んでいるか決まる。

・猫は重ね合わせの状態になることはできない。

シュレーディンガーはこうして，**量子力学と古典物理との間の相違点を指摘しました。**

不確定性原理

ハイゼンベルクの不確定性原理は，粒子の正確な位置と運動量（ゆえに速度）を同時に測定することはできないと述べています。

ハイゼンベルクの原理は，**位置と運動量を同時に測定できない**という制約を述べる**数学的関係**によって説明できます。

$$\Delta x \cdot \Delta p \fallingdotseq \hbar$$

ΔxとΔpをかけたものは，$\hbar$とほぼ同程度である。

この原理は，時間とエネルギーを計測する際の制約を述べるためにも用いられます。

$$\Delta E \cdot \Delta t \fallingdotseq \hbar$$

ΔEとΔtをかけたものは，$\hbar$とほぼ同程度である。

・$\hbar$：換算**プランク定数**
（プランク定数hを2πで割った値）
・Δx：粒子の**位置**の**不確定性**
・Δp：**運動量**の不確定性
・ΔE：物体の**エネルギー**の不確定性
・Δt：**時間計測**における不確定性

量子の解釈

量子力学がすることと，量子力学が意味すると私たちが考えるものの間には違いがあります。**リチャード・ファインマン**（Richard Feynman）は，**「量子力学で起こりうるすべてのことは起こる」**と言い，量子軌道は，空間におけるあらゆる経路を取ると述べています。**古典物理学**では，「軌道」や「力」が何を意味するのかを疑問に思う必要はありませんが，**量子力学**においてはその必要があります。

量子力学においては多くの解釈があります。六つを下記リストにしました。一部の解釈は**波動関数の崩壊**によって決まりますが，そうでないものもあります。以下のものは，波動関数の崩壊を必要とする解釈です。

・**コペンハーゲン解釈**
・**交流解釈**（TIQM）
・**フォン・ノイマン解釈**

崩壊を考慮するかしないかで，以下のさらなる解釈に分岐します。

・**ボーム解釈**
・**多世界解釈**
・**アンサンブル解釈**

私たちは何を知っている？

量子力学の数学は，これらの解釈を何一つ説明していません。量子力学の数学は，**量子系が重ね合わせとして存在する**ことを述べますが，これらの解釈は**証明されていないままであり，また一部は証明不可能**です。

エンリコ・フェルミとベータ崩壊

エンリコ・フェルミ（Enrico Fermi，1901～1954）はイタリア人物理学者で，量子論に貢献し，原子炉を発展させました。放射能の反応をどのように誘発するかを発見し，1938年にノーベル物理学賞を受賞しました。

1934年，フェルミは**ベータ崩壊の理論**を発達させました。ニュートリノに関する**ヴォルフガング・パウリ**（Wolfgang Pauli）のアイデアを含んだものでした。**ニュートリノ**は，**当初は，質量も電荷ももたないと仮定されましたが**，現在では質量をもつことがわかっています。

放射性崩壊の間，**放射性同位体は安定するために粒子とエネルギーを放出します**。放射性崩壊では，**ニュートリノとともにアルファ粒子**（二つの陽子，二つの中性子）や**ベータ粒子**（電子または陽電子）を放出したり，ガンマ線を放出したり，ニュートリノのみを放出します。

ベータ崩壊

β^+崩壊

崩壊前　崩壊後

親　娘

e^+　ν_e

$\cdot\beta^-$　$\cdot\bar{\nu}$

$${}^{x}_{y}A \longrightarrow {}_{y+1}^{x}B+\beta^-+\bar{\nu}$$

$\cdot\beta^+$　$\cdot\nu$

$${}^{x}_{y}A \longrightarrow {}_{y-1}^{x}B+\beta^++\nu$$

ベータ崩壊は，**中性子が崩壊するときに**起こります。中性子（**原子核**内部の）が崩壊するとき，**陽子**と**電子**に変化します。ベータ崩壊は，また**陽電子（反電子）**と**電子ニュートリノ**を放出します。

原子「A」における**ベータマイナス崩壊**は，電子（ベータマイナス）と電子ニュートリノ，新しい同位体「B」を放出します。

原子「A」における**ベータプラス崩壊**は，陽電子（ベータプラス）と電子ニュートリノと別の新しい同位体「B‘」の放出を引き起こします。

宇宙線

太陽や恒星から放出された陽子のような**荷電粒子**は，真空の空間を移動します。これらの星々は，**核反応**によって輝いています。陽子のような荷電粒子が地球に近づくと地球の**磁場**によって方向を変え，地球の**大気内**で原子にぶつかり，その結果，**多くの異なる粒子をまき散らします**。宇宙線は，**自然な現象**で**絶えず大気に降り注いでいます**。ベータ崩壊を理解することで，ニュートリノや粒子の相互作用についての理解が深まります。

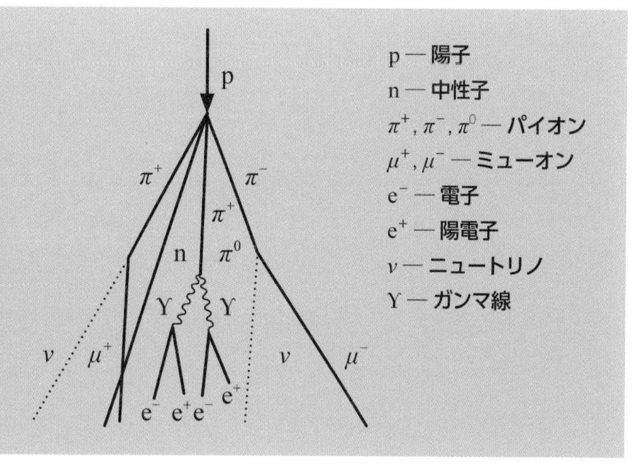

電子状態，量子数

量子スピンは，こまのような回転とは全く異なります。
スピンは，粒子の固有の角運動量です。粒子に磁気特性をもたらします。

・**スピンをもつ**粒子はN極とS極をもつ小さな磁石と似ている。
・磁気モーメントには，**場の大きさと向き**がある。

磁気モーメント

荷電粒子が動くと**磁場**を生み出すことがあります。**電磁誘導**として観察することができます。磁気モーメントは，**スピン**によって生じます。**量子物体**が，**波動関数**によって最もよく説明されるように生み出されたもので，非常に奇妙です。スピンというアイデアは，量子物体が実際にどうふるまうのかを説明する数学から生まれました。

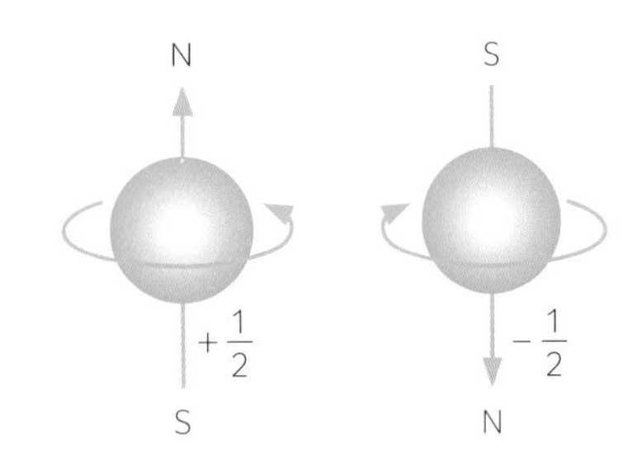

左利きのスピン，右利きのスピン

粒子は，**時計回りの向き**（右回り）にまたは**反時計回り**の向き（左回り）に回転します。

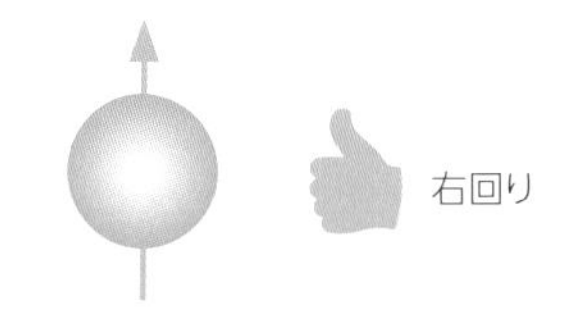

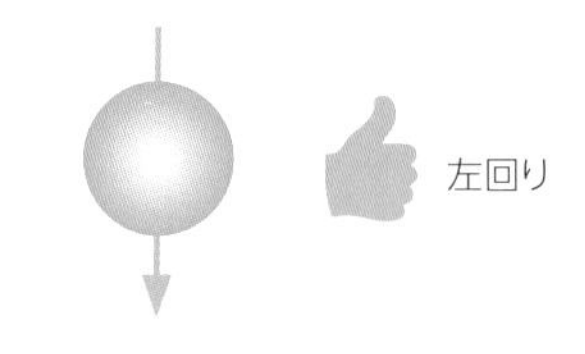

スピンをもった粒子は，右上の図のように，**異なる向きに向かう**ため，**回転数を上げたり下げたりします。**

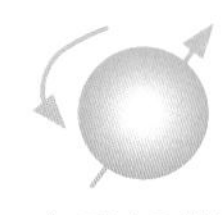

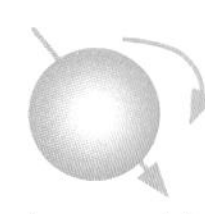

量子数

量子数は，**粒子の向き**を説明します。**電子**にとって，量子数は**軌道**における方向性を説明します。

・**フェルミ粒子**は＋1/2 または－1/2 の**半整数のスピン**をもつ。
・**ボース粒子**は**パウリの排他原理**に従って1または－1の**整数のスピン**をもつ。

スピンと電子軌道

原子核の周囲の電子は，**波動関数**による**固有の立体構造**に配置されます。それは**核やその他の電子との距離**によって変化します。＋1/2のスピンをもつものと－1/2のスピンをもつものを組み合わせ，エネルギー準位をひとつずつ満たしながら，**構造原理**に従って電子は，核の周囲におさまります。

電子配置

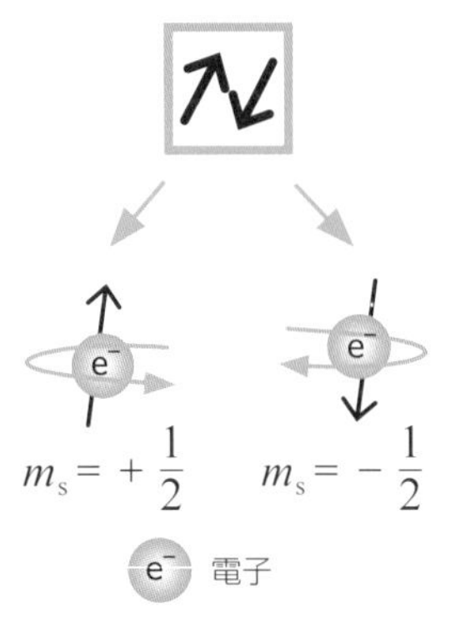

窒素，酸素，フッ素，ネオンの電子配置

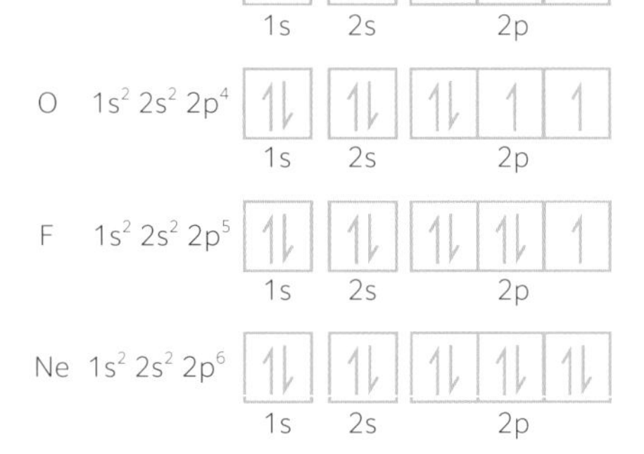

ディラックと反物質

イギリス人科学者ポール・ディラック（Paul Dirac，1902～1984）は反物質の存在を予測しました。ディラック方程式は1928年に導き出された波動方程式で，−1/2のスピンをもつ粒子（静止状態のときに質量がゼロではない）を説明します。

量子力学と相対論的な背景の両方をあわせもつ初めての方程式でした。ディラックは1933年に**ノーベル賞**を受賞し，**ニュートリノ**の存在を予測しました。

$$(i\partial\!\!\!/ - m)\psi\!\!\!/ = 0$$

ディラック方程式は「相対論的波動方程式」です。
反物質の存在を予測しました。

ディラック方程式

方程式 $x^2 = 4$ は，**答えが二つ**考えられます（$x = 2$ または -2）。これはディラックの発見にとって重要なことでした。彼の方程式は**電子エネルギー**を説明するもので，答えの一つはプラス，もう一つはマイナスです。ディラックは，マイナスは**反粒子**を示すものだと提案しました。

- 電子の反粒子は**陽電子**として知られる**反電子**である。
- 陽電子は電子と**反対の電荷**をもっており，陽電子の電荷は $+1e$。
- 電子の電荷または陽電子は e で表される自然定数。プラス（＋）またはマイナス（−）は電荷の種類による。
- 陽電子は**スピン** 1/2（電子と同じ）。
- また陽電子は電子と同じ**質量**をもつ。
- 光子はそれ自体，反粒子である。

物質と反物質の消滅

陽電子が電子と衝突すると**対消滅**とよばれるプロセスが起こり，それによって**粒子がガンマ線に変換されます。**

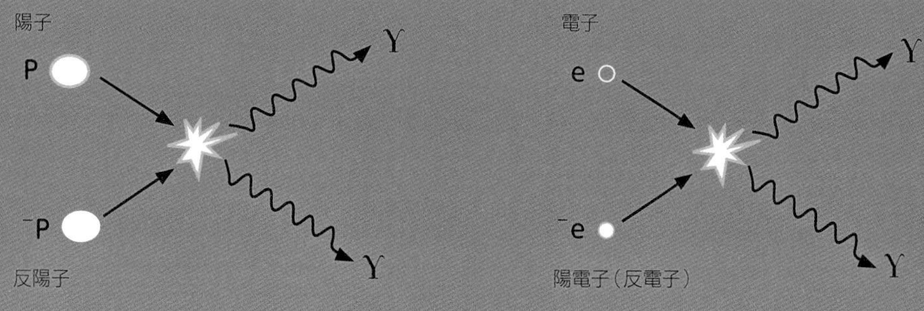

ファインマン・ダイアグラム

**「すべての物質は互いに作用している」と言ったアメリカ人理論物理学者
リチャード・ファインマン（Richard Feynman，1918～1988）は，
絵記号を用いて粒子の相互作用を描く図解法を発明しました。**

ファインマン・ダイアグラムの説明

ファインマン曰く「物理法則に則っていれば，起こる可能性のあることは起こる」。**ファインマン・ダイアグラム**のそれぞれの記号は，ある粒子がある粒子へと変化する様子を表しています。

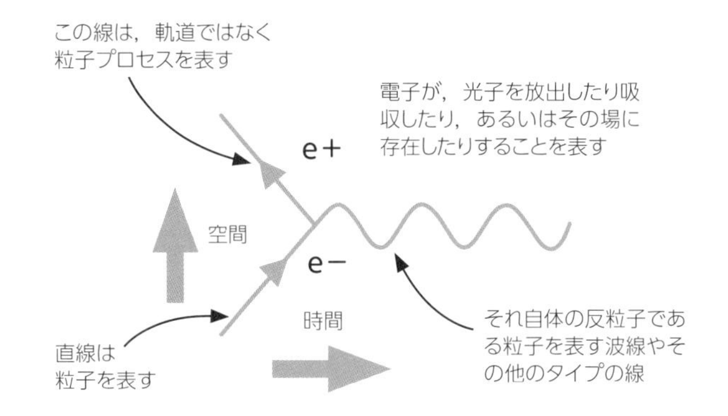

- 縦軸は**空間における粒子**の位置を表す。
- 横軸は**時間**。
- 直線は，**電子**や**クォーク**，**ニュートリノ**といった**フェルミ粒子**を表す。
- 波線は，**光子**や**W粒子**，**Z粒子**といった**ボース粒子**のフォースキャリアを表す。
- ループ状の線は，**グルーオン**を表す。
- 点線は，**ヒッグス粒子**を表すが，**仮想粒子**に代わることもある。
- 線が交わるところは交点とよばれる。各交点は**保存則が適用される**量子反応の結果を表す。
- 各交点は**電荷**，**バリオン数**，**レプトン数**を一定に保たなければならない。
- 矢印はその方向ではなく，あるものが**粒子**か**反粒子**かどうかを表す。

粒子と記号

入ってくるフェルミ粒子 α
入ってくる反フェルミ粒子 α
出ていくフェルミ粒子 α
出ていく反フェルミ粒子 α
入ってくる光子
出ていく光子

フェルミ粒子
光子，W粒子，Z粒子
多くはグルーオン
多くはヒッグス粒子

ボース粒子とフェルミ粒子の相互作用

相互作用する粒子もあれば，しない粒子もあります。ファインマン・ダイアグラムがどのように機能するかの規則があるのはそのためです。ここに示すのは電磁相互作用，**弱い相互作用**，**強い相互作用**を示す可能性のある量子反応です（詳細は62ページ「標準模型」参照）

電磁
e 仮想光子 e
e e

弱い
p $\bar{\nu}_e$ e
W⁻
n

青 緑
緑 - 反青グルーオン
緑 **強い** 青
クォーク間

p n
π
p n
強い
核子間

マンハッタン計画

多くの科学的な発見は，世界をよりよく変化させてきました。しかし科学と技術が，しばしば人類の破壊的な側面をみせるのも悲しい事実です。

第二次世界大戦とマンハッタン計画

- 1933年から1934年にかけて，**レオ・シラード**と**エンリコ・フェルミ**が，**核反応の制御**に成功。
- **第二次世界大戦**中，**ナチス**と**アメリカ**は**核兵器**を開発。
- **アインシュタイン**は，原子爆弾の威力についてとヒトラーが原子爆弾を最初に開発した場合，確実に危険が迫ることをシラードが**ルーズベルト大統領**に説明することを支持する手紙を書いた。
- トップシークレットの**マンハッタン計画**が1939年にアメリカで始まる。13万を超える人々と世界有数の科学者が関わった。
- **J・ロバート・オッペンハイマー**は数々のテストが行われた**ロスアラモス国立研究所**の所長だった。
- 1945年7月4日，**チャーチル**と**イギリス政府**は**日本**に兵器を使用することを正式に支持。
- アインシュタインは新しく就任した**トルーマン大統領**に爆弾を使わないよう懇願する手紙を送ったが，トルーマンはその手紙を読まなかった。
- 1945年8月6日と9日，トルーマンは日本の**広島**と**長崎**に**爆弾を投下し**，一瞬にして25万人の命が奪われた。

人類に対する危険

- 1940年代から1980年代まで**ウラン**を採掘していた**ディネ**とよばれる先住民のコミュニティにおいて高い**発がん**率が確認されました。アメリカ政府がようやく**放射線被曝補償法**を施行したのは1990年のことです。
- 世界の強国は核兵器の開発を続け，**世界中の海で実験を行いました**。このため，**太平洋のコミュニティや生態系に永久的なダメージを残すこと**になりました。
- 1986年には，**70,300の使用可能な核兵器**が存在しました。
- 1996年，**包括的核実験禁止条約（CTBT）**に184カ国が署名，164カ国が批准しました。

遺産

- 2018年，およそ**3750の使用可能な核弾頭**と**14,485の核兵器**が存在している。
- **アメリカ**と**ロシア**が世界の核兵器の**90%**以上を保有。

標準模型

標準模型は物質を構成する素粒子について現在わかっていることを説明するものであり，物質についての深い理解をもたらしてくれます。

素粒子は「原子を構成するいかなる粒子」からもつくられていないもの

- **「原子を構成する粒子」**からできている粒子は**ハドロン**とよばれる。陽子と中性子は，**クォーク**が**グルーオン**により結束されたものなので，**素粒子**ではない。
- **電子**は，その他のより小さな粒子でできていないため，素粒子である。
- 電子は**フェルミ粒子**である。
- 素粒子はボース粒子とフェルミ粒子の二つに分類できる。

フェルミ粒子

半整数スピンをもちます。**電子**はフェルミ粒子です。フェルミ粒子は**レプトン**と**クォーク**の二つのタイプに分けられます。フェルミ粒子には**電子**，**ミュー粒子**，**タウ粒子**という三つの「世代」があります。

素粒子の標準模型

ボース粒子

ボーズ粒子は，**自然界における基本的な力**の原因になっています。たとえば光子であれば電磁力を起こします。

- **ゲージ粒子**は，粒子の相互作用力を「交換」し，スピンを1もつ（スピンに関する詳細は58ページ「電子状態，量子数」参照）。
- **電磁相互作用**は，**光子**の交換によって発生する。
- **強い力**は原子核を結びつける力で，**グルーオン**の交換から生まれる。
- **弱い力**とは原子が**核融合**を行うことができる力で，**Z粒子**と**W粒子**の交換から生まれる。

レプトン

レプトンは**「強い相互作用」**に関与しません。したがって**グルーオン交換**に関与しません。

- **帯電したレプトン**は，電子の2/3の正電荷をもつ。
- **ニュートリノ**は，無電荷で，わずかな質量をもつ。

クォーク

クォークは結合して**ハドロン**を形成します。**陽子**や**中性子**です。

- **アップ型のクォーク**（**アップ**，**チャーム**，**トップ**）は+2/3の電荷をもつ。
- **ダウン型のクォーク**（**ダウン**，**ストレンジ**，**ボトム**）は−1/3の電荷をもつ。

ウーの実験

ウー・チェンシュン（呉健雄，1912～1997）は，粒子の弱い相互作用によって，パリティ保存則が破れるということを実証するウーの実験を考え出したことで有名です。

ウー・チェンシュンは，**中国の江蘇省**の小さな町で生まれた中国人原子物理学者です。ウーは1936年にアメリカに移住しました。不運なことに，職場で**人種差別**と**性差別**に遭いました。**マンハッタン計画**にも関わり，**ベータ崩壊**について研究しました。

弱い相互作用

中国人物理学者**リー・ツンダオ**（李政道）と**ヤン・チェンニン**（楊振寧）は，**パリティの保存が適用されない弱い相互作用**を理論化しました。1956年，二人は**ウー**の有名な実験をともに行い，弱い力がこれまで考えられていた**対称性**の考えを否定することを発見しました。この研究により，リーとヤンは1957年にノーベル賞を受賞しました。ウーの実験が**素粒子物理学を根本的に変えるものであった**にもかかわらずウーが受賞しなかったことは**大きな差別**であると多くの人が考えました。

パリティ

- パリティ（P）対称性：**パリティ変換**は，**スピンの空間方向**における方向の変化に関係しています。
- パリティ対称性が保存されるのであれば，粒子の回転方向がどちらであれ**同じ結果**を観測するはずであり，そして鏡像の粒子（反対方向の回転）も同じように作用するはずです。つまり**崩壊において放出された粒子は核スピンと同方向であるはずなのです。**

パリティ保存則が正しい場合　　実験結果

電子

コバルト原子

鏡像原子

ウーの実験

ウーは**コバルト60**（Co60）原子と**それぞれのスピンを揃える**ために非常に強力な磁石を用い，**どのように崩壊するかを測定しました。**彼女は次のことを観察しました。

- **崩壊する粒子の方向**は，**コバルト60原子のスピンの方向**によって決まる。
- **弱い力**は**左手系での物質粒子**と，**右手系での反物質粒子**にのみ作用する。
- 弱い力は**物質と反物質に異なる作用をする。**
- **スピン（パリティ）は，弱い相互作用において保存されない。**したがってパリティ対称性は破れる。

ニュートリノ振動

ニュートリノは，レプトンです。わずかな質量をもちます。その質量が正確にどれほどかはまだ解明されていません。ニュートリノは弱い力によってのみ相互作用します。

ゴースト

ニュートリノは，**質量など**とは相互作用しません。ニュートリノは，**地球や惑星を通り抜けて直線に進みます。**毎秒何十億ものニュートリノが地球へと降り注ぎ，私たちの身体を通り抜けています。ニュートリノは**光子が空中を移動するのと同じくらい容易に何kmもの厚さがある鉛を通り抜けます。**そのためニュートリノは**検出するのが非常に難しい**のです。

超新星SN 1987A

1987年，**ニュートリノの閃光**が三つのニュートリノ観測所で検出されました。それらは**超新星爆発**によって放出されたもので，68,000年かかって地球に到達しました。

ニュートリノの検出

ニュートリノは，ときどき弱い相互作用によって塩素原子にぶつかります。それらは**W^+粒子をダウンクォークと交換し**，**中性子を陽子に**変え，**塩素をアルゴンに**変えます。またニュートリノによって**ゲルマニウム**と**ガリウム**にも同じことが起こります。

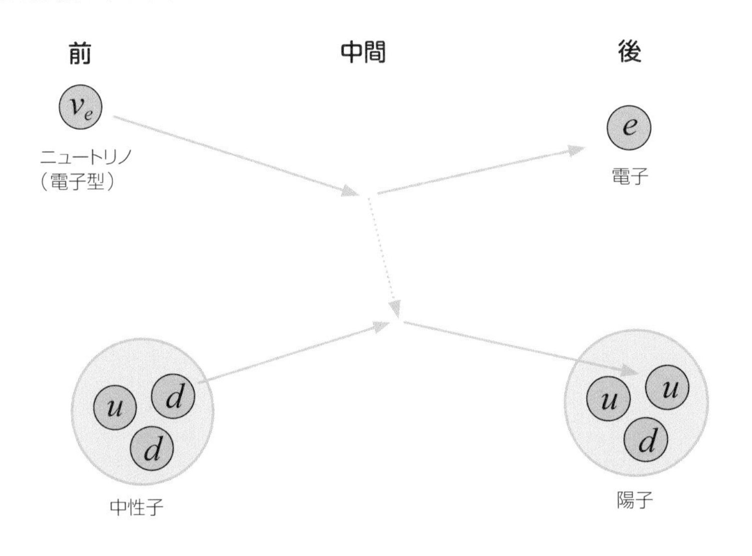

ニュートリノ振動

ニュートリノには三種類あります。**電子型**，**ミュー型**，**タウ型**です。ニュートリノは宇宙空間を移動する際に**ほかの型のニュートリノへ振動する場合があります。**

	電子ニュートリノ	ミューニュートリノ	タウニュートリノ
ニュートリノ	ν_e	ν_μ	ν_τ

チェレンコフ放射

真空状態においては**光の速度**より速く移動するものはありません。しかしながら**ニュートリノは，水中では光子より速く移動します。**ニュートリノが水の分子に衝突するとき，**チェレンコフ放射**とよばれる**青い光**が見られます。ニュートリノ観測所であるJ-PARC（日本）と，**The SNO（カナダ）**の科学者たちは，**高純度の重水**（中性子を一つ含む水素の同位体からつくられた水）を大量に使いました。

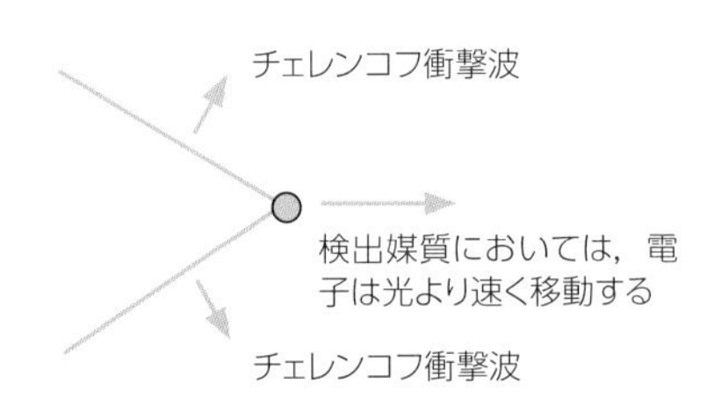

ニュートリノ検出器でつくられる電子は，チェレンコフ放射とよばれる青い光を放出します

ヒッグス粒子

ヒッグス粒子は物体に質量を与えます。質量は本質的な性質です。粒子がヒッグス場と相互作用するほどその質量は増大します。

力場とボース粒子

- 四つの基本的な力は，**電磁気**，**重力**，**強い力**，**弱い力**です。
- **量子力学**は，**力の強さ**は**粒子分布**であることを示しています。**分布が密であるほど力は強くなります。**
- **場＝ボース粒子の交換**によるすべての効果。
- **電磁気と弱い力が関係している**ことは1960年代に証明されました。これらはともに**電弱相互作用**を引き起こします。ヒッグス粒子は，これらが**異なっていても関連している**理由を説明します。

ヒッグス粒子

光子が**電磁場における励起である**のと同じように，ヒッグス粒子は**ヒッグス場における振動**です。

ヒッグス粒子崩壊の検出

- ヒッグス粒子は**W粒子**，**Z粒子**，**ガンマ線光子**，**クォーク（フェルミ粒子）**に崩壊する可能性があります。これらの**崩壊パターン**はヒッグス粒子の存在を実証します。
- 電子クォーク，ミュークォーク，タウクォークは，ヒッグス場では**互いにわずかに異なる相互作用を示します。**

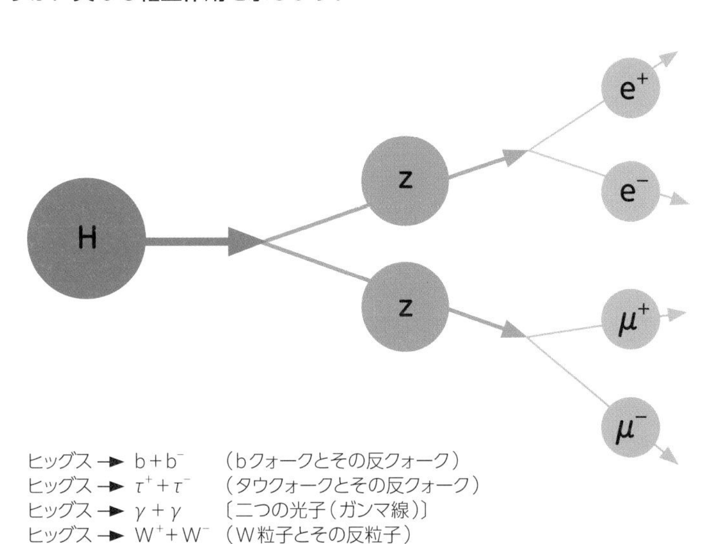

ヒッグス → $b+b^-$ （bクォークとその反クォーク）
ヒッグス → $\tau^+ + \tau^-$ （タウクォークとその反クォーク）
ヒッグス → $\gamma + \gamma$ 〔二つの光子（ガンマ線）〕
ヒッグス → $W^+ + W^-$ （W粒子とその反粒子）
ヒッグス → $Z^0 + Z^0$ （二つのZ粒子）

質量

質量は，**運動に対する抵抗の大きさ**を表します。

ヒッグス場

これは宇宙空間全体に存在します。**粒子がヒッグス場と相互作用するほどその質量は大きくなり，動きに対して抵抗します。光子**はヒッグス場と相互作用しません。**質量はなく，何よりも速い速度で進む**ことができます。

ピーター・ヒッグス（Peter Higgs，1929～）と**フランソワ・アングレール**（François Englert，1932～）は1960年代に初めてヒッグス粒子を提唱し，その功績が認められ2013年に**ノーベル賞**を受賞しました。38カ国，174の機関の3000人以上の科学者たちがアトラス実験を行い，約5000人の活動的な人物（物理学者，エンジニア，技術者，管理者，学生など）が，2012年にCERN（欧州原子核研究機構）においてCMS検出器でヒッグス粒子を発見しました。

量子電磁力学（QED）

量子電磁力学は，電磁力に関する場の量子論であり，荷電粒子のふるまいを説明するものです。

場

- 力がその効果を及ぼすと，**粒子間でボース粒子の交換が起こります**。場の概念は，**ボース粒子の交換のすべての効果**といえます。
- **電子**は粒子ですが，**波のようにふるまう粒子**です。
- 電子は，**電磁場の励起**によるもので，宇宙の至るところに存在します。

仮想粒子

これらは，**一時的な**粒子で**現れたり消えたりする存在**です。不確定性原理は，**プランクスケール**において粒子がこのような性質を示すことを説明しています。**量子電磁力学**では，**仮想光子**は**荷電粒子間で**交換されます。

電子散乱

同種の電荷は反発します。電子はほかの電子が近づいてくるのを遠ざけます。**私たちをつくる物質が，原子内の何もない空間で崩壊しない**のは，以下の理由からです。量子レベルでは，以下のことが起こっています。

- 二つの電子が近づく。
- 仮想光子を交換する（一方が放出，もう一方が吸収）。
- これによりお互いが反跳する。

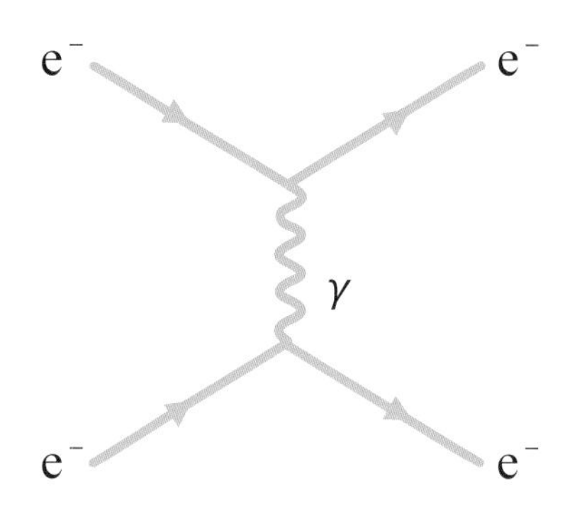

場の強さ

電磁場と重力は，似たふるまいをします。どちらも**無限遠**にまで作用し，**逆二乗の法則に支配されています**。つまりこれらの**強さは距離の二乗で弱まります**（距離が二倍になると，力は四倍の面積に広がります）。

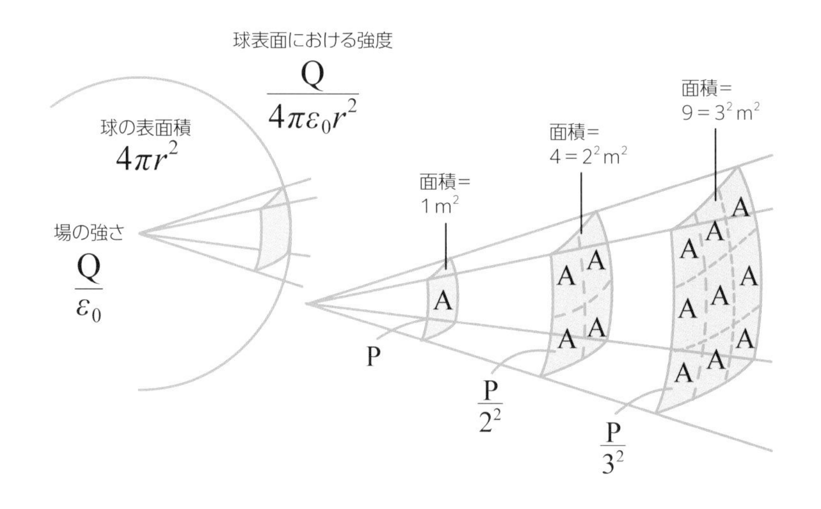

QED

QEDは，**電磁**場において仮想光子を交換する量子を説明する**相対論的量子論**で，**磁性**から**電光**，**電子光学**，**電子陽電子対消滅**まで，電磁気に関するすべての現象に関係しています。**リチャード・ファインマン**（1918～1988），**朝永振一郎**（1906～1979），**ジュリアン・シュウィンガー**（1918～1994）によって発展されたもので，三人はこの功績を認められ**1965年にノーベル物理学賞を受賞**しました。

量子色力学（QCD）

陽子と中性子は核子です。核子はクォークでできています。クォークは強い力のために お互いが結びついていますが，これはグルーオンによって媒介されています （電磁力が光子によって媒介されるのと同じです）。 クォークが相互作用するとき，グルーオンを交換します。

量子の色

電荷（電子のように）の代わりに，クォークは**強い力**をもち，それは**色荷**とよばれます。「量子の色」は私たちが目で見る色とはまったく関係がなく，**クォークとグルーオンの相互作用**の説明に用いられるものです。**グルーオン**もまた色荷です。

核子の成分

・**陽子**：二つの**アップクォーク**（一つは**青**，もう一つは**赤**）と**緑**の**ダウンクォーク**からなる。

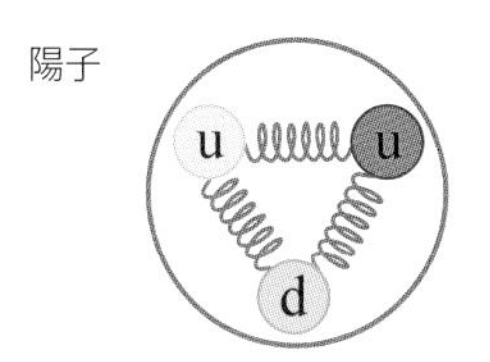

・**中性子**：二つの**ダウンクォーク**（一つは**緑**，もう一つは**赤**）と**青**の**アップクォーク**からなる。

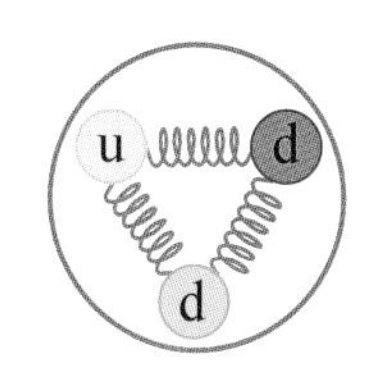

強い力は超短距離でのみ作用する

強い力は，**恒星における核融合**を可能にします。粒子が**十分に速くて，双方が正電荷をもったためにもつ反発力を克服して十分に近づく**，つまり10^{-15} mという非常に小さな距離に近づくことができるとき，**陽子の核融合が生じます。**

クォークを核子から取り出すには巨大な**エネルギー**が必要です。そのようなエネルギーは，**物質と反物質のスプレー**でクォークを形成しながら，**物質を反物質へと変えます。**

クォークのフレーバーと世代

・**フレーバー**：**アップ**，**ダウン**，**チャーム**，**ストレンジ**，**トップ**，**ボトム**とそれぞれに相当する**反物質**（**スピン**と**量子数**が異なります）。

・**世代**：第一（**電子型**），第二（**ミュー型**），第三（**タウ型**）は**クォークのサイズ**が異なります。

反クォークもまたシアン，マゼンタ，黄色の色荷をもっています。

・**反陽子**は**反アップ**（**黄色**），**反アップ**（**シアン**），**反ダウン**（**マゼンタ**）クォークからなる。

・**反中性子**は**反アップ**（**シアン**），**反ストレンジ**（**マゼンタ**），**反ダウン**（**黄色**）クォークからなる。

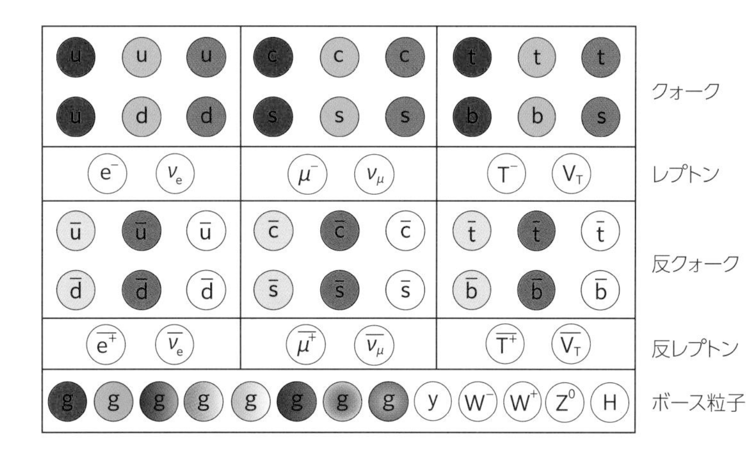

原子炉

核分裂（原子核の分裂）は自然放射性元素の崩壊と人工の連鎖反応によって起こります。放射性崩壊は弱い力によって生じます。

弱い力

弱い力は**クォーク**と**レプトン**（**電子**と**ニュートリノ**）の間で起こり，**ボース粒子**である**W粒子とZ粒子の交換**をともないます。

- 弱い力は**粒子の性質を変更し**，陽子から中性子へ変える。
- W粒子は**正負**どちらの電荷をもつ可能性もあり，Z粒子は**電荷をもたない**：どちらのタイプも非常に強力。
- これは1983年に**CERN**で発見された。

弱い力の作用

- **中性子**は**二つのダウンクォーク**と**一つのアップクォーク**からなる：d＋d＋u
- **陽子**は**二つのアップクォーク**と**一つのダウンクォーク**からなる：u＋u＋d

ファインマン・ダイアグラムは次のように示します。

- **ベータ崩壊**：中性子（udd）は**W⁻粒子**と交換し，**陽子（udu）**，**電子**，**ニュートリノ**に崩壊します：W⁻粒子は，**相互作用において負の電荷**をもち去ります。
- **ベータプラス崩壊（陽電子放出）**：陽子（udu）は**中性子（udd）**に崩壊し，**W⁺粒子**と交換し，**陽子**と**電子ニュートリノ**をつくります。

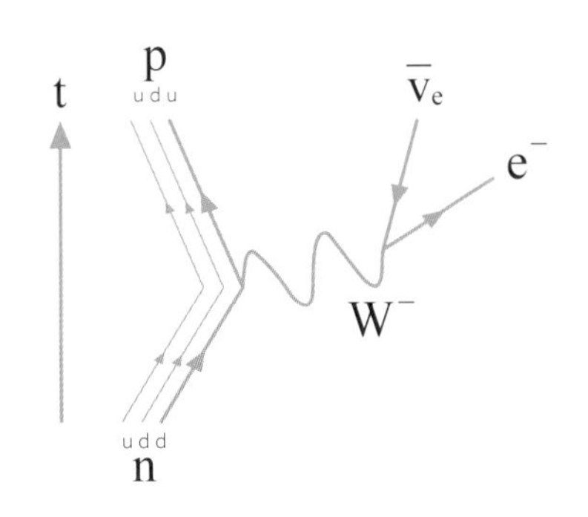

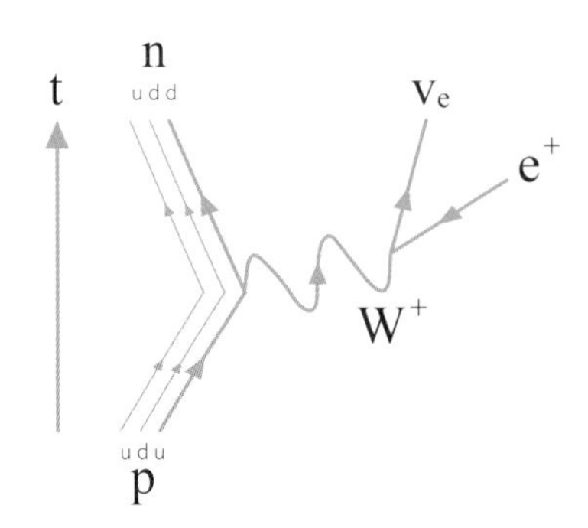

核分裂では，**五つのタイプの放射性崩壊**が起こる可能性があり，**放射性エネルギーをもつ粒子を放出し，もとの元素がほかの種類のものに変わります。**

- アルファ崩壊
- ベータマイナス崩壊
- 陽電子放出（ベータプラス崩壊ともよばれます）
- ガンマ崩壊
- 電子捕獲

放射性同位体からほかのものへの変質の連鎖

核兵器は，**放射性同位体**の**ウラン**と**プルトニウム**を使用します。**ウラン235**が中性子を吸収すると**二つの新しい原子**に分裂し，二つないし三**つの新しい中性子**と**エネルギー**を放出します。

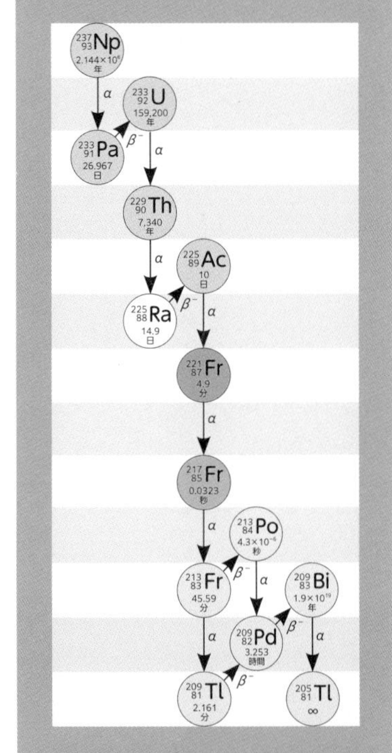

- アクチノイド
- アルカリ金属
- アルカリ土類金属
- メタロイド
- 遷移金属

粒子加速器

宇宙空間，星，地球の成層圏で，粒子は絶えずとてつもないスピードでぶつかり合っています。科学者たちはこの出来事を高真空の環境で磁石と粒子ビームを使って再現することができ，何が起こるかを研究しています。粒子検出器は加速器とよばれます。

霧箱

霧箱は**1932年にカール・アンダーソン（Carl Anderson）らによって発明され**陽電子（反電子）の発見に用いられました。**霧箱は，水またはアルコールの蒸気を入れて封をした容器です。**粒子が箱の中を通過すると，そのなかの分子から電子をたたき出します。これによって**イオン化した気体粒子による痕跡**が，霧状のすじ道として見られます。シンプルな霧箱なら自宅で自作し，宇宙線を観察することができます。

粒子加速器の種類

シングルビーム加速器

- サイクロトロン
- 線型加速器
- シンクロトロン
- 固定標的型加速器
- 高強度ハドロン加速器（中間子と中性子を源とする）
- 電子と低強度ハドロン加速器

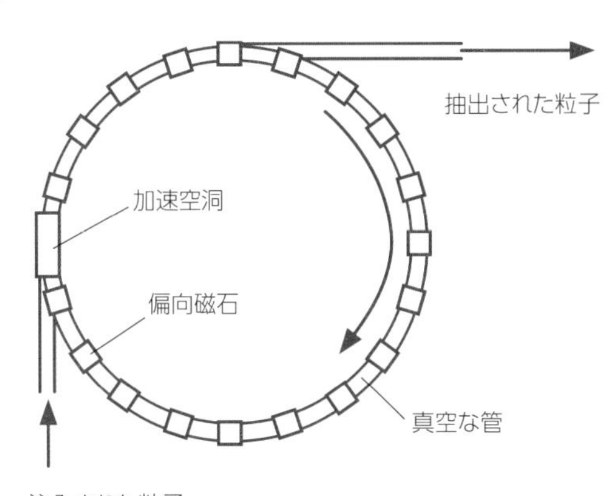

2ビーム加速器

- 衝突型
- 電子・陽電子衝突型
- ハドロン衝突型
- 電子・陽子衝突型
- 光源

CERN

CERNは欧州原子核研究機構であり，現在，**世界最大の素粒子研究施設**です。
主な発見：ヒッグス粒子
主な発明：インターネット

世界の粒子加速器

電子のような粒子は，**電磁場で加速します。**粒子加速器において，磁石と高真空の環境が用いられます。世界中で30,000以上の粒子加速器が稼働しています。
一部を紹介します。

- インド，ラジャラマンナ先端技術センター
- スペイン，シンクロトロンライト・ファシリティ（ALBA）
- フランス，欧州シンクロトロン放射光施設（ESRF）
- アルゼンチン，バリローチェ・アトミックセンター（LINAC）
- シンガポール，センター・フォー・イオンビーム・アプリケーションズ（CIBA）
- 日本，高エネルギー加速器研究機構（KEK）
- イギリス，ダイヤモンド放射光施設とISIS ニュートロン・アンド・ミューオン・ファシリティ
- サーキュラー・エレクトロン・ポジトロン・コライダー（CEPC）は現在建設中。

恒星，太陽，放射能

星の形成と進化は，量子力学と重力に支配されています。

星の形成

- 星は**星雲**として始まる。
- **陽子**（H^+原子核）が**重力によって引き寄せられるが，正の電荷同士のため反発する。**
- この動きが**運動エネルギー**を増加させる。
- それらの**質量によって**より多くのH^+を**引き寄せる。**
- **温度**は1億K近くまで上昇する。
- H^+は，**核融合を引き起こす強い力**によって衝突する。
- H^+は，**重水素**に融合し，**陽子**，**ガンマ線**，**ニュートリノ**を放出する。これが**陽子－陽子反応**から始まる**核融合**である。

恒星内部の陽子－陽子サイクル

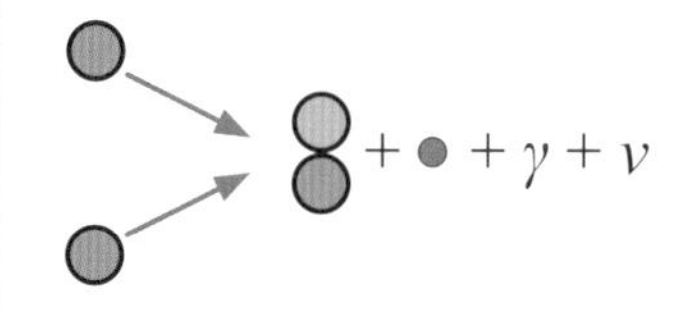

二つの陽子が衝突して重水素の原子核，陽子，ガンマ線，ニュートリノを形成

恒星内部の力

- 星は，**重力によって内側に引っ張られる力**と**核融合によって押し出される力**が等しい**平衡状態**に近づく。
- 多くの**核融合反応**が起きる：**鉄**（Fe）に至るまでの**元素**がつくられ，**鉄より大きい原子は分裂する。**
- H^+がすべて使われると**静圧平衡は変化する：星は拡大し，温度が下がり，赤色巨星になる。**
- 赤色巨星の**表面温度**は約5000K。

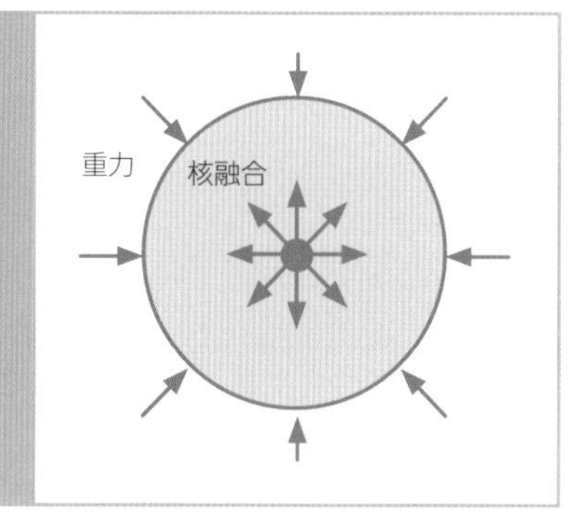

主系列

- 私たちの太陽のような平均的な星は定常状態または主系列星。
- 赤色巨星の階層の後，星の素材である層が失われ，白色矮星になる。
- その後温度が下がり褐色矮星になる。

大質量星

- 水素が燃え尽きると，質量による崩壊を起こす。
- 質量は中心に向かって落ち込み，Feより重い原子を生み出すのに十分強力なエネルギーをともなう超新星爆発を引き起こす。
- この結果，中性子星が形成される。
- より重い星では崩壊が続き，ブラックホールが形成される。

陽子陽子反応

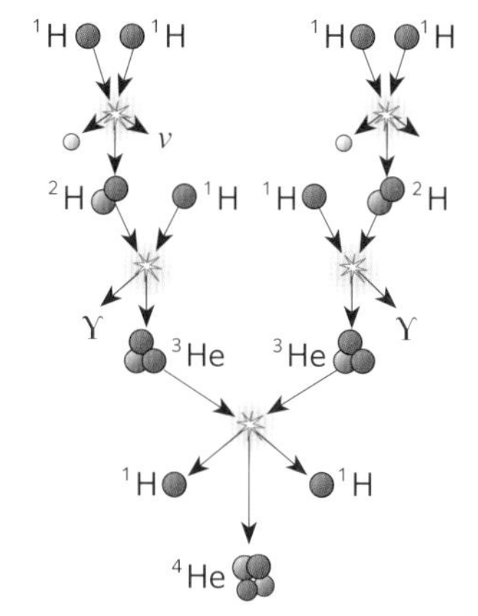

次には何が？

- 大きな星は水素をより早く燃焼する。
- より小さな星は水素をよりゆっくり燃焼する。

太陽系

太陽系は，惑星やその他の物体が周回する星を含みます。星の非常に近くを，星に対して非常に速い速度で周回するガス惑星をもつものもあります。二つの太陽をもつ太陽系はバイナリーシステムとよばれます。

地球は太陽の周りを平均時速約107,000kmで**周回しています**。太陽は太陽系を連れて，秒速210km以上で銀河系の中心を周回しています。惑星は**重力によって**太陽に**結び付けられています**。重力はすべての**惑星が回転する軌道面**に惑星をまとめる要因になっています。

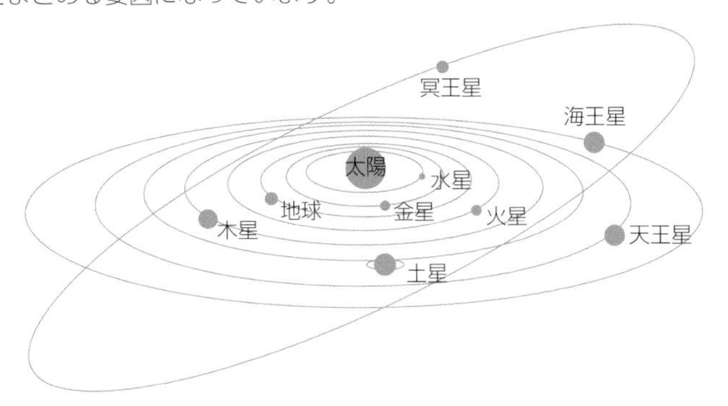

惑星とは？

惑星の定義は，論争が続けられていますが，一部の専門家は次のように提案しています。

- **恒星**または**恒星に準じるもののまわりを周回している**。
- それ自体の**重力**で球形になるだけの**十分な大きさ**がある。
- **熱核融合**が行われてはいない。
- **軌道が明確**である。

太陽系の天体

太陽に近い天体は小さいという傾向があり，ちりや岩でできているのに対し，太陽から離れている天体はガスや氷におおわれています。カイパーベルトは氷におおわれた準惑星の外輪です。

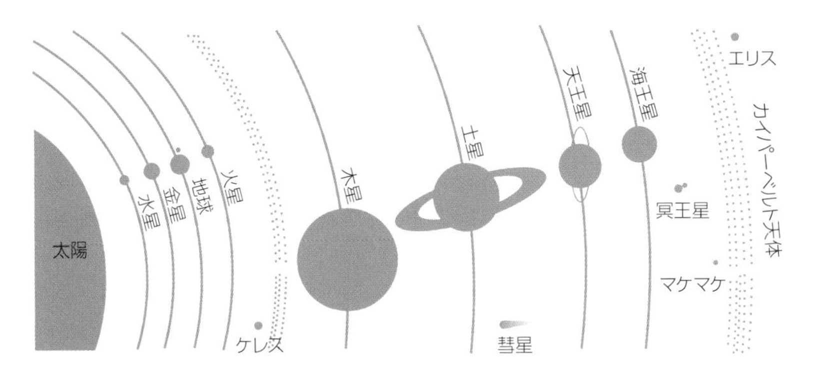

太陽系の未来

エントロピーが増大すると利用できる**エネルギー**が少なくなります。これが進行中の**熱力学第二法則**です。およそ50億年後には，太陽は**水素**を使い果たして**赤色巨星**になり，太陽系の**地球型惑星**（水星，金星，地球，火星）を飲み込み，**燃え尽きる**でしょう。

太陽系形成

すべての太陽系は**ちり**から始まりました。私たちの太陽系は**恒星爆発による残骸**である**星雲**から形成されました（**鉄**のような**より重い元素**は恒星内の**核融合**によってのみ生み出されます）。

1. 重力下で星雲が崩壊する。
2. 密度の高い星雲が回転し，平らになり，中心温度が上昇する。
3. 破片が凝集し，渦を巻く微惑星を形成する。
4. 最大の微惑星が成長する：重力が増大するにつれて，より多くの物質を引き寄せる。
5. 小さな微惑星同士が衝突し，惑星を形成する。
6. 星雲の中心で核分裂が始まり，エネルギーを放出。これによりちりを吹き飛ばし，太陽系が残る。

宇宙望遠鏡

人間の目で見ることができる電磁スペクトルはほんのわずかです。宇宙で起こっている多くのことで見えていないことがあります。天体物理学者たちはX線や紫外線，マイクロ波という人間の目では見えない電磁スペクトルの中での光子を検出して計測しています。

宇宙探査のターゲット

- ガンマ線
- X線
- 紫外線
- 可視光
- 赤外線とサブミリ波
- マイクロ波
- ラジオ波
- 粒子検出
- 重力波

アメリカの天文学者，**エドウィン・ハッブル**（Edwin Hubble，1889～1953）にちなんで名づけられた**ハッブル宇宙望遠鏡**（HST）は1990年に運用が開始されました。**紫外線，可視光，近赤外放射**を検出する四つの計器を備えています。

アストロサットは**インド初の多波長を観測できる宇宙望遠鏡**です。**インド宇宙研究機関**（ISRO）が2015年に運用を開始しました。

ブラックホールや**銀河の中心**が線源となる宇宙からの**X線**は，大気圏で吸収されるため，**大気圏の非常に高度の高いところ，または宇宙空間でしか検出できません**。超新星，**主系列星，連星，中性子星**もまたX線を放出しています。

チャンドラX線観測衛星は1999年，**NASA**により運用が開始されました。

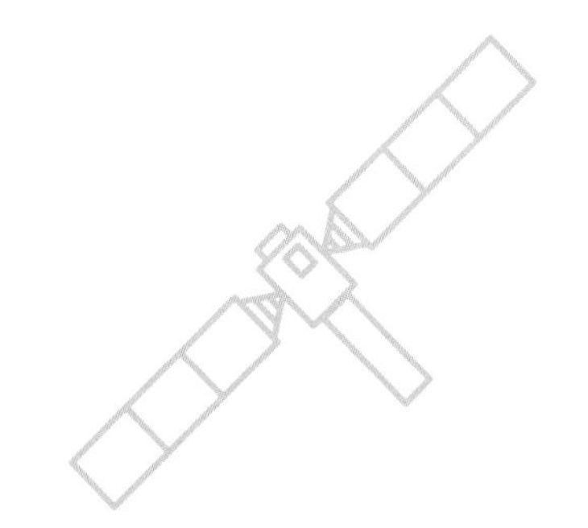

ガンマ線は**超新星爆発**でつくられ，**中性子星，パルサー，ブラックホール**から放出されます。ガンマ線は大気圏で吸収されるため，それらを検出するためには高高度気球または宇宙探査ミッションが用いられます。
暗黒物質探査衛星（DAMPE）は，**中国科学院**（CAS）によって2015年に運用が開始されました。**暗黒物質**を探すために**高エネルギーガンマ線，電子，宇宙線イオン**を検出します。

ハッブル宇宙望遠鏡

科学計器と誘導装置
ソーラーパネル
窓付きドア
主鏡
副鏡
遮光体
アンテナ

紫外線（**UV**）は，**太陽のほかにも星**や**銀河**などの光源から放出されています。詳細な紫外線望遠鏡は科学者たちによる私たちの太陽の研究に大いに役立っています。
赤外光子は，可視光よりもエネルギーが低いです。赤外線を放出する光源の多くは，褐色矮星，星雲，赤方偏移した銀河など，**より温度が低いか，地球から遠くへ離れて行っています**。
マイクロ波望遠鏡は，**宇宙マイクロ波背景放射**や**私たちの銀河系**のちりから放出されたエネルギーを計測します。

銀河

銀河とは，無数の星や分子雲，ちりの集まりで，重力によってまとまっています。中心に巨大なブラックホールをもつ銀河が複数観測されています。

銀河

銀河の**向き**は，**地球での視点の向き**によります。私たちからは銀河系の構造の一部しか見えないこともあるためです。

分類体系

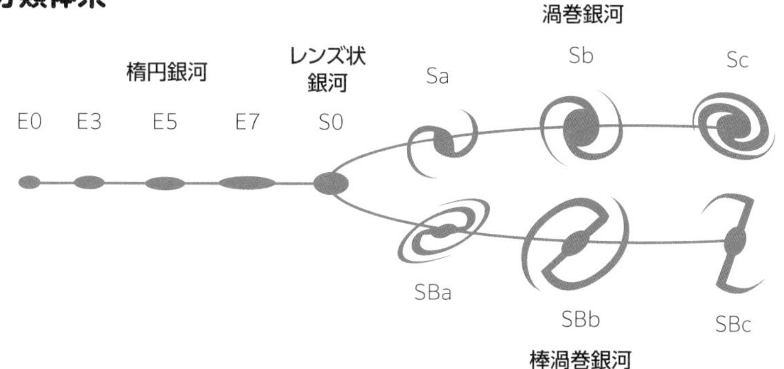

ハッブル分類

ハッブルは1926年，**銀河を分類するしくみ**を発明しました（下図）。

私たちの銀河，天の川銀河

- 135億年前に誕生。
- **二つの渦状腕をもった円盤型の渦巻銀河**である。
- **何十億もの星**を含む。
- **銀河の中心**から太陽までの距離は**26,000光年**。
- 幅は**10万光年**，厚さは数千光年。
- 中心に**古い赤色星**が高密度で**棒状に**集まっている。
- 中心部に**巨大なブラックホール**がある。

渦巻銀河

- 大きく平たい，**渦巻き状の円盤**。
- 横からみると長くて細く，正面からみると**渦状腕**に見える。
- **古い星**も**若い星**もある。
- いくぶん**中央が膨らんでいる**。
- **古い星とガスのハロー**に囲まれている。

楕円銀河

- **楕円形**（ボールをつぶしたような形）
- 少しの**ちり**，**ガス**，たくさんの**古い星**で構成されている。

不規則銀河

- **構造化されていない**。
- **矮星**，**若い星**，**雲状のちり**を含む。
- **構造**を形成するのに十分な**重力**をもたないほど小さいものもある。
- **銀河同士の衝突**によって形成されたものもある。

形成

- 銀河は**小さなものから始まる**。
- 時間をかけて，**重力**によってより多くの**物質**を引き寄せる。
- 重力が**宇宙膨張**を上回る。
- 重力下の原子が**巨大分子雲**を形成する。
- **回転**により，**平たく薄い円盤状**になる。
- **回転の乱れによって楕円形になる**。
- **大規模な合体**：質量が同じ銀河の衝突。
- **小規模な合体**:大きさの異なる銀河の衝突。
- **繊維状のもの**，**超銀河団**，**星団**，**銀河群**の発生。

アンドロメダとの衝突/融合

今から約40億年後，私たちの銀河は**アンドロメダ銀河**と衝突すると考えられています。

分光分析

光の電磁スペクトルは，科学や薬学の分野で物質の分析に用いられます。光のエネルギーは，波長が短いほどエネルギーが大きい。

分子や原子，可視光領域外の光など，宇宙に存在する物の多くは，**人間の目で見ることができません。**原子の周囲の電子は特定のエネルギー準位（原子核からの距離によって決まる）を占めています。電子が特定の波長のエネルギーを吸収すると，**異なるエネルギー準位に励起されます。水素**や**ヘリウム，鉄**といったそれぞれの元素の周囲の電子は，その電子を異なるエネルギー準位に励起させるためには固有の周波数のエネルギーを必要とします。これに基づいて，離れた惑星や星から放出される光を分析すれば，それが何でできているかを特定できます。元素や分子は，**原子における二つのエネルギー準位の差に等しい光子のエネルギーを吸収します。**

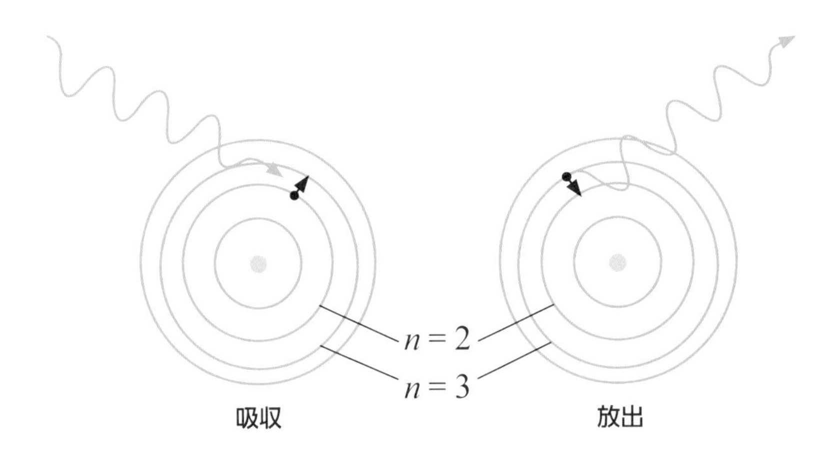

エネルギーレベルの変化を計算する

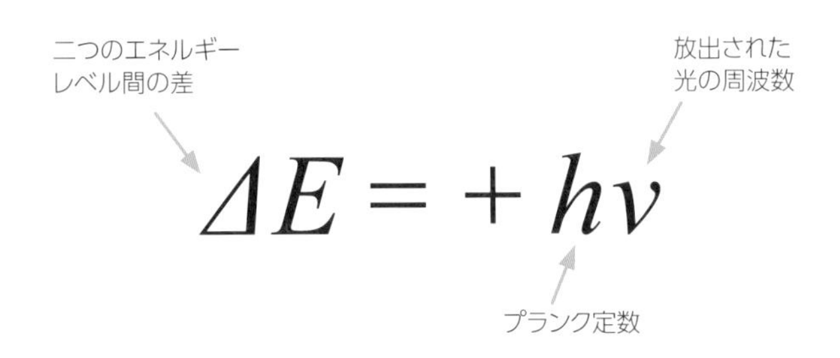

吸収スペクトル

原子は，二つのエネルギー準位の差と等しいエネルギーをもつ**光子を吸収する**とき，スペクトルに**吸収線**が現れます。

発光スペクトル

光のエネルギーを吸収しても，**電子のエネルギー準位を高い状態に，長く保つことができません。**電子が，光子を吸収する前の準位に戻るとき，再び放出します。

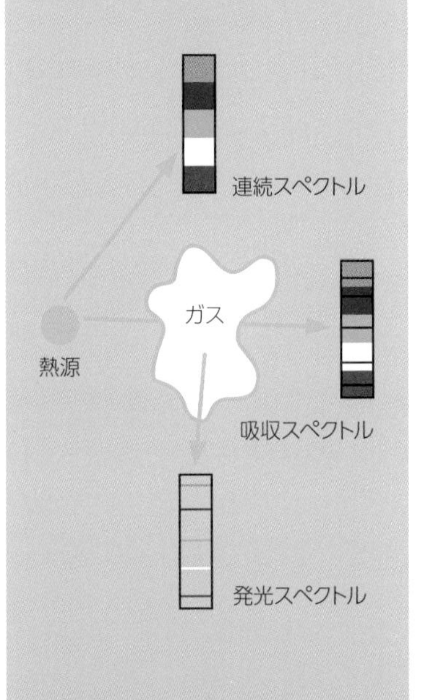

応用例

分光分析は，天文距離や星の組成，ほかの惑星の大気の組成，私たちの惑星の大気の組成の分析，生物医学の分光法，組織分析，医用画像，化学分析に用いられます。

太陽系外惑星

太陽系外惑星は，ほかの太陽系の星を周回している惑星です。遠く離れたほかの太陽を周回する何千もの太陽系外惑星が発見されていますが，このほかに数百万は存在すると考えられています。

発見された太陽系外惑星は，**地球とよく似ている**ものもあれば**木星のようなガス惑星**もあります。2004年に発見されたかに座**55番星e**とよばれる太陽系外惑星は非常に**熱く**，表面は**黒鉛**でおおわれ，内部には厚い**ダイヤモンド**の層があると考えられています。

太陽系外惑星を見つける方法

トランジット法

トランジット法では，**星から放出された光の中の周期的変化**の測定が必要です。**光度**に規則的な変化があれば，大きな太陽系外惑星がそれを周回しているといえます。

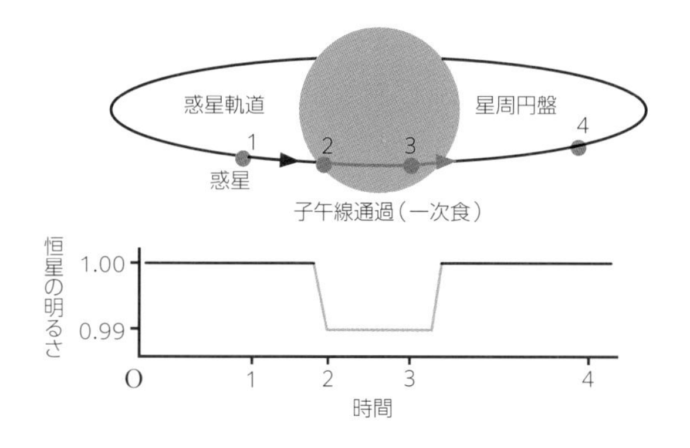

ドップラー分光法

多くの重力系は**重心**がありますが，重心が星の正確な中心とは限りません。惑星の**質量**がその星の質量と比べて大きな影響をあたえると，重心をずらし星のふらつきを引き起こします。これを星から放出される光におけるわずかな**ドップラー偏移**として観測することができます（ドップラー偏移について詳細は36ページ「音と音響」参照）。

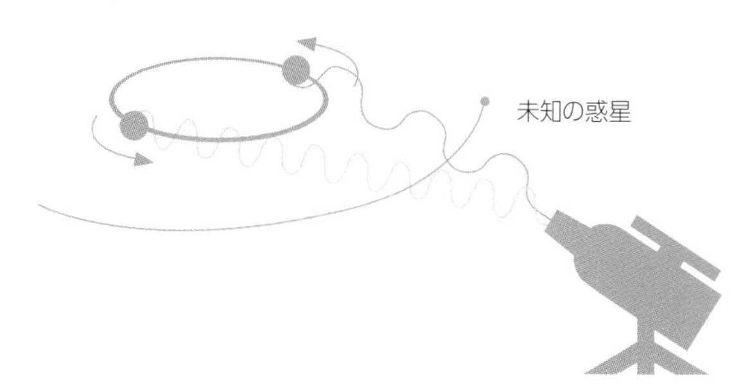

直接観測法

これは**望遠鏡**や**写真装置**を通じて**直接観測する**方法です。比較的**近い太陽系外惑星**を探すときにのみ適用される方法です。光の弱い惑星では見えないため，星の輝度によっても制限されます。

マイクロレンズ法

より小さな太陽系外惑星を見つけるにはマイクロレンズ法が用いられます。この方法は，**物体が時空を歪める**ことによって光子の進路も曲がることを述べたアインシュタインの**一般相対性理論**をベースにしたものです。マイクロレンズ法は，恒星から離れたところの質量を測定するために，時空が曲がったことによるゆがみを測定します。

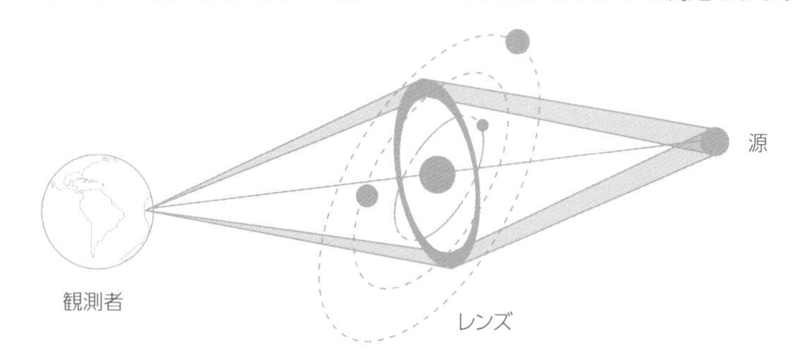

流星，小惑星，彗星

彗星，小惑星，流星などの太陽系の小さな天体は，初期の宇宙のことがわかる物質を含んでいます。

流星

流星は，彗星などが残した小さな塊です。これらの破片が**地球**などの惑星の大気圏に入り**摩擦**が起こると**白熱し**，輝く光の筋となって現れます。

小惑星

小惑星は形や大きさがさまざまな**岩石**で，**太陽を周回**しています。**火星**と**木星**の軌道の間と，私たちの太陽系を横切る楕円軌道で発見されています。最も知られた**小惑星軌道**は**火星**と**木星**の間の小惑星ベルト内のものですが，それらは非常に広く広がっています。直径が約965m以上の小惑星は110万から190万，それより小さいものは数百万存在することがわかっています。

彗星

彗星は**楕円軌道**内の天体で，**氷とちりでできています**。軌道が**太陽**に近づくと温度が上昇し，**ガスとちり粒子の「尾」**を太陽と反対の方向に放ちます。

大彗星

大彗星は1557年，当時まだ少年だった天文学者**ヨハネス・ケプラー**（Johannes Kepler）によって発見されました。

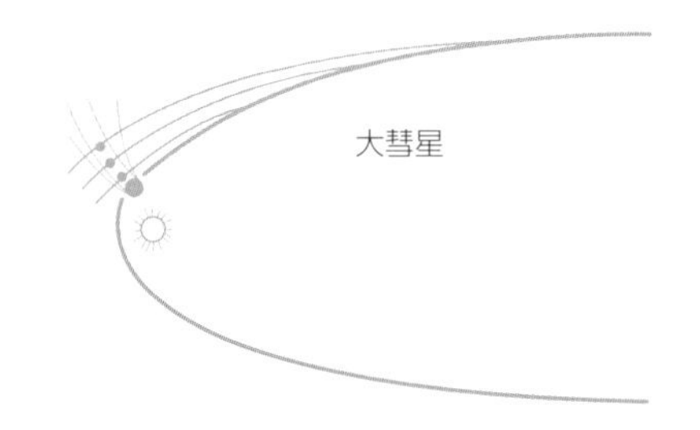

ハレー彗星

ハレー彗星は**周期彗星**であり，およそ75年に一度地球に戻ってきます。下図のような**楕円軌道**をもっています。次に地球に近づくのは2061年です。

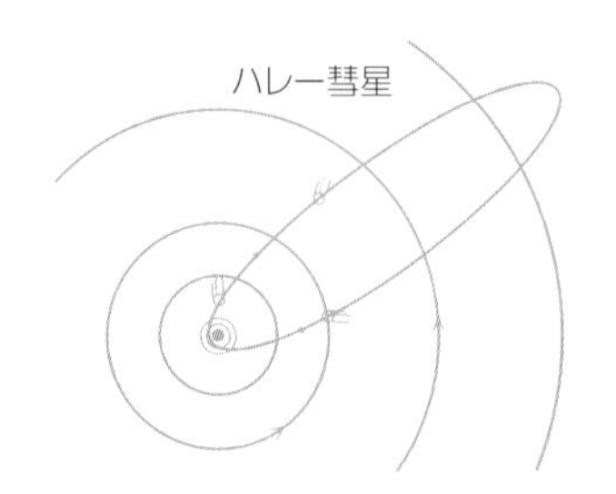

カイパーベルト

カイパーベルトは星周円盤で，私たちの太陽を周回しています。**海王星**近くの太陽系外縁部，太陽から**50天文単位**離れた場所に位置しています。1天文単位は約1億5000万kmです。**火星と木星の間の小惑星ベルト**と類似している一方，カイパーベルトは幅が20倍で，質量は20から200倍です。

ロゼッタ・ミッション

2014年，**欧州宇宙機関（ESA）**の特別な**ロゼッタ・ミッション**により，宇宙探査機が**チュリュモフ・ゲラシメンコ彗星**に着陸しました。ミッションには2004年3月2日に開始され，**フィラエ**とよばれる彗星表面の計測を行うよう設計された着陸船が含まれました。ロゼッタとフィラエは彗星の性質に関する重要なデータを集めるために**分光器**を使いました。

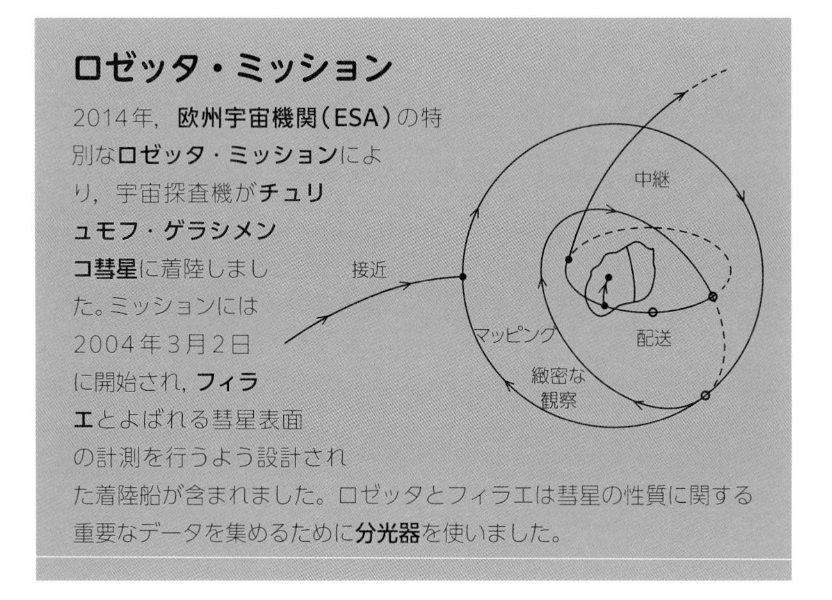

パルサーとジョスリン・ベル・バーネル

**ジョスリン・ベル・バーネル（Jocelyn Bell Burnell）は
パルサーを発見した天体物理学者の一人です。**

ベル・バーネルの電波望遠鏡

1965年，ベル・バーネルは**アントニー・ヒューイッシュ**（Antony Hewish）の指導のもと，ケンブリッジ大学の博士課程に進みました。ケンブリッジ郊外に**クエーサー**を観測するための**電波望遠鏡**を設置するために貢献しました。

クエーサー

クエーサー（**準恒星状天体**）は巨大で，遠く離れたところにあります。その両極から莫大な**電磁波**を放出しているものもあります。

パルサー

パルサーは強力な磁場をもって回転している**中性子星**です。回転速度は非常に速く，**無線周波数帯**の周期的なパルス状の電磁波放射を行っています。無線周波パルスは，地球上から観測しやすい向きにパルスが放出されたときのみ検出することができます。

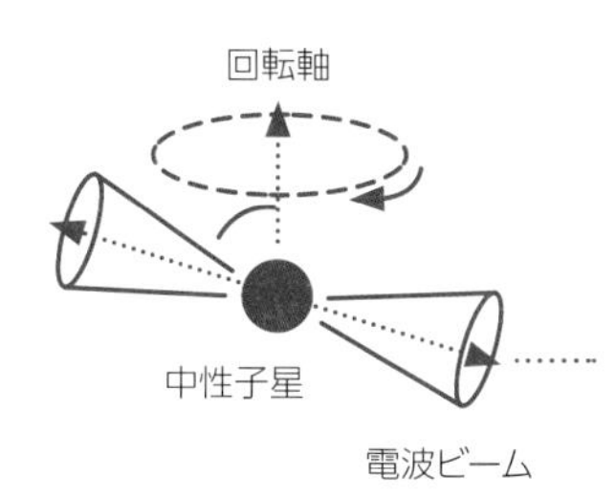

パルサー PSR B1919＋21からのデータ

ベル・バーネルは，取得したデータに，1.337秒ごとに**通常とは異なるスパイク**が起きることに気づきました。ヒューイッシュは「人為的な」電波源としてはねつけましたが，ベル・バーネルは**新しい種類の天体**を発見したと推論しました。

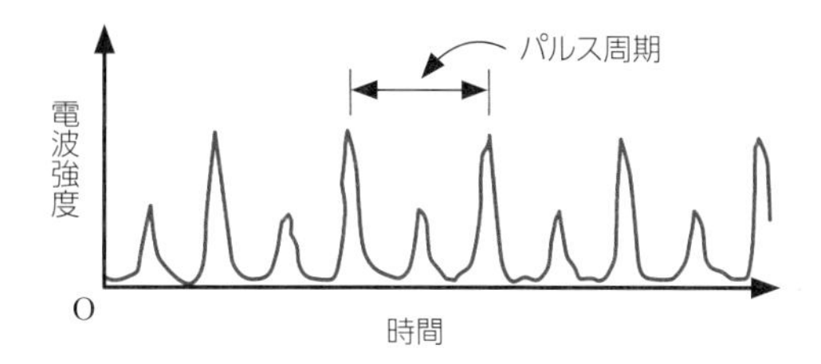

近年の受賞

・2002～2004年：王立天文学会会長
・2008～2010年：物理学会会長
・2018年：基礎物理学ブレークスルー賞受賞。**賞金230万ポンド全額を物理学者を目指す女性や少数民族，難民の学生を支援するために寄付しました。**

ノーベル賞の論争

1974年のノーベル物理学賞はパルサーの発見に対して授与されました。しかしながら，この偉業を達成したとされる人の中にベル・バーネルの名前はありませんでした。彼女の博士課程の指導教員であったヒューイッシュは**ほかの男性科学者**とともに共同受賞しました。多くの著名な天文学者たちは，**彼女はまだ学生ではあったものの，彼女こそパルサーを初めて観測し**，通常とは異なるデータを分析した人物であると主張し，ベルが見落とされていることを批判しました。

ジョイ・ディヴィジョンの『アンノウン・プレジャーズ』

デザイナーである**ピーター・サヴィル**はベル・バーネルのデータを，連続するデータの層として用い，イギリスのバンド，**ジョイ・ディヴィジョン**の1979年のアルバム『**アンノウン・プレジャーズ**』のためのアート作品を制作しました。

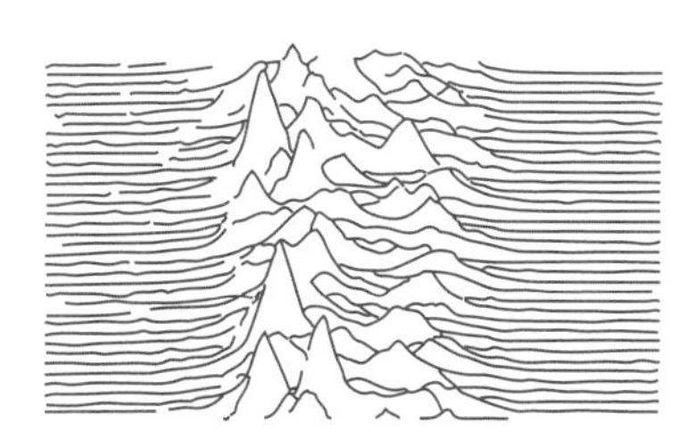

2 物理学

宇宙の計測

天文学者はどのように宇宙を計測しているのでしょう？
なぜ宇宙は膨張しているといえるのでしょう？

天文単位

これは**地球と太陽の平均距離**を意味します。天文学者が遠く離れた距離を計測するときに用いられます。1天文単位は約1億5000万kmです。

視差

視差は，**近い物体と離れた物体を，異なる位置から見て比較したときに起こるもの**です。

視差は，**地球の軌道上で6カ月分離れた正反対の位置**（約3億km）から計測することによって**星までの距離を計測する**ために用いられます。3.26光年離れた星は，1度の1/3600という**視差角**を示します。実際の星の視差はこれより小さいものです。

ケフェイド変光星とカンデラ

ケフェイド変光星は明るい星で周期的に脈動しています。太陽よりも明るく，距離の測定に用いられます。

アメリカの天文学者ヘンリエッタ・スワン・リービット（Henrietta Swan Leavitt，1868～1912）は，**マゼラン星雲**（**銀河系**を周回する**星雲**）内の25の**ケフェイド変光星**を分類しました。それらがすべて地球からおよそ同じ距離にあったため，**明るければ明るいほど脈動周期がより長い**という関係性に気づけたのです。これによって，エドウィン・ハッブルはそれらを宇宙の距離を計測するためのカンデラ（キャンドルを意味するラテン語。キャンドルはその明るさを予測できる）として使用ができました。

ハッブルの法則

ハッブルは，**銀河が私たちから離れる距離と速さの関係**を観測しました。離れれば離れるほど速さは速くなります。彼は，現在では**ハッブル定数**として知られる定数を単位として**宇宙の膨張速度**を計算しました。

膨張する宇宙

地球上の見晴らしのよい地点から見たとき，宇宙が膨張していることを観測することができます。**宇宙自体が膨張しているとき，宇宙のすべての地点について同じことが当てはまります。**

ドップラー偏移

離れた星から放出される**光子**にはドップラー偏移が起きています。**ドップラー偏移**を測定すると以下が観測されます。

- 恒星から発せられる光は**より低い周波数**に変わる。この**赤方偏移**は，遠くの星や銀河が私たちから，それぞれから**遠ざかっている**ことを示唆している。
- 銀河が離れるほど，**周波数の変化**も大きくなる。

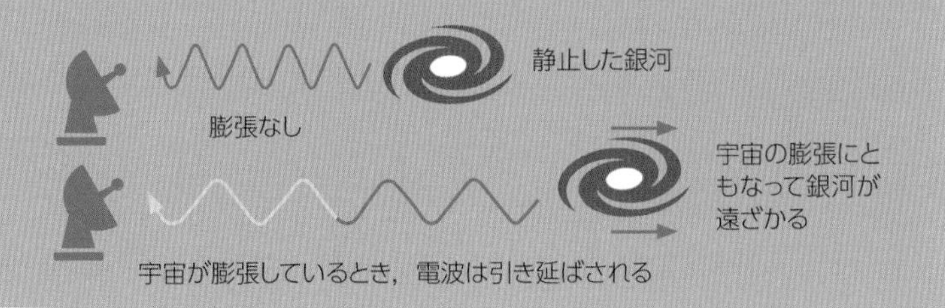

ブラックホール

ブラックホールは，事象の地平面に到達するまでは質量をもつほかの天体と同じようにふるまいます。私たちの銀河系の真ん中には，超大質量ブラックホールが存在し，銀河がブラックホールを周回していると考えられています。

星の進化

- 星の**核**が，太陽の質量の1.4倍未満であるとき，それは**白色矮星**になる。
- 1.4倍以上2.8倍未満のとき，直径がわずか約20kmほどの**中性子星**に崩壊する。
- 2.8倍以上のとき，崩壊し**ブラックホール**を形成する。

ブラックホールの形成

- **核融合**を終える。
- 星は**重力**によって縮小する。この時点では**まだ光を放出している**。
- **質量が崩壊すると重力が増し**，**時空の歪み**が最も大きくなり，**光はもはや外に出られなくなる**。
- **事象の地平面**は，光が外に出ることができない境界である。
- 事象の地平面の内側ではブラックホール，**すべての質量**，光は，**体積ゼロの単一点**へと落ち込む。
- ブラックホールの事象の地平面で**量子反応**が起きる。

シュワルツシルト半径

物体の質量が，**シュワルツシルト半径**とよばれる大きさに**圧縮される**とき，**重力崩壊**が起きます。

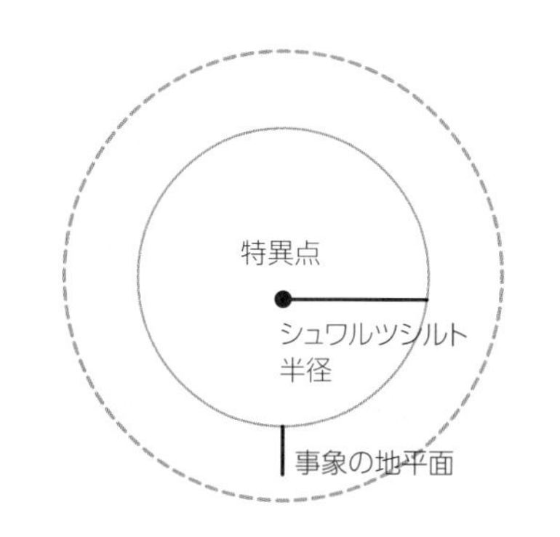

脱出速度

巨大な質量をもつ物体の重力から逃れるには大きな速度が必要です。**ブラックホールからは，光でさえ外に脱出できません。**

ブラックホールの観測

白鳥座X-1は，太陽の23倍大きい明るい星で，ブラックホールの事象の地平面を周回しているのを観測できます。

時空の歪み

質量をもつすべての物体は**時空を歪めます**。ブラックホールの巨大な質量は時空を劇的に歪めます。**事象の地平面では時間の進みが遅くなります。**

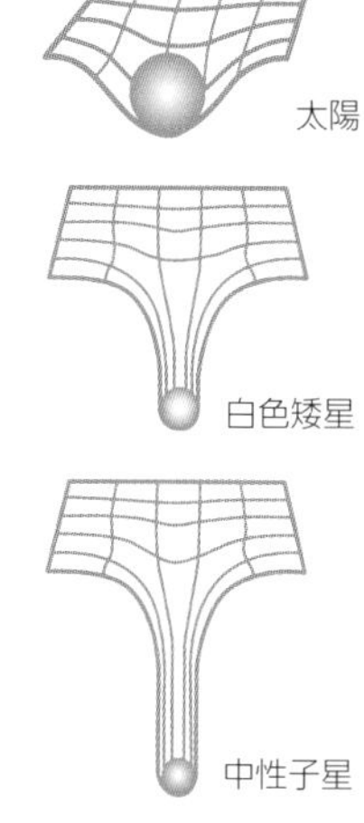

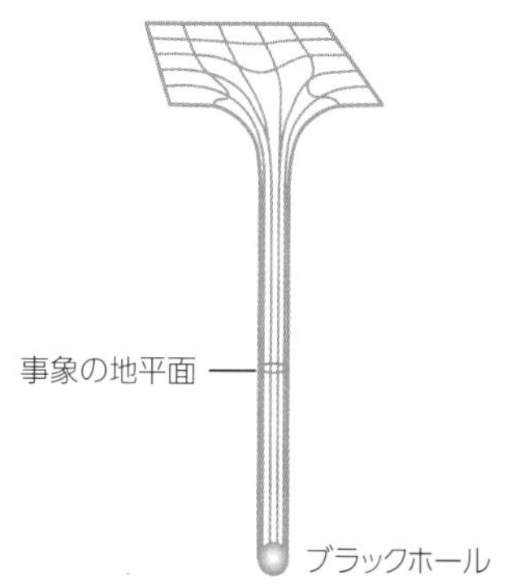

スティーヴン・ホーキング

イギリスの宇宙学者**スティーヴン・ホーキング**（Stephen Hawking，1942～2018）は**量子力学**，**一般相対性理論**，**熱力学**を組み合わせ，ブラックホールの説明に貢献しました。

時間の遅れ

時間の遅れは，光速がすべての座標系において一定である結果として起こります。これは測定可能な現象で，移動する物体の速度が光の速さ「c」に近づくほど，時間の進みが遅くなります。

- 時速160kmで月の上を飛行し，時速320kmでロケットを発射する宇宙船があると想像してみてください。観察者は，月の上に座って，その両方の速度を足した時速480kmで進むロケットをみることになります。
- しかしながら，もし宇宙船が光の速度「c」でレーザーを発射した場合，観察者からは「c＋時速160kmで進むように見えると予測されますが，そうはなりません。**光は，**どのような枠組みであっても，**常に光の速さで進むのです。**

ある座標系において，二枚の鏡AとBが平行に置かれているとします。

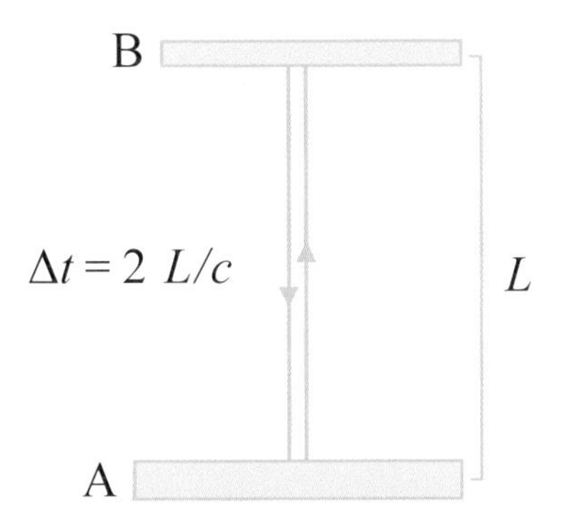

静止している観察者は，光線がAを離れ，Bで鏡に反射し，そしてAの鏡に戻る，$2L$の距離を移動した光を見ます。彼らは時間経過Δtを$2L/c$と計測します。

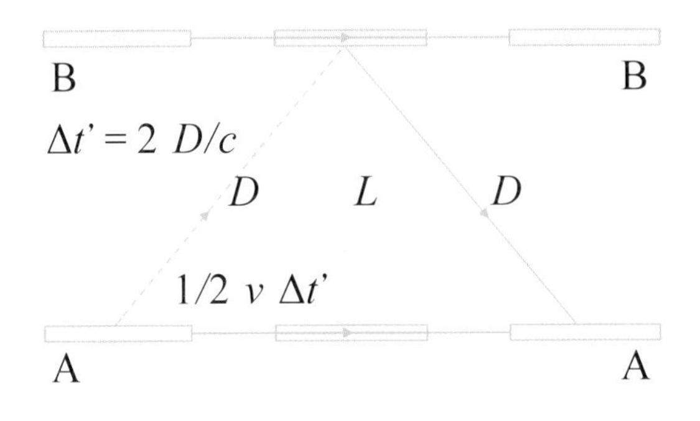

右から左へ移動する観察者が見た場合，時刻$t'=0$に，Aから放たれた光が時刻$t'=D/c$にBに達し，時刻$t'=2D/c$にAに戻ります（t'は私たちがもともと経験する時間と異なることを示しています）。光は，移動している座標系ではより長い道のりを進み，**時間の遅れ**が生じます。これは**真空における光の速度はつねに同じであるから**です。**あなたの速さが光の速さに近づくほど，時間の進みは遅くなります。**

時間の遅れ

$$T_0 = T\sqrt{1-\frac{v^2}{c^2}}$$

長さの収縮

$$L = L_0\sqrt{1-\frac{v^2}{c^2}}$$

相対論的質量の増加

$$m(v) = m_0\sqrt{1-\frac{v^2}{c^2}}$$

$$t' = \frac{t}{\sqrt{1-\frac{v^2}{c^2}}}$$

t'：変化した時間
t：静止時間
v：速度
c：光の速さ

アインシュタインの
時間の遅れの方程式

双子のパラドックス

双子の一人が高速ロケットで移動し，もう一人は地球に残ります。ロケットに乗っている方は光の速さに近い速さで移動し地球に戻ります。**相対性理論で述べられる空間と時間**によれば，ロケットで移動してきた人の方が，**地球に残った人よりも若い**ことになるのです。

宇宙マイクロ波背景放射

絶対零度以上のあらゆる物体は，熱エネルギーとして電磁波を放射します。
宇宙はわずかに絶対零度を上回っています（およそ2.7K）。
つまり熱エネルギーを放射しているということです。これが宇宙マイクロ波背景放射（CMB）です。

- 1927年，ベルギーの天文学者**ジョルジュ・ルメートル**（Georges Lemaître）は，**初期宇宙**は高温で密度が高く，**進化するにつれて温度が下がった**と提唱しました。
- 1964年，**マイクロ波が宇宙空間に充満していることが測定されました。宇宙マイクロ波背景放射はビッグバンの残留放射**です。

COBE（宇宙背景放射探査機）

宇宙背景放射探査機は1989年に打ち上げられ，**宇宙マイクロ波背景放射**を測定しました。1992年，宇宙マイクロ波背景放射の**温度においてわずかなゆらぎ**があることが発表されました。宇宙マイクロ波背景放射におけるこれらのわずかな変化，いわゆる**「しこり」**は**量子ゆらぎ**，**真空における仮想粒子**を示唆しました。

WMAP（ウィルキンソン・マイクロ波異方性探査機）

ウィルキンソン・マイクロ波異方性探査機（WMAP）は，**宇宙マイクロ波背景放射における変化と宇宙の組成**を調べるために2001年，NASAによって打ち上げられ，宇宙が以下のように構成されることが発見されました。

- 原子　5%
- 重力はあるが光を放出しない物質**（暗黒物質）**　27%
- **宇宙を押し広げるもの（暗黒エネルギー）**　68%

太古の光

遠くの星や銀河から観測された光は，**非常に古い**もので，**非常に長い距離を旅してきました。私たちは遠くの宇宙で「今」起きていることを観測することはできず**，観測できるのは，ようやく私たちのところに到達したはるか昔の光だけです。**アンドロメダ銀河**の光は250万年前のものです。宇宙マイクロ波背景放射は，**星や銀河が形成されるはるか以前**の137億年前にはじめて放出されました。

テレビにおける宇宙マイクロ波背景放射

宇宙マイクロ波背景放射はビッグバンの余熱です。宇宙マイクロ波背景放射の実際の周波数は旧型テレビで検出することが可能で，テレビのチャンネル間に見ることができます（テレビでは砂嵐とよばれます）。大気起源の電波も砂嵐の画面を映し出します。

宇宙の泡

2012年，ハッブル宇宙望遠鏡とスピッツァー宇宙望遠鏡によって検知された MCS0647-JDとよばれる銀河が，何十億もの銀河でつくられる巨大な構造をしていて超銀河団による重力レンズのおかげで，天文学者によって観測されました。

- MCS0647-JDは，133億光年という**現在観測されている中で最も遠くにある銀河です。**
- **とても昔に生まれた光のため，とても若くて生まれたてのように**推測されています。
- この**銀河内の星**は，すでに**燃え尽きてしまっています。**
- 銀河がたくさんあって複雑に配置されているために生じている重力レンズによって，**複数の銀河**で形成された**繊維のような構造**が観測されます。

宇宙のクモの巣

これは**宇宙の大規模な構造**を意味します。**暗黒物質**がこの構造をつくっていると考えられています。**ちり雲**，**粒子**，**超新星残骸**，**星**が，宇宙空間において**銀河同士をつないだ繊維状**に観測されます。この構造は宇宙のクモの巣とよばれ，何十億，何百億の銀河が含まれています。

宇宙の地平線

- 地球から**観測可能な宇宙の端。**
- この端に位置する遠くの星や銀河には**到達不可能。**
- **この地点より遠くの光は決して地球に届かない。**

重力波

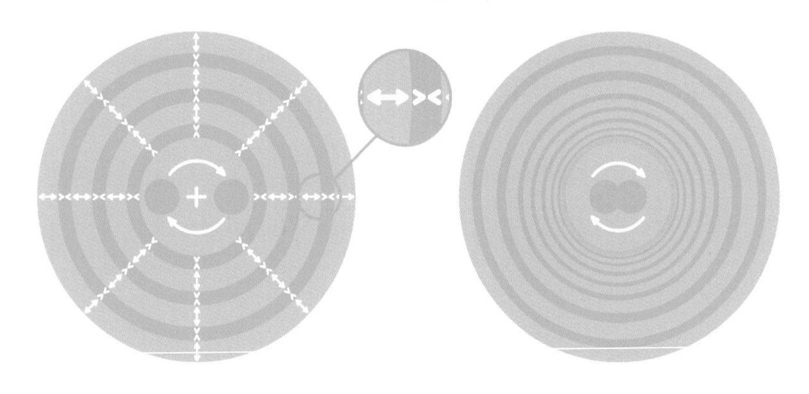

宇宙の泡

量子力学では，**仮想粒子**は時空のゆらぎとしてわずかな時間の間存在することができ，**カシミール効果**と考えられています。**真空空間は仮想粒子でさざ波のように揺れています。**

重力波の発見

1916年，**アインシュタイン**によってはじめて存在が予測された重力波は，**大きな移動質量**に起因する**時空の揺らぎ**です。**レーザー干渉計重力波観測所**（LIGO）が，**複数のブラックホールがまとまることに起因する揺れ**を計測することによって**宇宙の重力波**を検出しました。これが評価され，LIGOチームは**2017年にノーベル賞を受賞**しました。

LIGOは，干渉計内の光子を反射する鏡のわずかな位置の変化を計測することによって**時空の歪みを検出します。**

ビッグバン

ビッグバンは138億年前に起きました。

膨張する宇宙

球体の表面に中心はありません。これと同じように**宇宙に中心はありません。あらゆる地点が膨張し，それぞれからどんどん離れています**。これは，私たちにとって，地球という固定された地点からしか宇宙を計測して視覚化できないため，理解するのが難しいです。

宇宙論的な時代

時代	時間	温度（K）	環境
プランク時代	ビッグバンの10^{-43}秒後		電磁気力，重力，弱い力，強い力が混ぜ合わされる。
大統一時代	ビッグバンの10^{-43}秒後から10^{-38}秒後		重力がほかの力から独立する。巨大な量のエネルギーが放出される。宇宙そのものが原子の大きさから太陽系の大きさへ膨張する。
電弱時代	ビッグバンの10^{-10}秒後		グルーオンとクォークの間の強い力がほかの力から独立する。電磁気力と核力は結びついたままである。原子を構成する粒子が形成され，光子が存在する。
素粒子時代	0.001秒（1ミリ秒）	宇宙が膨張し10^{12}Kまで下降	粒子が形成され，四つの力が互いに独立する。光子から物質と反物質が形成され，対消滅して光子に戻る。
元素合成の時代	0.001秒から3分	10^{9}K	核融合によって原子を形成することが可能となった。より重い元素が形成されはじめる：水素75%，ヘリウム25%。ニュートリノ，陽子，中性子，電子。反物質はまれ。
原子核の時代	3分から50万年	最終的に3000Kまで下降	宇宙では，自由電子をともなう粒子のプラズマとなる。光子は物質から切り離される：光が宇宙空間に充満する。この光が宇宙マイクロ波背景放射。
原子の時代	50万年から10億年	3000Kから2.73Kまで下降	最初の星が形成され，電子が原子核に加わり原子を形成する。
銀河の時代	現在まで	2.73K	より多くの構造が形成される。銀河が形成され始め，進化する。

CP対称性の破れ

CP対称性の破れとは，CP対称性が破れることであり，C対称性は荷電対称性，P対称性は空間反転対称性を意味しています。宇宙には反物質より物質の方が多いという事実によって破れが起きると説明されています。

粒子と反粒子

すべての粒子はそれぞれの反粒子をもっています。たとえば**光子やヒッグス粒子**といった，**それ自体がその反粒子である粒子**もあります。すべてのものは**物質でできています**。宇宙論研究者は**なぜ一種類以上の物質があるのか**興味をもっています。**反物質**はすべての点において**物質と反対**で，鏡像とよばれることもあります。物質と反物質粒子は**同じ質量をもちます**が，**電荷とスピンは逆**です。**物理の法則**では，**以下の性質が保存される**としています。

- **荷電対称性：物質と反物質の間に見られる相互作用**は，それらの**電荷が反対であっても**同じ作用を示す。
- **パリティ対称性：物質と反物質の間に見られる相互作用**は，粒子のスピンの向きを示す**「利き手」に影響されない。**
- **時間対称性：時間の方向性**にかかわらず，**同じ相互作用を示す。**

対称性

基本的な対称変換

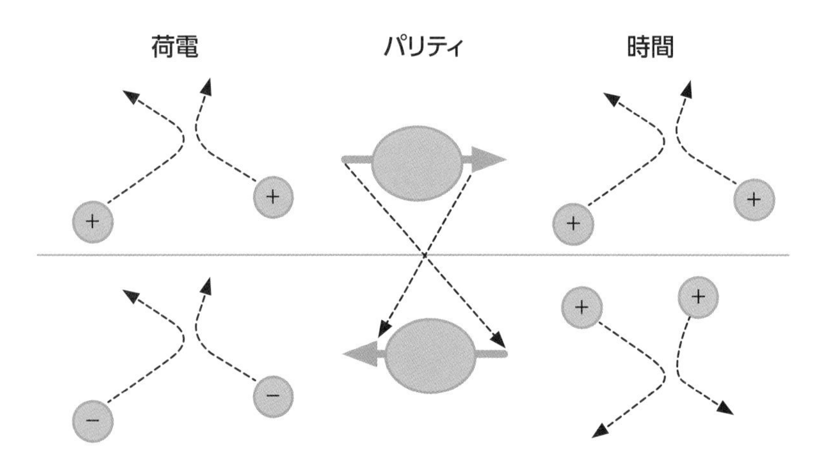

破られた個々の対称性

三つすべて（CPT-荷電，パリティ，時間）の対称性が保存された生成物

CP対称性の破れ

物質と反物質間の微妙な未知の対称性は，**宇宙には反物質よりも物質の方が多いという事実**を背景に考えられています。

CPT対称性とCP対称性

一組のクォークが強い力によって結びついているとき，**弱い相互作用**（ベータ崩壊）**によって赤と青の色荷の間で振動します。赤から青へ振動するよりも，青から赤へ振動する方がより長い時間がかかります。**これが**時間対称性の破れ**です。これと同じように，**時間は未来に向かって進むのみで過去には戻りません。**

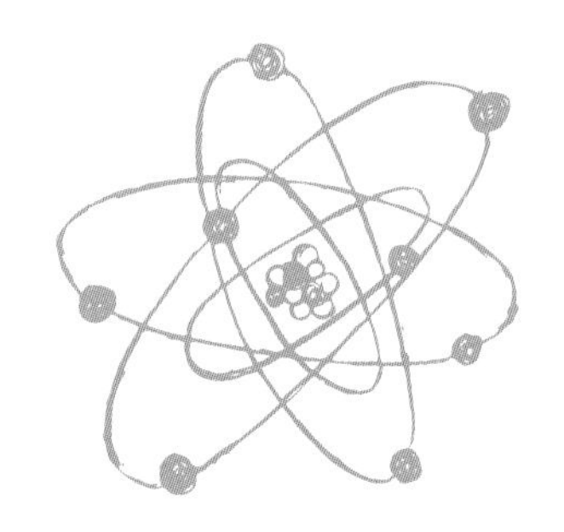

暗黒エネルギーと暗黒物質

**宇宙の計測によって，検出できる原子や物質は，宇宙を構成するものの
たったの5%にすぎないことがわかりました。これはバリオン物質として知られています。
残りの95%は私たちには理解することのできない謎の物質やエネルギーです。
光子や物質に作用しませんが，重力の影響を受けます。**

・26.8%の物質は重力をもち，**光を放出しない**（暗黒物質）。
・68%は，**宇宙を押し広げる何か**でできている（暗黒エネルギー）。

重力

銀河や銀河団の観察から導き出された計算によると，その**質量と重力は銀河がその構造を形成するのに十分な大きさがない**ことがわかります。**何かがさらに大きな重力をもたらしている**と考えられます。

暗黒物質

暗黒物質は銀河がその構造をもつために必要な**追加の重力を構成しています**。私たちはそれを**直接観測はできません**が，**重力レンズによってその作用を観測できます**（質量が空間を曲げる）。

暗黒エネルギー

未知の力に与えられた名前で，**宇宙を膨張させる要因**です。**「反重力」**として論争がなされることもあります。

宇宙のエネルギー配分

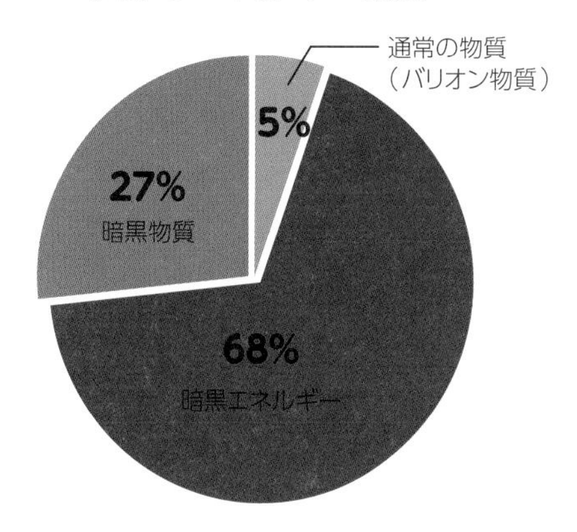

宇宙の膨張

・宇宙の銀河は**それぞれからどんどん離れている。**
・**銀河が遠くへ離れるほど，赤方偏移は大きくなる。**
・**遠くにある銀河ほど，加速度は大きくなる。**
・天文学者は**暗黒物質と暗黒エネルギーがビッグバンや，宇宙の構造や膨張の背景にある**と考えている。

暗黒物質の候補

・暗黒物質は**反物質でもブラックホールでもない。**
・宇宙に**均等に分布していて**，たくさんある。
・物質との**相互作用がほとんどない重い質量をもつ粒子**（WIMP）とよばれる粒子が暗黒物質の可能性がある候補として仮説が立てられてきた。この物質同士および**バリオン物質**との相互作用は弱い。**これらが存在するとすれば大きな質量をもっている**と考えられる。
・理論上，**量子物理学と重力を一体化させるほかの理論**が姿を現すことになる。

未解決問題（多元的宇宙，超対称性，弦理論）

宇宙についてまだわかっていないことはたくさんあります。

超対称性

超対称性は，**力と物質は方程式内で同等に扱われる**といった理論です。**標準模型**によってその多くが説明されていますが，**まだ完成されてはいません。**超対称性は標準模型の性質にもなりえます。

GUT：大統一理論の略

TOE：万物の理論の略

結合する力

・自然界の力のふるまいは，**超高エネルギー**で統一される。

・**ヒッグス粒子**の発見は，**電磁気力と弱い力はどちらも電弱力の側面である**ことを示している。

・**GUT**は**電弱力と強い力がどのように統一できるのか**を説明できなくてはならない。

・自然界の四つの力はすべて，**すべてを統一した一つの力とは異なった現れ方となる**可能性がある。

量子重力

これまでのところ，重力は**空間における幾何学理論**です。**量子スケール**において重力と重力がどのように作用するかは**まだ標準模型に含まれていません。重力子**は**重力のフォースキャリアであると仮定されています。**しかし，**その存在を示す証拠はまだ発見されていません。**

GUTとTOEのエネルギー外挿

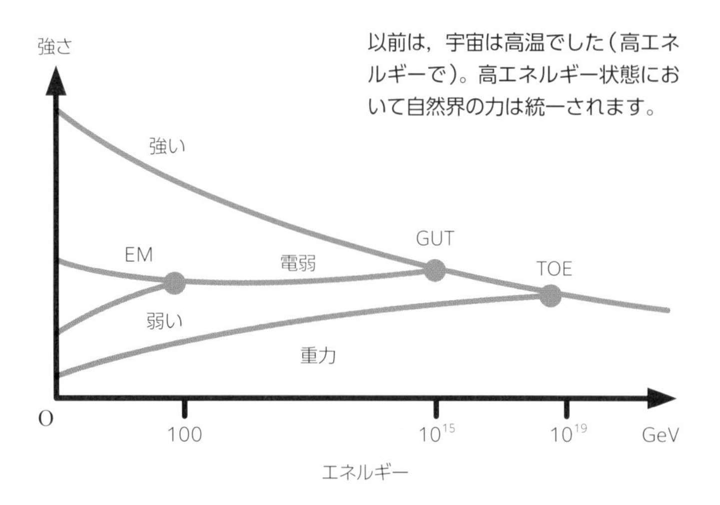

多元的宇宙

量子力学における**「多世界」解釈**は，**波動関数が崩壊したとき，複数の現実が形成される**ことを提唱しています。

弦理論（ひも理論）

この理論は証明不可能ですが，**すべての自然界の力を統合し，現実は振動でできていることを説明しようと試みるもの**です。これは隠喩的に**ひも**とよばれています。

修正重力理論

アインシュタインの理論は宇宙の現象を非常に正確に説明しますが，**宇宙の膨張と暗黒エネルギーは未解明のまま**です。**一般相対性理論はわずかに修正を加える必要がある**と提唱する天文学者も何人かいます。

元素周期表

元素周期表は，原子番号，電子配置，化学的特性がわかっているすべての化学元素を示した表です。

- **原子番号**は**原子核**内の**陽子の数**を表す。
- 電子は陽子と同じ数だけあるため，原子番号から電気的に中性の原子内の**電子の数**がわかる。
- **原子質量**は**陽子と中性子の数**を合わせたもの。
- 元素は**元素記号**で表される。

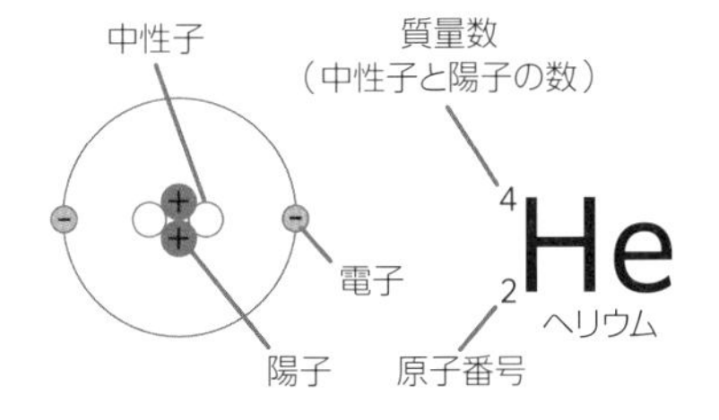

電子軌道

電子は原子核の周囲にある**電子軌道**すなわち，**電子殻**にあります。**シュレーディンガーの波動関数**によって，**電子の存在する位置**を**確率的に**求められます。波動関数は考えられる電子の位置と，電子が原子核の周囲でどのように**「配置されて」**いるかを教えてくれます。電子を**定在波**と考えるとわかりやすいかもしれません（詳細は36ページ「音と音響」参照）。

構成原理

電子が配置された**軌道**はs, p, d, fとそれぞれ名前がつけられています。

構成原理は電子がどのような**順番**で並んでいるかを教えてくれます。1s（入る電子は二個だけ）からはじまり，2s，2p，3s，3p，4s……と続いていきます。

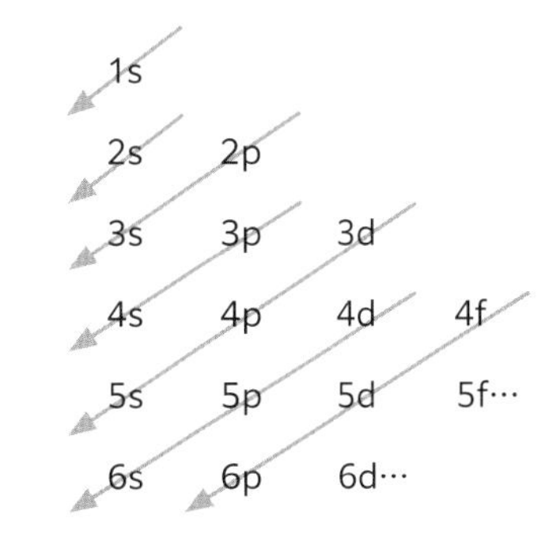

価電子は原子に付随する最外殻電子で，**化学反応**に関与しています。

周期表のみかた

- 周期表の**縦のグループ**をみると，それぞれの元素が**価電子をいくつもっているか**がわかる。第1族は一個，第2族は二個……となる。
- 最初にs軌道が満たされ，次はp，d……となる。周期表は**軌道がどのように満たされていくか**を詳細に示している。
- 列を左から右へ進むに従って**原子番号が増えるように元素が並んでいる**。
- 第8族の**貴ガス**は**八つの最外殻電子が最大収容数を満たしている**ため，**非反応性**。

- 非金属
- アルカリ金属
- アルカリ土類金属
- 遷移金属
- 金属
- 半金属
- ハロゲン
- 貴ガス
- ランタノイド
- アクチノイド

1 H 1.0079																	2 He 4.0026
3 Li 6.941	4 Be 9.0122											5 B 10.811	6 C 12.011	7 N 14.007	8 O 15.999	9 F 18.998	10 Ne 20.1797
11 Na 22.989	12 Mg 24.305											13 Al 26.981	14 Si 28.085	15 P 30.974	16 S 32.066	17 Cl 35.453	18 Ar 39.948
19 K 39.098	20 Ca 40.078	21 Sc 44.955	22 Ti 47.867	23 V 50.9415	24 Cr 51.9961	25 Mn 54.938	26 Fe 55.845	27 Co 58.933	28 Ni 58.6934	29 Cu 63.546	30 Zn 65.38	31 Ga 69.723	32 Ge 72.63	33 As 74.921	34 Se 78.971	35 Br 79.904	36 Kr 83.798
37 Rb 85.467	38 Sr 87.62	39 Y 88.9058	40 Zr 91.224	41 Nb 92.9063	42 Mo 95.95	43 Tc (98)	44 Ru 101.07	45 Rh 102.90	46 Pd 106.42	47 Ag 107.8682	48 Cd 112.414	49 In 114.818	50 Sn 118.710	51 Sb 121.760	52 Te 127.60	53 I 126.90	54 Xe 131.293
55 Cs 132.905	56 Ba 137.327	57-71*	72 Hf 178.49	73 Ta 180.94	74 W 183.84	75 Re 186.207	76 Os 190.23	77 Ir 192.217	78 Pt 195.084	79 Au 196.96	80 Hg 200.59	81 Tl 204.38	82 Pb 207.2	83 Bi 208.98	84 Po (209)	85 At (210)	86 Rn (222)
87 Fr (223)	88 Ra (226)	89-103**	104 Rf (267)	105 Db (268)	106 Sg (271)	107 Bh (272)	108 Hs (270)	109 Mt (276)	110 Ds (281)	111 Rg (280)	112 Cn (285)	113 Nh (284)	114 Fl (289)	115 Mc (288)	116 Lv (293)	117 Ts (294)	118 Og (294)

* 57 La 138.90	58 Ce 140.116	59 Pr 140.90	60 Nd 144.242	61 Pm (145)	62 Sm 150.36	63 Eu 151.964	64 Gd 157.25	65 Tb 158.92	66 Dy 162.500	67 Ho 164.93	68 Er 167.259	69 Tm 168.93	70 Yb 173.054	71 Lu 174.9668
** 89 Ac (227)	90 Th 232.0377	90 Pa 231.03	92 U 238.02	93 Np (237)	94 Pu (244)	95 Am (243)	96 Cm (247)	97 Bk (247)	98 Cf (251)	99 Es (252)	100 Fm (257)	101 Md (258)	102 No (259)	103 Lr (262)

放射性炭素年代測定法

放射性炭素年代測定法は，年代を特定して分析を行うさまざまな分野で用いられています。

放射能は，放射性の原子核から，**放射線が自然発生的に放出される**ことで生じます。

同位体（アイソトープ）

同じ元素であっても，原子核内の中性子の数が異なる元素があります。**同位体**とは中性子の数が異なる元素の原子で，より重いか，より軽くなります。**原子質量**は，これらの質量の平均とされることが多く，炭素の原子質量が実際は12.011であるのはこのためです。炭素には炭素12，炭素13，炭素14などが存在します。

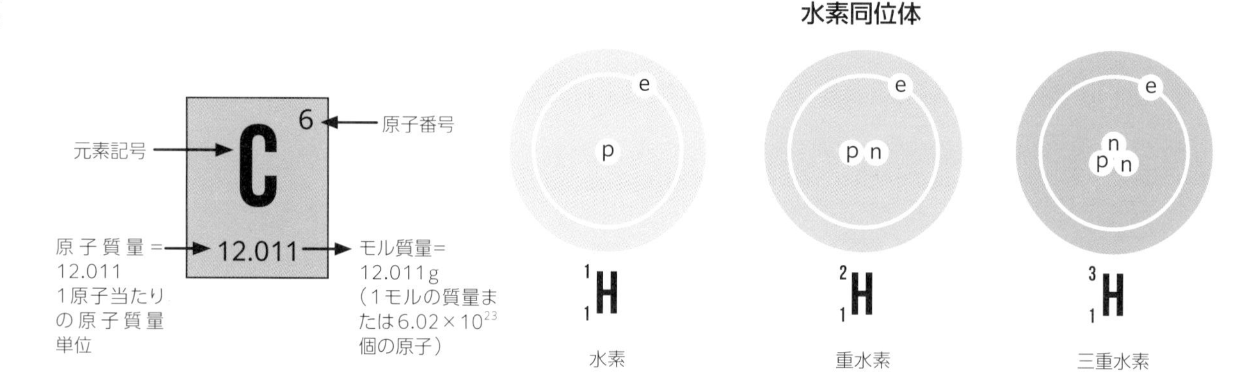

半減期

放射性同位体には特有の**減衰率**があります。**半減期**とは，サンプルの放射性同位体が半分に減衰する時間です。

崩壊曲線

崩壊曲線は**同位体の減衰率**を示しています。下のグラフは**三重水素**のものです。

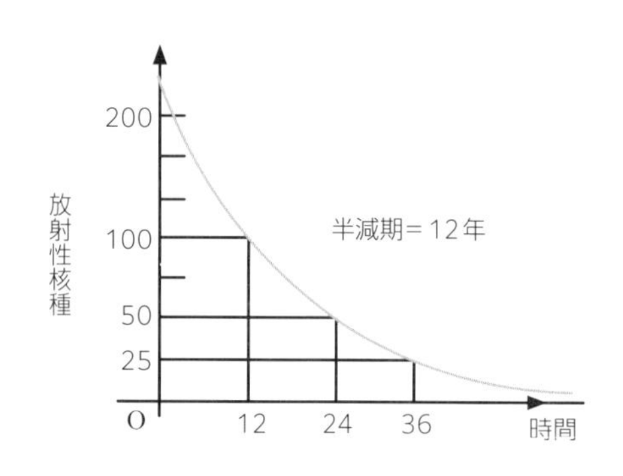

炭素 14

すべての**生物**には，**放射性同位体の炭素14**（^{14}C）が含まれています。食事や呼吸によって絶えず交換されているので，生体における^{14}Cの割合は**一定**です。生物が死を迎えると，**^{14}Cが交換されなくなり減衰を始めます。**^{14}Cの残存量から死後どれくらいの期間が経過しているかを算出することができるのです。

分子内結合

分子内結合とは分子を形成している原子間に働く力です。電子が原子から原子へ，または重なった電子軌道間を移動することによって結合が起こります。

電子は，波動関数の重ね合わせとして存在する量子力学的な物体です。

ルイス構造は**分子の結合を表す略図**です。分子内の孤立電子対（非結合または非共有）は点で表されます。右図はアンモニア（NH_3）のルイス構造です。

H—N—H
|
H

オクテット則

原子は多くの場合，最外電子殻が**8個の価電子**で満たされているとき，**より安定します***。**共有結合**または**イオン結合**が生じるとき，8個の価電子が電子軌道にきちんとすべて埋まるようになります。

H_2O（下図）は，水素の最外殻電子の1個が，酸素の6個の最外殻電子と共有される様子です。水素のs軌道は2個の電子で，酸素のp軌道は8個の電子で満たされています。

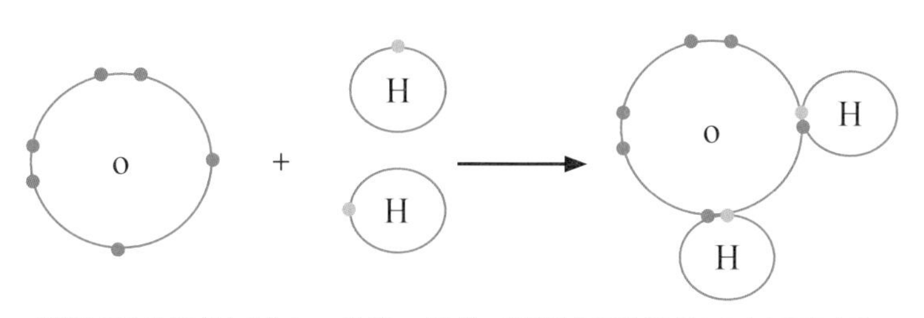

＊s軌道は電子が2個あるとき，p軌道，d軌道，f軌道は電子が8個あるとき安定する。

金属結合は，**正に帯電した金属イオン**と，**電位差があっても**自由に動くことができる**「束縛から逃れた」電子**の間の静電引力によって形成されます。

“海”に非局在化した電子に囲まれた正荷電をもった金属イオン

“海”に非局在化した電子

共有結合は，**重なり合う電子「殻」**によって形成されます。これはよく電子の共有として説明されます。

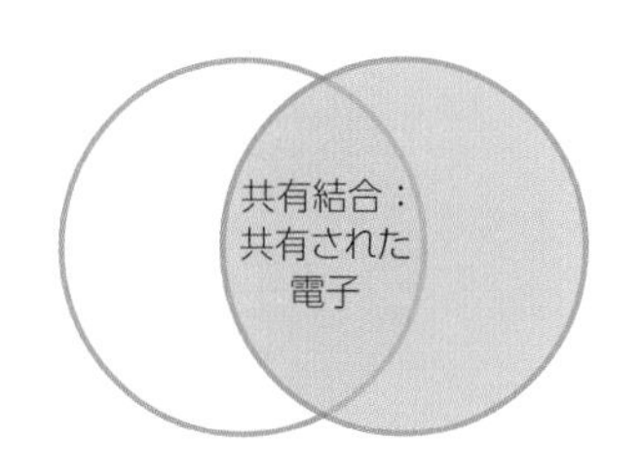

イオン結合は，正の電荷を帯びた陽イオンと負の電荷を帯びた陰イオンの間の**静電引力**によって結びつけられるときに起こります。イオン結合では，電子が片方の原子からもう一方の原子へ**移動しています**。

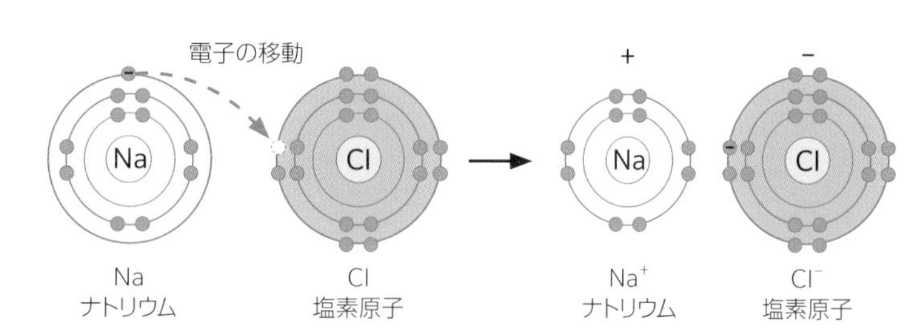

分子間結合

分子間結合（または分子間力）は分子と分子の間で作用する引力や反発力のことです。主に三種類あります。

1. 水素結合
2. 双極子間相互作用
3. ファンデルワールス力

水素結合

水素は非常に小さな原子で，**分子の周囲に電子が非対称に配置されている**ため，わずかに正の電荷を帯び，ほかの極性分子の電子と引き合います。**多くの物質が水に溶け，氷が水に浮く**（氷の密度が水より小さい）のは，この水素結合によるものです。

双極子間相互作用

分子内の電子配置が非対称であるために起こる引力や反発力のことです。

- **塩化水素**（HCl）分子において，H原子の周囲はわずかに正の電荷を帯びています。これは分子内の共有電子対がCl原子側に**偏っている**ためです。
- HClのH側はわずかに正の電荷を帯び，ほかのHCl原子のわずかに負の電荷を帯びたCl側を引き付けます。この**相互作用**により**双極子モーメント**が生じます。

ファンデルワールス力

原子または分子間の距離依存性の相互作用で，**分子の極性**に起因しています。ファンデルワールス力は，双極子モーメントの一種で，**あまり強い結合ではありません。**

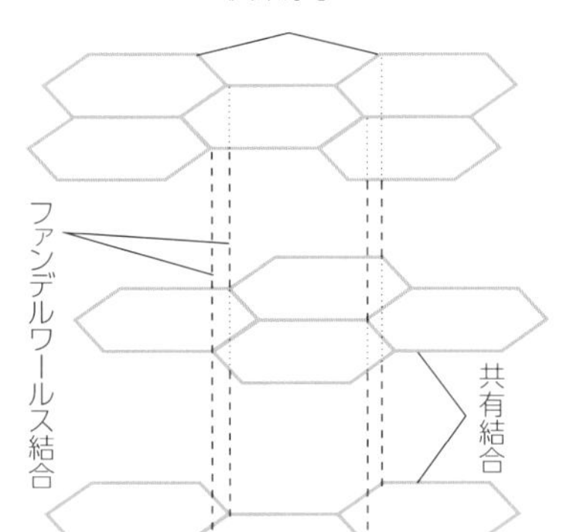

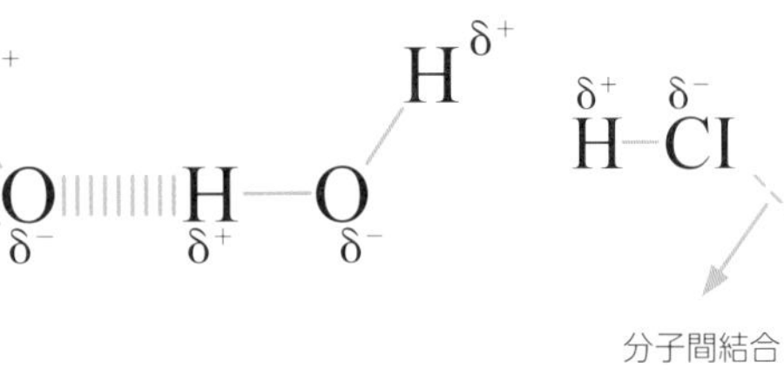

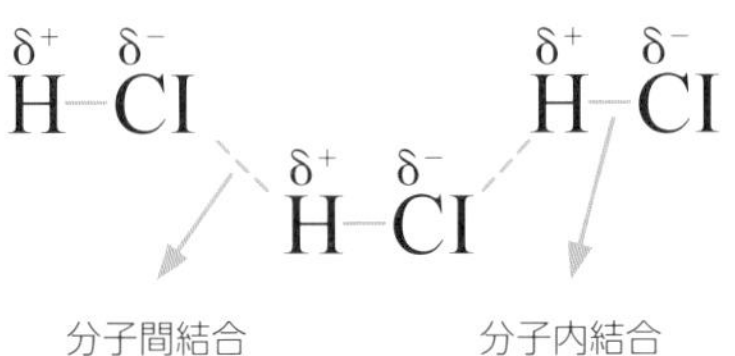

同素体

同素体とは，**同じ元素で構造が異なる**ものです。元素の原子どうしの**結合の仕方が異なっています。炭素**には多くの同素体があります。

炭素の同素体

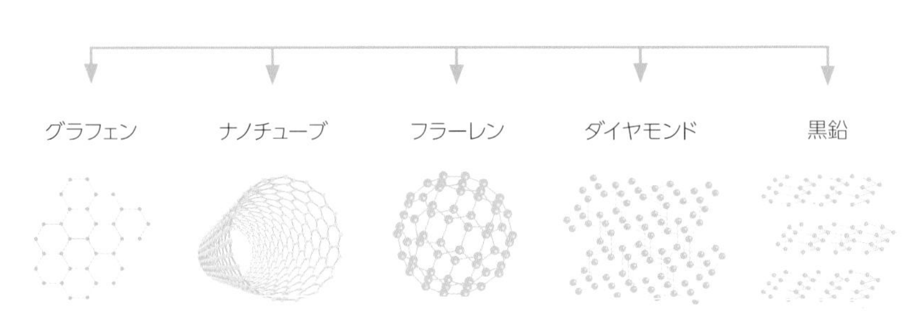

化学反応

**化学反応がなければ，私たちは存在しません。
化学反応は，原子間の結びつきを切り離したり，再度，結合させたりします。**

化学反応式を書く

化学反応式は，化学反応を表しています。化学反応式を書く際に，考慮すべきことが四つあります。

1. **反応物**とは，化学反応**前**の物質です。生成物とは，化学反応**後**の物質です。それらを最初に言葉で書き表します。
   水素＋酸素 → 水
2. 反応物と生成物の**言葉を化学式に置き換えます**。
   $H_2 + O_2 \rightarrow H_2O$
3. 反応式の**バランスを整えます**！反応式の左側と右側で反応物と生成物の原子の**数が同じ**でなくてはなりません。
   $2H_2 + O_2 \rightarrow 2H_2O$
4. 反応物と生成物の**物理的な状態**を書き加えます。
   $2H_2(g) + O_2(g) \rightarrow 2H_2O(l)$

物理的な状態

- 気体（g）
- 液体（l）
- 固体（s）
- 水溶液（aq）

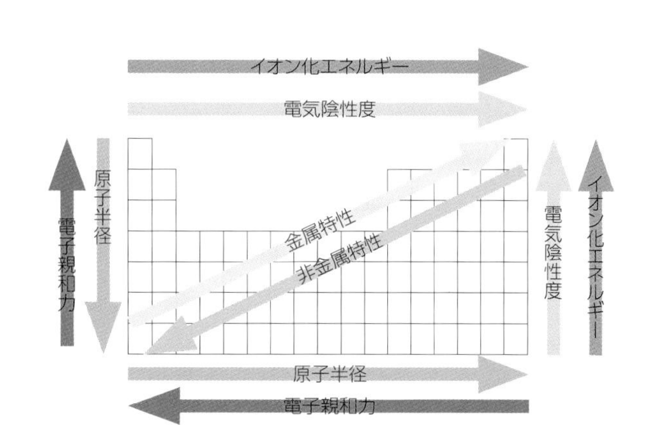

化学反応のいろいろな種類

化合：二つ以上の原子または分子が反応し，一つの分子を形成する反応。
触媒作用：触媒は反応速度を高めるが，化学反応の成分としては使われない。
脱水：水が取り除かれる反応。
置換：原子または分子が他のもので置き換えられる反応。
電気分解：電解質に電流を流したとき，イオンの移動によって起こる反応；反応は陰極と陽極で起こる。
吸熱：熱が吸収される反応。
エステル化：アルコールと有機酸が反応してエステルを生成する反応。
発熱：熱を放出する反応。
発酵：糖がアルコールと二酸化炭素に分解される反応など。
加水分解：化合物が，水を取り込んで分解される反応。
イオン会合：逆の電荷を帯びたイオンどうしが結合して，沈殿する反応。
イオン化：電荷をもったイオンになる反応。
酸化：酸素が付加される反応。
重合：小さな分子が集まり長い鎖状の分子を形成する反応。
沈殿：液体から固形の生成物が形成される反応。
酸化還元：酸化反応と還元反応。
還元：酸素が失われる反応。
可逆反応：反応物から生成物へも，生成物から反応物への反応もどちらも起こる反応。
熱分解：熱によって化合物の分解が非可逆的に起こる反応。
熱解離：熱によって化合物の分解が可逆的に起こる反応。

有機化学

有機化学とは，炭素を基にした（有機物的な）分子の幾何構造，反応性，物理的および化学的性質の研究と開発を行う分野です。

生命

炭素の化学はすべての生命の基本です。

高分子（ポリマー）

炭素同士が結合し，**重合反応**をすることで**長い分子のチェーン**をつくります。長くつながった分子を**高分子**といいます。それを構成する一つの鎖状の分子を**モノマー（単量体）**とよびます。

炭化水素

炭素原子は4個の**価電子**をもっています。8個の電子をもてばよいですが，その半分が満たされていることになります。下図は**メタン**です。**炭素原子1個**のまわりに，**4個の水素原子**が共有結合しています。

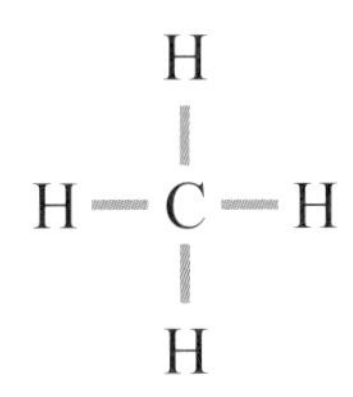

炭素原子は，1個の炭素に4個の水素が結びつくだけではなく，**炭素同士で結びつきます。**炭素はほかの炭素原子と結びつき**単結合**，**二重結合**，**三重結合**を形成します。

単結合

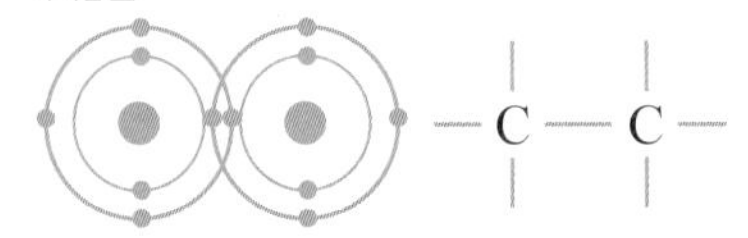

二重結合

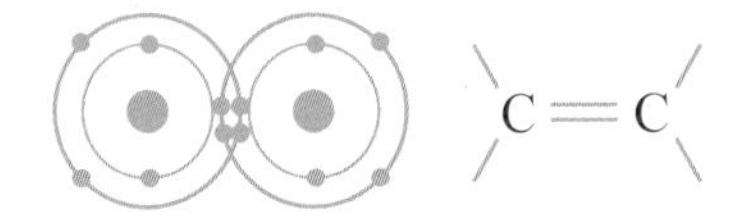

三重結合

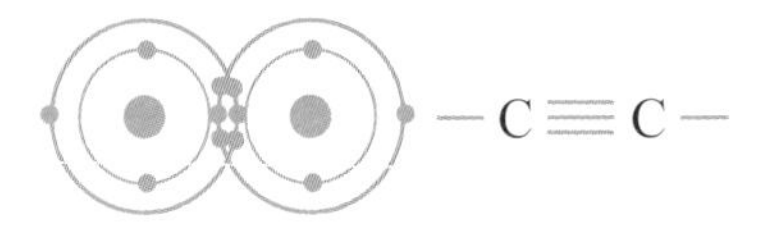

炭化水素の命名

炭化水素は種類が多いため，**炭素原子の数ともっている官能基に応じてそれぞれ名前がつけられます。**

炭素原子の数	接頭辞	化学式	名前
1	Meth	CH_4	メタン
2	Eth	C_2H_6	エタン
3	Prop	C_3H_8	プロパン
4	But	C_4H_{10}	ブタン
5	Pent	C_5H_{12}	ペンタン
6	Hex	C_6H_{14}	ヘキサン
7	Hept	C_7H_{16}	ヘプタン
8	Oct	C_8H_{18}	オクタン

官能基

決まった原子からなる集まりを官能基といいます。研究者たちが**構造を分類し，炭化水素のふるまいを予測するのに役立ちます。アルコール**は官能基で，C－O－H単位を含んでいます。

構造式

C_2H_5OH 分子式

アルケン（二重結合）や**アルキン**（三重結合），**アミン**（-C－NH_2官能基が結合したもの）などの官能基を示します。

アルカン　アルケン　アルキン　アミン　アルコール　エーテル

アルデヒド　ケトン　カルボン酸　エステル　アミド

無機化学

無機化学とは，有機化合物（炭化水素とその誘導体）を除く化合物の構造や性質，反応の研究です。

イオン化エネルギー

原子または分子から，価電子を奪うのに必要なエネルギーの最小量を，イオン化エネルギー（E'）といいます。

価数または酸化数

価数または酸化数は，**原子または分子内にある，化学反応を起こしうる電子の数**です。

第1族：アルカリ金属：価数＋1
第2族：アルカリ土類金属：価数＋2
第3～12族：遷移金属：複数の酸化数をもつ
第17族：ハロゲン：－1

アルカリ金属

- 金属イオンは**＋1の電荷**をもつ
- アルカリ金属は**水と反応して金属水酸化物イオンを形成する**
  $M \rightarrow M^{+} + e^{-}$
  $H_2O \rightarrow OH^{-} + H^{+}$
- **価電子は原子核から遠いほど奪われやすい**ため，第1族で周期が大きいほど反応性は高くなる。
- アルカリ金属は**水や空気と反応しやすく，反応の際に光と熱を放出**する。
- アルカリ金属は非常に**やわらかく，簡単に切断できる**。

アルカリ土類金属

- 金属イオンは**＋2の電荷**をもつ。
- アルカリ土類金属は，**ベリリウム**を除きます。**水と反応して**金属水酸化物イオンを形成する。
  $Mg \rightarrow Mg^{2+} + 2e^{-}$
- 化学反応式：
  $Ca + 2H_2O(l) \rightarrow Ca(OH)_2 + H_2$　(l)は，液体
- **価電子は原子核から遠いほど奪われやすい**ため，第2族で周期が大きいほど反応性は高くなる。
- **ハロゲン**と反応して**ハロゲン化金属**を形成する。
- 第2族の**硫酸塩の反応性**は原子番号が大きいほど低くなる。
- **水酸化物の反応性**は原子番号が小さいほど**高くなる**。
- アルカリ土類金属は**比較的やわらかい**。

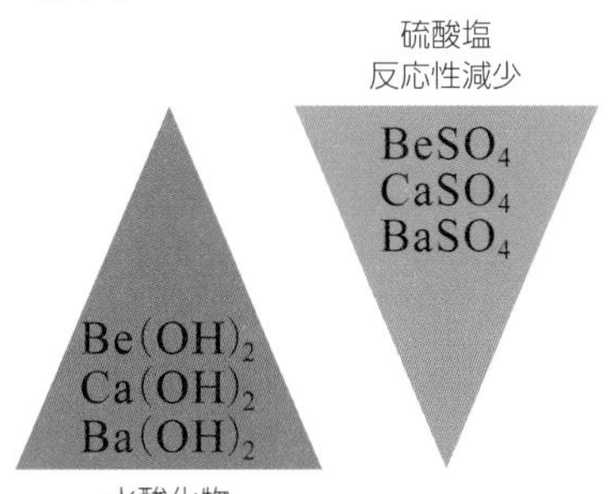

遷移金属

- **複数の原子価**をもつ。
- 原子番号が大きくなるに従って**反応性は低くなる**。
- **鮮やかな色**の水溶液を生じる。
- **高融点，高沸点**。
- **水銀（Hg）を除き**，常温では**固体**。
- **密度が高く，硬い**。

Sc	Ti	V	Cr	Mn	Fe	Co	Ni	Cu	Zn

ハロゲン

- 第17族の非金属元素。
- 原子番号が大きいほど**反応性は低くなる**。
- ハロゲンは**イオン化して－1イオン**となる。
- ハロゲンがイオン化されると，**国際的には，接尾辞ideがつく**。日本語では，ハロゲンがイオン化されると**ハロゲン化物イオン**となる。
- **塩素ガス**や**フッ素ガス**といった**単純なハロゲン**（ハロゲンのみからなる物質）は**二原子分子**として存在する。

水素イオン濃度

水素イオン濃度pHは，溶液内のH^+の量を表します。

酸

酸は**水素イオン(H^+)を含む物質**です。

酸は，化学反応で**陽子(またはH^+)を相手に与える**物質です。

- 酸は水に溶けて**酸性溶液**となる。
- 酸は**水素イオンH^+源**。
- たとえば，塩酸は**水素イオンを生み出す。**
  $HCl(aq) \rightarrow H^+(aq) + Cl^-(aq)$
- 酸性溶液は**pH値が7以下**を示す。

3 化学

アルカリ

アルカリ(または塩基)は水酸化物イオン(OH^-)を含み，**酸と反応して塩を生成**します。化学反応で**陽子(またはH^+)を相手から受け取ります。**

- アルカリは水に溶けて**アルカリ性溶液**となる。
- アルカリは**水酸化物イオンOH^-源**。
- たとえば，水酸化ナトリウムは**水酸化物イオンを生み出す。**
  $NaOH(aq) \rightarrow Na^+(aq) + OH^-(aq)$
- アルカリ性溶液は**pH値が7以上**を示す。

酸性反応

酸＋金属→塩＋水素

塩酸＋マグネシウム→塩化マグネシウム＋水素

$2HCl(aq) + Mg(s) \rightarrow MgCl_2(aq) + H_2(g)$

酸＋金属酸化物→塩＋水

硫酸＋酸化銅→硫酸銅＋水

$H_2SO_4(aq) + CuO(s) \rightarrow CuSO_4(aq) + H_2O(l)$

酸＋炭酸塩→塩＋水＋二酸化炭素

塩酸＋炭酸銅→塩化銅＋水＋二酸化炭素

$2HCl(aq) + CuCO_3(s) \rightarrow CuCl_2(aq) + H_2O(l) + CO_2(g)$

アルカリ反応

ナトリウム＋水→水酸化ナトリウム＋水素

$2Na(s) + 2H_2O(l) \rightarrow 2NaOH(aq) + H_2(g)$

中和反応

酸＋塩基＝塩＋水

$H^+(aq) + OH^-(aq) \rightarrow H_2O(l)$

酸＋金属水酸化物→塩＋水

硝酸＋水酸化ナトリウム→硝酸ナトリウム＋水

$HNO_3(aq) + NaOH(s) \rightarrow 2NaNO_3(aq) + H_2O(l)$

区分	pH	例
アルカリ性	14	液体排水管洗浄剤，水酸化ナトリウム，苛性ソーダ
	13	漂白剤，オーブン用洗剤
	12	石けん水
	11	家庭用アンモニア(11.9)
	10	マグネシア乳(水酸化マグネシウム，10.5)
	9	歯磨き粉(9.9)
	8	重曹(8.4)　海水，卵
中性	7	純水(7)
酸性	6	尿(6)，牛乳(6.6)
	5	酸性雨(5.6) ブラックコーヒー(5)
	4	トマトジュース(4.1)
	3	グレープフルーツ/オレンジジュース　ソフトドリンク
	2	レモンジュース(2.3) 酢(2.9)
	1	胃の内壁から分泌された塩酸(1)
	0	バッテリー液

水素結合と水

**地球上に生命体が存在するために水は欠かせません。
地球の表面の71%が水でおおわれており，生物の体の60～90%は水分でできています。**

極性

これは分子周囲の**非対称の電子配置**と，**電気陰性度**とよばれる性質によって起こります。分子が極性を有するには**双極子モーメント**でなければなりませんが，これは**分子周囲の電荷が正δ＋と負δ－に分離すること**です。

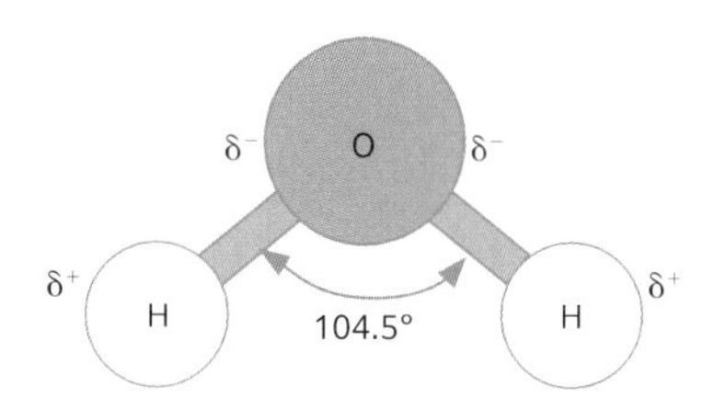

・**イオン結合**は，水などの**水素結合した分子**で起こる**非対称の電荷分布**を除き，一般に共有結合より電気陰性度が高くなる。

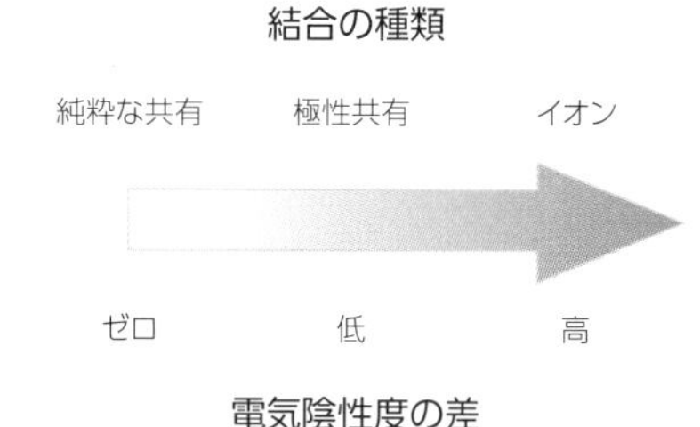

水の極性

極性溶媒（水など）は**溶質を溶かしやすく**なっています。**水はほかの溶媒よりも多くの物質を溶かします。**

電気陰性度

電気陰性度は，**結合した電子が原子に引き寄せられる度合い**を示しています。

・電気陰性度の測定には**ポーリングの定義**が用いられる。
・電気陰性度は**周期表の左から右へ行くほど高くなる。**
・周期表の下の列ほど**電気陰性度は低くなる。**これは**陽子の正電荷の影響を何重にもなった電子軌道上の電子の電荷による遮蔽（しゃへい）という効果のため**に起こる。
・フッ素はすべての元素の中で**最も電気陰性度が高い元素。**

宇宙水

・2011年，**雲状の氷がブラックホールを取り囲んでいる**ことを天文学者が発見。その水の量は地球上に存在する量の140兆倍に達する。
・**木星の衛星の一つエウロパ**は，氷，より正確には**塩水の氷**でおおわれている。
・**土星の衛星の一つエンケラドゥス**も氷の地殻をもち，その下には海が広がっている。
・**彗星**は岩と水でできている。

水の分子の構造

酸素は**価電子を6個**もつので，オクテットを完成させるために2個の電子が必要です。これは**水素と共有結合**することで達成されています。水素原子は陽子を一つしかもっていませんが，酸素原子がより多くの**陽子**をもっているため，分子内の電子は**酸素原子の周囲に集まりやすく，双極子モーメントが生じます。**

役に立つ専門用語

・**溶媒**：固体，液体，または気体の物質を溶かす物質；溶媒は親水（水を含む）と疎水（水を含まない）がある。
・**溶質**：溶媒に溶けている物質。
・**溶液**：溶質が溶けている液体。

凝集力

溶液内の**極性分子**は**電荷に応じて集合します。**分子内の**双極子モーメント**によって分子が**互いに集合します。水滴が球形になる**のはそのためです。

物質の三態

物質はその性質によって区別できます。感覚的，化学的，物質的な性質があります。状態の変化は物理的性質です。

物理的性質には以下のようなものがあります。

- 密度
- 分子構造
- 比重
- におい
- 色
- 付帯的な性質：質感，形，体積を含むほかの現象が生じる性質と，材料科学者やデザイナーにとって重要なその他の感覚的性質

系に**熱を加える**と分子や原子の**運動エネルギー**を増大させ，**運動速度**の大きさが増大することで自由に動き回ることができるようになります。系にさらに熱またはエネルギーを加えると**物質の「状態」が変化します**。

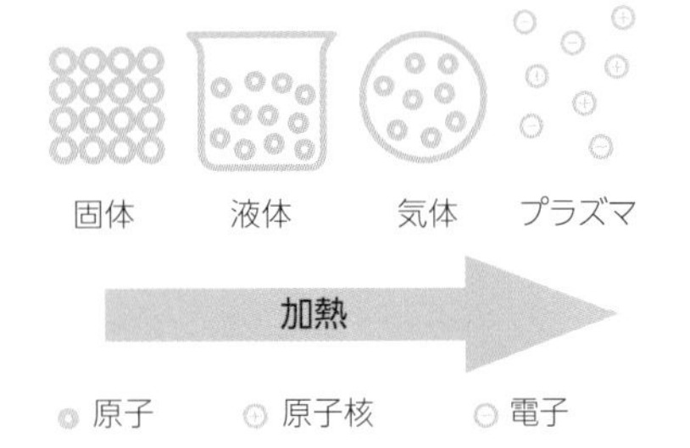

相変化

系の分子が**振動**するのに十分な**熱エネルギー**を与えると，分子を固体としていた力（分子内の力や分子間の力）を上回って，物質の状態が変化します。

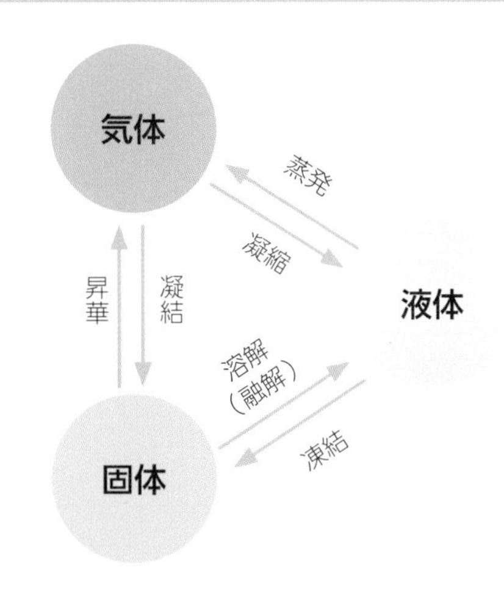

ブラウン運動

流体（液体または気体）内の原子または分子は，不規則に動き，**ほかの分子と絶えず衝突**しています。1827年，スコットランド人植物学者**ロバート・ブラウン**（Robert Brown）がこれを発見しました。

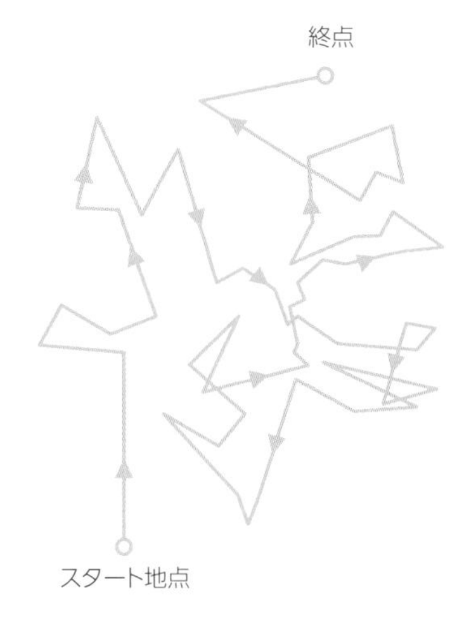

液体内の粒子のランダム運動

ブラウン運動によって流体内の粒子が拡散します。そこでは，不規則な衝突によって**粒子が流体の中に最終的に均等に拡散し**，平衡状態に達します。

その他の状態

プラズマは絶対零度（0K, −273.15℃）近くまで冷却された物質の状態で，単一の量子力学的な存在としてふるまいます。そのふるまいは波動関数で説明されます。

プラズマ

プラズマは**非常に多くのエネルギーをもっています**。そのため**電子は正電荷を帯びた原子核から引き離され，自由に動くことのできるイオンのスープを形成します**。プラズマは**宇宙内で最も多く存在する物質状態**です。**星**や**超新星**はプラズマです。

キラリティー

キラリティーは，一部の分子とイオンがもつ幾何学的特性です。キラルな分子は鏡像関係にあり，重ね合わせることができません。キラル分子の化学式は同じですが，化学的性質は異なります。

異性体：同じ化学構造をもっているものの**原子配列が異なる**ため，性質が異なる化合物。

立体異性体：化学式は同じだが，**原子の空間的配置が異なる**分子。

ジアステレオマー：互いに**重ね合わせることができない**立体異性体の組のこと。すなわち，互いに**鏡像**ではない。

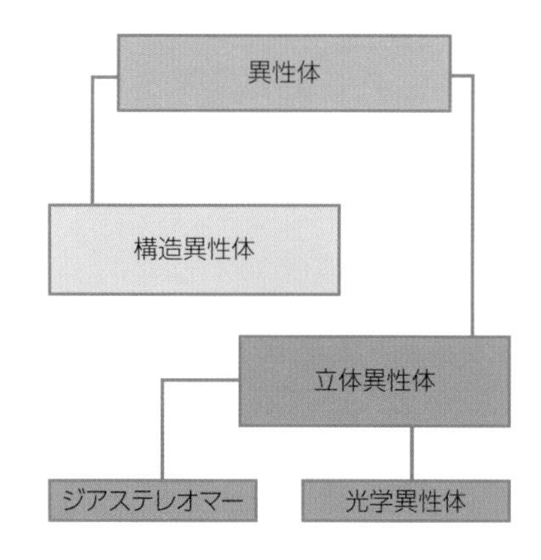

キラル化合物

- 同じ化学式をもつ。
- 異なる幾何学的構造をもつ。
- 異なる化学的性質をもつ。

シス-トランス異性体は立体異性体の一種

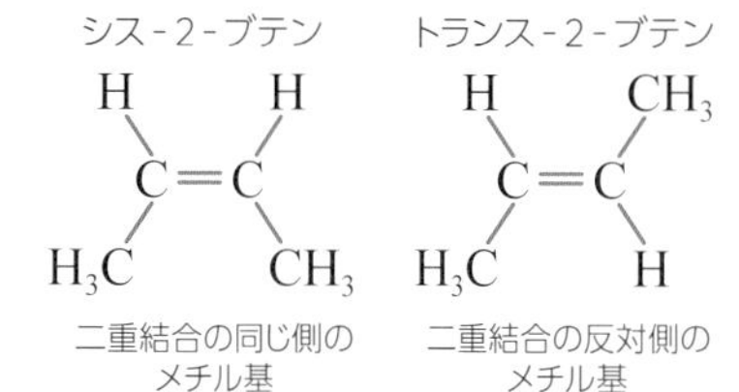

*S*と*R*光学異性体

炭素原子を中心とする分子の周囲の非対称性は，有機分子にキラリティーを生じさせます。**光学異性体はそれぞれの鏡像となる分子の組み合わせ**です。

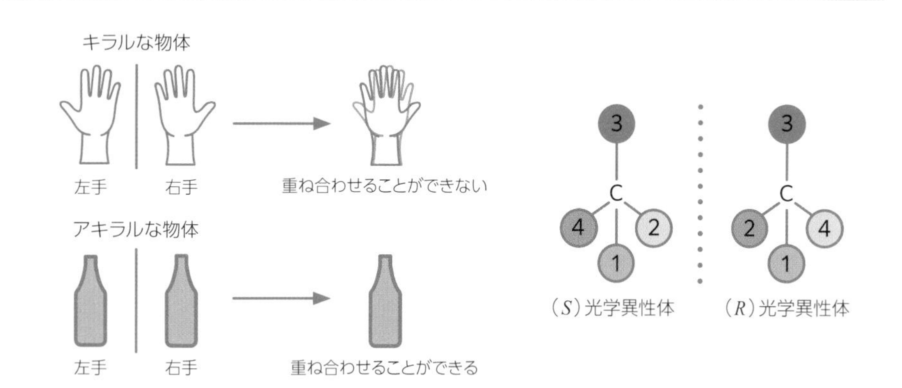

糖のエナンチオマー

自然界には，光学異性体（エナンチオマー）として，D-系とL-系が存在しますが，私たち生物にとって，異なる反応を示します。これは**私たち自身を構成する体内の分子も，キラルである**ためです。**グルコース**の光学異性体（D-グルコースとL-グルコース）では，体内での反応は異なっています。人体は**D-グルコース**をエネルギーとして使えますが，**L-グルコース**は使えません。L-グルコースは研究室でのみ合成することができますが，自然界の生物には合成することができないため，自然界には存在しません。

DNAとキラリティー

DNAの**二重らせん**は時計回りに回転しています。DNAを形成する分子はそれ自身の**キラル中心**をもっているため，DNA内の分子内結合を引き起こし，決まった方向へ回転しています。DNAは**「右利き」のらせん**です。

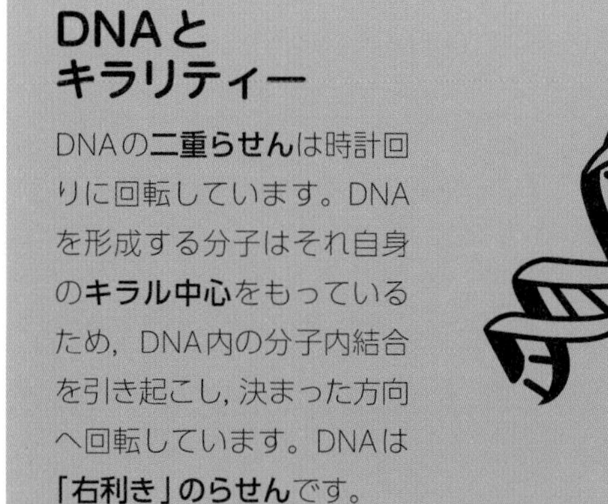

3 化学

巨大分子

巨大分子は数千個またはそれ以上の原子からなる巨大な分子です。中でもバイオポリマーと，ポリマーではない巨大分子が最もよく知られています。

分子構造

巨大分子を構成する部品となる分子の立体的な形や形状，構造を知ることによって，化学的性質やそのような構造になっている理由が理解しやすくなります。**それらの構造の位置関係は，それぞれの電子軌道がどのように相互作用しているのかによって決まります。**

分子の幾何配置

小さなそれぞれの分子構造はそれぞれ異なっています。

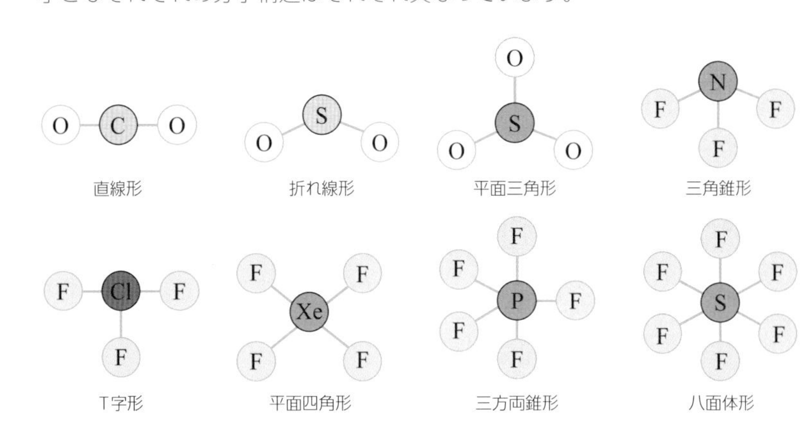

アミノ酸

タンパク質を生成するには**20種類のアミノ酸が必要**です。どのアミノ酸を含んでいるかによって，タンパク質はそれぞれ性質が異なります。アミノ酸の異なる構造は**「側鎖」**とよばれることもあります。図はアミノ酸の基本的な構造を示しています。側鎖によってそれぞれのアミノ酸に違いが生まれます。

アミノ酸の構造

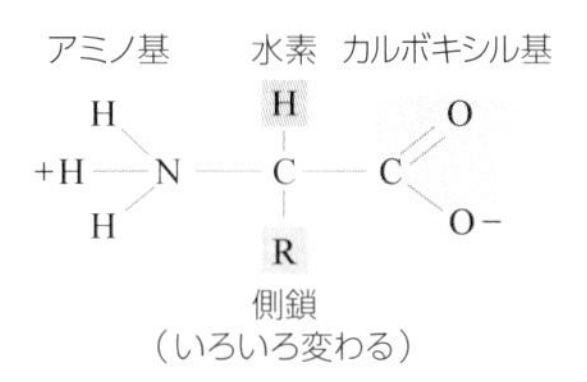

タンパク質

タンパク質は**鎖状につながったアミノ酸**でできています。タンパク質内のそれぞれのアミノ酸は，最初は単一の小さな分子です。それらのアミノ酸が，鎖状につながったのが**ポリペプチド**です。

- **一次構造**：ポリペプチド鎖。
- **二次構造**：**ポリペプチド鎖**がある程度の大きさになると，折りたたまれたり，それ自体に巻きついたりして**αヘリックス**や**βシート**を形成します。分子が互いに近づいたために相互作用を受けて，回転したり折りたたまれて分子間結合が生じます。
- **三次構造**：**複数の二次構造が組み合わさって**生じます。アミノ酸の配列によってどのように構築されるかが決まります。
- **四次構造**：タンパク質の中には非常に**複雑**で，二つ以上の三次構造が集まってできているものがあります。**ヘモグロビン**は四次構造をもちます。

タンパク質の折りたたみ

異なるアミノ酸の相互作用によって形成される配列には**膨大な組み合わせ**が存在するため，タンパク質の折りたたみを**正確に予測することは非常に困難**です。**水素結合**や**疎水性相互作用，親水性相互作用**などのさまざまな力がタンパク質の形成に影響を及ぼします。**ジスルフィド架橋**はポリペプチド鎖の中で起こり，**三次構造を安定させます。**

高分子化合物(ポリマー)

高分子化合物とは，単体サブユニットが繰り返されることでつくられる大きな分子です。単体が化学的に結合することを重合といい，重合の結果，高分子化合物ができます。

付加重合：触媒を利用することによって，単体を**ネックレスのビーズのように**つなぐ化学反応です。

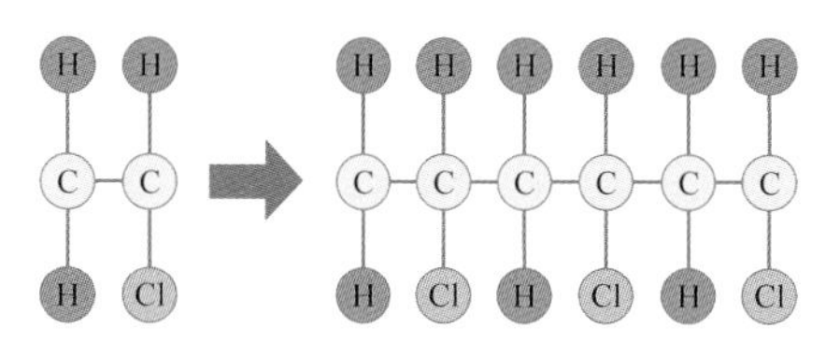

縮合重合：単体が重合する際に，**水**や**二酸化炭素**や**アンモニア**などを取り除きながら重合する化学反応です。

アミノ酸

```
     H   R   O          H   R   O
     |   |   ||         |   |   ||
··H—N—C—C—O—H  H—N—C—C—O—H →
         |                  |
         H                  H

     H   R   O   H   R   O
     |   |   ||  |   |   ||
··—N—C—O—N—C—C—··· + H2O
         |           |
         H           H
```

タンパク質

天然由来の高分子化合物

- **多糖類** —— **デンプン，セルロース，グリコーゲン，ペクチン**などの炭水化物。
- **セルロース** —— **野菜**や**植物**，**木**にみられる**多糖類**。**糖分子**からつくられる**長くて柔軟性のある繊維**で，**織物**に利用。
- **ペクチン** —— **ゼリー状の多糖類**。
- **生糸** —— **蚕**が繭をつくるときにつくられる。
- **クモの糸** —— **クモ**によってつくられる**タンパク質でできた**非常に**丈夫な**高分子化合物。
- **羊毛** —— **ケラチン**とよばれるタンパク質からなる。羊は寒さから体を守るために毛を伸ばす。羊に害のないように刈った羊毛は，**織物**に利用。
- **DNA** —— 糖と**ヌクレオチド**とよばれる分子からなる。
- **タンパク質** —— **アミノ酸**からなる。
- **コラーゲン** —— **動物**や**鳥**，**魚**の**筋肉**や**結合組織**に見られる**繊維状**の高分子化合物。

プラスチック

プラスチックは**加熱**によって**溶解**し，**成形**，**再成形**ができます。多くのプラスチックは**原油**由来で，**環境汚染**の大きな要因となっています。細かく分解されると，**あらゆる生物にとって有毒なマイクロプラスチック**になります。これを防ぐためには**使い捨てプラスチック**を削減するのがよいですが，**医療現場**など使い捨てプラスチックが欠かせない分野もあります。これまでのすべてのプラスチックは**リサイクルはできますが，生分解されません**。

プラスチックの種類(これまでのプラスチック)

- テレフタル酸ポリエチレン(PETE または PET)
- 高密度ポリエチレン(HDPE)
- ポリ塩化ビニル(PVC)
- 低密度ポリエチレン(LDPE)
- ポリプロピレン(PP)
- スチレン樹脂(ポリスチレン)または発泡スチレン(PS)
- その他のプラスチック(other)

バイオプラスチック

プラスチックは，**ウッドチップからの糖やデンプン，食品廃棄物**といった**生物由来の資源**からもつくれます。バイオプラスチックの多くは**生分解**されますが，約70℃の温度でないと分解されないため，産業用のコンポストでしか処理できないものもあります。

バイオプラスチックの種類

- タンパク質ベース
- デンプンベース
- セルロースベース
- ポリ乳酸(PLA)
- カゼイン(ミルクプロテイン)
- 脂質由来ポリマー

親水性と疎水性

親水は「水と仲が良い」，
疎水は「水と仲が悪い」ことを意味します。

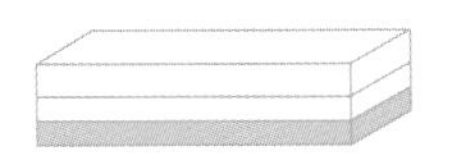

親水性
+粘性が低い
+水分除去が容易
−氷の形成が速い

親水性表面

疎水性
+粘性が低い
+氷の形成が遅い
−水滴になる

疎水性表面

親水性の物質は**水に溶けます**。**塩**などの**イオン化合物**，またはアルコールなどの**極性分子**は親水性です。

疎水性の物質は**水に溶けません**。**油**や**脂肪**は**水をはじく非極性分子**です。

水と油

油滴は水に浮かび，混ざりません。非混和ともいいます。

- **極性溶媒**：**非対称の電子配列**をもつ。
- **非極性溶媒**：**電子は均等に配列**され，**幾何学的に対称**。

細胞膜

細胞膜（**脂質二重層**ともよばれる）は，構成する分子が**親水性と疎水性の両方の性質**をもちます。細胞膜が，**外側に極性のある頭部を，内側に疎水性の尾**という二層で構成されているので，細胞膜は，私たちの体という環境内で生存できます。

インスリン

インスリンは，**血糖値をコントロールする**タンパク質です。インスリンは，**細胞がグルコース（エネルギー）を吸収（代謝）するのを助けます**。細胞内に十分なグルコースがあるとき，**肝臓**はグルコースを**グリコーゲン**に変えて備蓄します（血糖値が極端に下がることを防ぐ）。**インスリン**は，**親水性**で，**疎水性の内側の膜**を通り抜けられないため，そのターゲットとなる細胞に直接入っていくことはできません。そのため，**シグナルを送る**ことで機能を果たします。インスリンがなければ，**受容体**は血液中のグルコース量がわからず，**代謝ができません**。

アミノ酸

私たちの体をつくり維持するには，20種類のアミノ酸が必要です（下図参照）。体の大部分が**水分である環境**において，親水性でもあり疎水性でもあるアミノ酸が必要です。

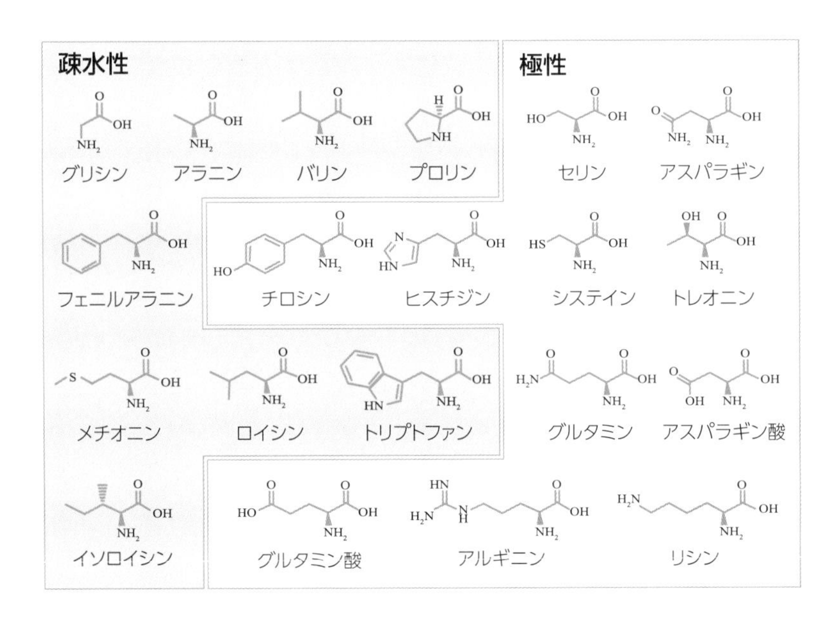

タンパク質結晶学

タンパク質結晶学は，結晶化した物質内の分子の原子構造を知るために用いられます。化学や物理学，そしてタンパク質やDNAといった生体分子の分析など幅広い分野で使われています。

ドロシー・ホジキン

イギリス人構造生物学者**ドロシー・ホジキン**（Dorothy Hodgkin，1910～1994）は，**X線結晶構造解析法**を使って**タンパク質の構造**を調べました。彼女は**ビタミンB_{12}**の構造を発見した功績が評価され，**1964年にノーベル賞を受賞**しました。**分子構造を立体的に描画する**画期的な技術を開発し，**ペニシリン**や**インスリン**，**ステロイド**の構造解明に貢献しました。

ビタミンB_{12}の複雑な構造

ビタミンは体に必要な分子ですが，その多くは**人体でつくることができません**。**ビタミンB_{12}**は水溶性の分子で，**神経細胞や血液細胞，DNAの形成と維持に欠かせません**。

タンパク質の結晶化

タンパク質の**構造は非常に複雑**です。**その構造を知ることで，体内でのタンパク質の働きを理解しやすくなります**。インスリンがどのような構造をとるのかを知ることで，**研究室でインスリンをつくれる**ようになり，**I型糖尿病**患者の治療につながります。タンパク質結晶化は，生体分子の複雑な構造を理解するのに役立っています。

X線回折

これは，**結晶の構造**を知るために使われる技術です。**X線**は非常に小さい**波長**をもつ電磁波で，結晶を通り抜けることができます。通過する際に，**回折パターン**をつくり出します。この回折パターンを解析すると，**結晶格子内の原子の配列，距離，格子の大きさ**がわかります。

結晶

結晶は固体です。平面と直線の**規則的な構造**として形成されます。何百万もの小さな粒子が配列され，**格子**とよばれる**繰り返されるパターン**をつくっています。結晶には規則性があるため，簡単に**分子構造を幾何学的に分析**できます。

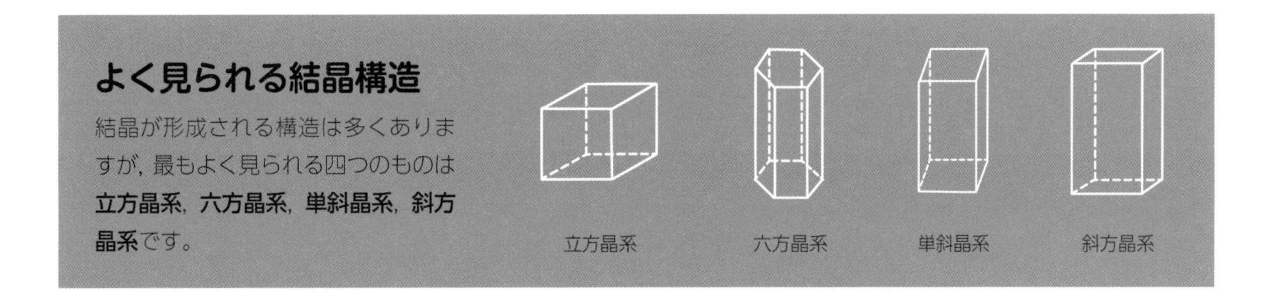

3 化学

DNAとフォト51

X線結晶構造解析法は，短波長のX線との相互作用から物質の内部構造を研究する方法のひとつです。

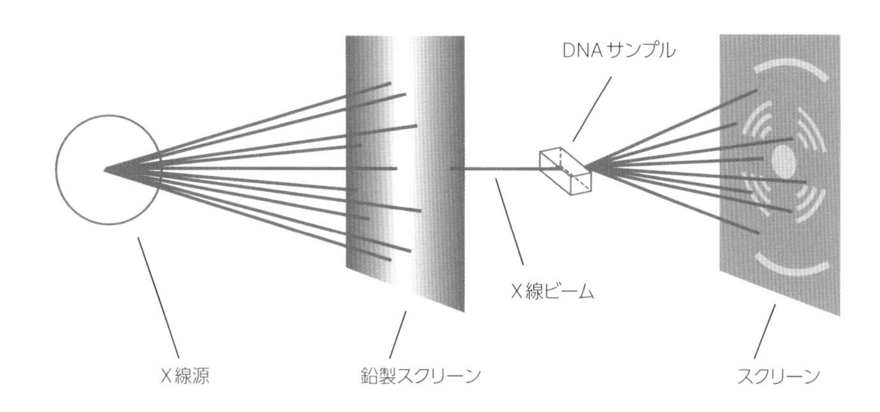

二重らせん

生物学者は，細胞が複製したり，化学物質をつくり出すために必要な**遺伝子情報を格納する**という役割をもつ**DNAを何年も前に発見していましたが**，それがどのように機能しているか理解されはじめたのは1950年代初頭のことです。

ロザリンド・フランクリン（Rosalind Franklin）と，ロンドン大学キングス・カレッジの同僚たちによる先駆的なX線研究により，膨大な分子内のカギになる化学構造が突き止められました。1953年，**フォト51**として知られるきわめて重要な写真が，ケンブリッジの生物学者**フランシス・クリック**（Francis Crick）と**ジェームズ・ワトソン**（James Watson）にモデルを構築するインスピレーションを与えました。その写真の画像では，**塩基**または**ヌクレオチド**とよばれる**化学的単位**がたがいにつながって組み合わさり，二重らせんとよばれるねじれたはしご型の段を形成していたのです。

残念なことに，ワトソンはベストセラーとなった自身の著書内の発見に関する記述でフランクリンの最も重要な役割をないがしろにしました。それが**あからさまな性差別**をともなっていたこともあり，大きな論争を巻き起こします。**フランクリンの知識がなくとも**，クリックとワトソンは二人の共通の同僚であるモーリス・ウィルキンスを通じて**重要な研究結果にたどりつくことができた**と主張しました。それぞれの心の内や真実が明らかになることはないでしょう。1958年にフランクリンが卵巣がんで亡くなったことによって解明の機会は永遠に奪われました。

それから４年後，**ワトソン，クリック，ウィルキンスは「3人の」発見としてノーベル賞を受賞**しました。しかし**「忘れ去られたDNAの女性」**フランクリンは，近年再び**注目されています**。

フォト51から二重らせんへ

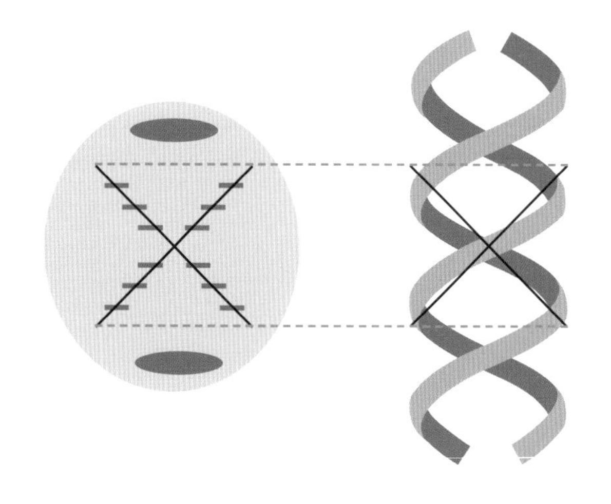

生物学のセントラルドグマ

生物学のセントラルドグマは，DNAがRNAをつくり，RNAがタンパク質をつくり，タンパク質がDNAをつくることです。DNAは染色体の中にきっちりと詰まっています。染色体は細胞内の核の中にあります。

DNA

- ヌクレオチドでできている：**アデニン**（A），**グアニン**（G），**チミン**（T），**シトシン**（C）。
- A，G，T，Cは**糖とリン酸からなる二つの鎖**の間で**結合し，らせん状のはしごのようにねじれている**。

塩基対

AはTと結合し，CはGと結合します。このペアの**配列**によって，DNAに**情報がコード化されます**。

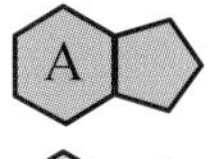 = 

A = T

G = C

プリン = ピリミジン

各細胞内にはおよそ**60億の塩基対**があります。

- DNA：**デオキシリボ核酸** ―― **二重らせん**。
- RNA：**リボ核酸** ―― **一重らせん**，**チミン**の代わりに**ウラシル**をもつ。

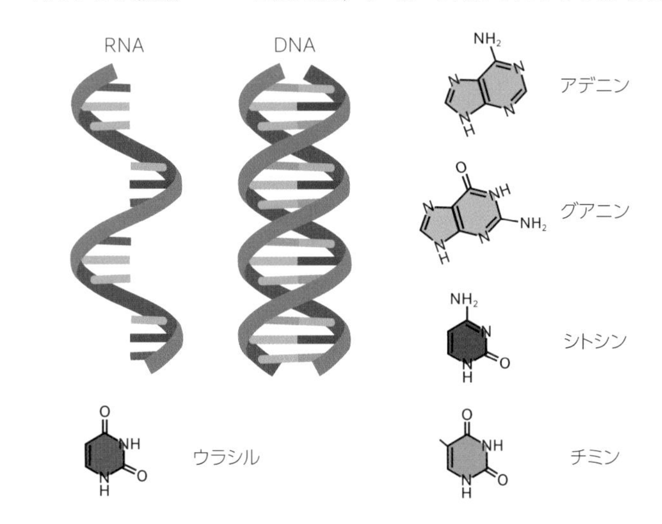

複製

細胞は，DNAの半分を**鋳型**として，生まれてから死ぬまでの間に**DNAを何兆回も複製します**。**酵素**はこの**複製をコントロールする**タンパク質です。

- **ヘリカーゼ**が，テンプレートをつくるためにDNA二重らせんをほどく。
- **RNAプライマーゼ**がプロセスを開始する。
- **DNA ポリメラーゼ**が相補的なヌクレオチドを追加する。
- **DNAリガーゼ**がプロセスを終了する。

100億ヌクレオチドに対し一回の割合でエラーが起こります。DNAポリメラーゼはエラーを最小限にするためにDNAを検査しています。

転写

遺伝子は**タンパク質の生成**を通して**発現されます**。**DNA**断片はコピーされ**メッセンジャーRNA（mRNA）**を形成します（タンパク質をつくるよう指示）。

- **RNAポリメラーゼが二重らせんをほどき**，配列を複製する。
- **RNAが終了のシグナルを送り，止める**。
- **mRNA**が形成される。
- mRNAが**タンパク質をつくるために核を離れる**。

翻訳

リボソームは細胞質内でタンパク質をつくります。

- **mRNA**が**小胞体**に供給される。
- リボソームには，**タンパク質**と**リボソームRNA（rRNA）**が含まれている。
- rRNAは一度にmRNAの**三つのヌクレオチド**を読みとる。
- 転移RNA（tRNA，transfer RNA）は**一端にアミノ酸**を，もう一端に**mRNAと適合するアンチコドンとよばれる塩基**をもっている。
- **アミノ酸**は，**タンパク質の生成の始まり**として，**ポリペプチド鎖を形成するために結合する**tRNAによって運ばれる。

細胞

細胞は生物の最も基本的な構成要素です。

原核細胞

原核生物は，**単細胞生物**です。**移動するための鞭毛**と，**周囲の環境を感知するための線毛**をもっています。

真核細胞

多細胞生物に見られ，**内部はより複雑**です。

細胞の中には何がある？

- **細胞膜**：細胞を**囲み，保護している。栄養素**を取り込み，**老廃物**を排出する。
- **核**（真核生物がもつ）：**DNAがあり**，細胞を**制御している。**
- **細胞質**：**化学反応**はこの**複雑な物質**内で起こる。
- **ミトコンドリア**：**代謝（呼吸）**を行う。
- **リボソーム**：**小胞体**内に見られ，**タンパク質**を合成する。

植物細胞に特有のもの

- **細胞壁**：細胞の**外側の堅牢な構造。**
- **液胞**：細胞の中で**細胞液**を蓄えている場所。
- **葉緑体**：**光合成**を行う。

細胞の構造

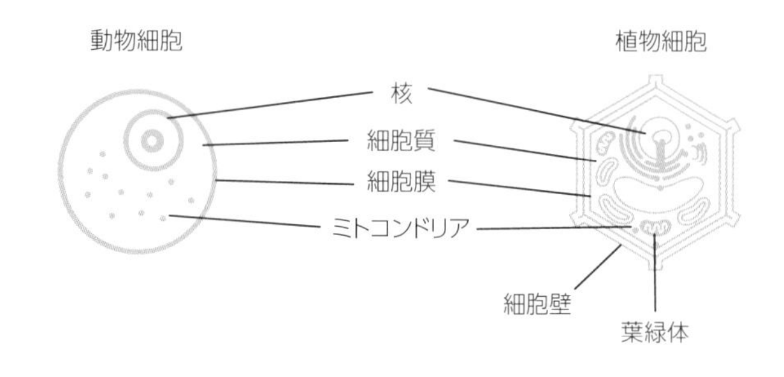

細胞呼吸

細胞は，**呼吸**とよばれる化学反応を通じて**エネルギー**を得ています。これにより，**炭水化物は細胞質内で分解されます。**

- **吸熱**：化学結合を分解するときにエネルギーを**必要とする。**
- **発熱**：化学結合を分解するときにエネルギーを**放出する。**

発熱反応で放出されたエネルギーは，**リン酸イオン**と結びつき**アデノシン三リン酸**（ATP）とよばれる分子を形成します。**酸素（O_2）が電子を受け入れ**，一方，**二酸化炭素（CO_2）が排出されます。**

光合成細胞内において，CO_2は**炭水化物**を生成するために使われます。O_2は**老廃物**として放出されます。

解糖系

細胞呼吸を簡単に説明すると以下のようになります。

- **グルコース**が**ピルビン酸**に分解される（**クレブス回路**の一部）。
- ピルビン酸が分解されより多くの**エネルギー**を放出し，**ニコチンアミドアデニンジヌクレオチド**（NADH）を生成する。
- **シトクロム**とよばれる**酵素と分子の鎖**に沿って**電子を運ぶ**。電子はエネルギー源になる。
- 電子は**膜**を通して**陽子（H^+イオン）をはじき，ATPを生成する。化学浸透**とよばれる。
- **解糖**は**酸素**を使わない。このプロセスは**嫌気性**である。
- 一部の**細菌**と**酵母**はエネルギーを得るために解糖のみを行う。

クレブス回路（クエン酸回路）

ピルビン酸分子は，**酸化還元活性分子**である**ATP，CO_2，NADH，フラビンアデニンジヌクレオチド**（$FADH_2$）を形成します。

顕微鏡

顕微鏡の発明がなかったら，ポリオのワクチンが開発されることも，マイクロチップがつくられることもなかったでしょう。

光学顕微鏡

可視光とレンズを使って微生物を拡大します。オランダの眼鏡職人，**サハリアス・ヤンセン**（Zacharias Janssen）は1595年に**拡大率9倍のはじめての顕微鏡**をつくったといわれています。

ロバート・フックの『顕微鏡図譜』

イングランドの科学者**ロバート・フック**（Robert Hooke，1635～1703）は顕微鏡をつくり，1665年に**『顕微鏡図譜』**を出版しました。**微視的な物体の観察図を掲載**した初の出版物です。

アントニ・ファン・レーウェンフック

オランダ人博学者ファン・レーウェンフック（Anton Von Leeuwenhoek）は**270倍に拡大できる**よう顕微鏡をさらに発展させました。

限外顕微鏡

オーストリア人化学者**リヒャルト・ジグモンディ**（Richard Zsigmondy）は，**限外顕微鏡**を発明しました。コロイドとよばれる**微視的に散らばった懸濁粒子**を通して**光線を集中させ**，コロイド内の粒子を研究することを目的としていました。**10万倍まで拡大**することができます。ジグモンディは1926年に**ノーベル賞**を受賞しました。

位相差顕微鏡

フリッツ・ゼルニケ（Frits Zernike）は1932年に位相差顕微鏡を設計しました。これにより**透明な物質を見る**ことが可能になり，また**原子の解像度近くまで**拡大できるようになりました。

電子顕微鏡

1931年に発明された電子顕微鏡は，物体を拡大するために**光ではなく電子ビームを使います。1000万倍まで拡大**できます。電子を使うので光**の波長より小さいものも見ることができます。**最近の電子顕微鏡では，**コンピューターとソフトウェア**が必需です。

電子トンネル顕微鏡（ETM）

1982年に**IBM**が開発したETMは，物体の表面を**原子のスケール**で見ることができます。**量子トンネル効果**を利用しています。この顕微鏡にも**コンピューターとソフトウェア**が必要です。

1800年代の光学顕微鏡の
一般的なデザイン

顕微鏡スケール

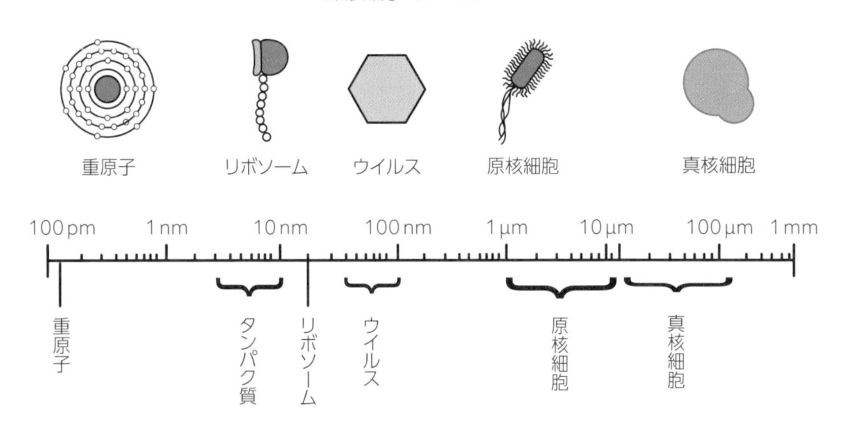

微生物学

微生物学は微生物の研究です。細菌，ウイルス，古細菌，菌類，原生動物が含まれます。医学や生化学，生理学，細胞生物学，生態学，進化工学，医用生体工学の分野の研究に欠かせません。

微生物は私たちの**食物消化**を助けてくれます。また**チーズ**ができるのも，**風邪をひく**のも微生物によるものです。人間にとっても，世界中のあらゆる生物にとっても**なくてはならない存在**です。種類が非常に多く重要ではありますが，中には致命的な病気を引き起こものもあります。

微生物の五つの種類

細菌

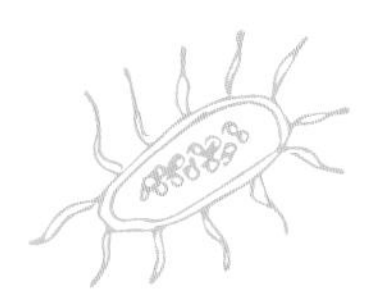

ウイルス

藻

菌類（酵母，カビ）

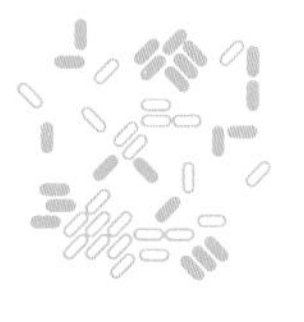

原生動物

アーキア，細菌，原生動物

進化した最初の微生物です。**極限環境**でも多く発見されています。私たちの**体内や体表面にも存在し，保護してくれています。**

1796年から1929年までの微生物学と医学

1715年　**レディ・モンタギュー**が**天然痘**を予防するため，自身の子供たちに**トルコの人痘接種**を行う。

1796年　**エドワード・ジェンナー**が**天然痘のワクチン**を発見。

1838年　**マティアス・ヤーコプ・シュライデン**は**植物が細胞からできている**ことを発見。

1840年代　**イグナーツ・センメルヴェイス**は**手洗いが病気の蔓延を防ぐ**ことを発見したが，世間にはほとんど受け入れられなかった。

1850年代　**ルードルフ・フィルヒョウ**が**細胞は細胞からつくられる**，つまり**細胞が新しい細胞をつくり出す**ことを発見。

1854年　**ジョン・スミス**は，**ロンドンのソーホー地区**で大流行した**コレラ**が**共同の給水ポンプ**と関連していることを特定。

1860年代　**ジョゼフ・リスター**が病気の蔓延を減らす，**殺菌効果のある化学薬品**を開発。

1864年　**ルイ・パスツール**が**低温殺菌**を開発し，**感染症**は細菌によるもので，**人間によって感染が拡大する**という細菌論を提唱。

1876年　**ロベルト・コッホ**が，**異なる種類の微生物が異なる種類の病気の原因になる**という**細菌学**を確立。

1882年　**フラニー・ヘッセ**が**寒天プレート**を発明。

1905年　**フローレンス・ナイチンゲール**は，感染症を減らすため，**患者をケアする際の清潔さ**の重要性を発見。

1928年　**アレクサンダー・フレミング**が，**抗生物質**である**ペニシリン**を発見。

殺菌

フランス人化学者ルイ・パスツール（Louis Pasteur，1822～1895）は，ワクチンがどのように病気を防ぎ，微生物発酵がどのように作用するかを発見し，低温殺菌を発明しました。彼の飛躍的な発明によって多くの命が救われました。

科学の発見は，**蓄積**と**コラボレーション**です。パスツールが研究を発達させることができたのは，それ以前に行われたたくさんの人の研究があったからです。

発酵

パスツールの初期の研究は，**微生物の生命活動**の結果として**発酵**が起こることを示しました。発酵中，**糖**は**エタノール**と**二酸化炭素**に変換され，ワインやビールがつくられます。

病原菌論

パスツールは「感染症は細菌によるもので，人を介して広がる」という**病原菌論**を提唱しました。

　医学会は**パスツールの細菌論を受け入れるのには消極的でした。**彼が**化学者**であったため見下していたのです。しかしながらパスツールは**ワクチン**の技術を発達させ，**免疫学**の発展に貢献しました。

ワクチン

パスツールは**狂犬病**，**炭疽**，**家禽コレラ**のワクチンを開発しました。

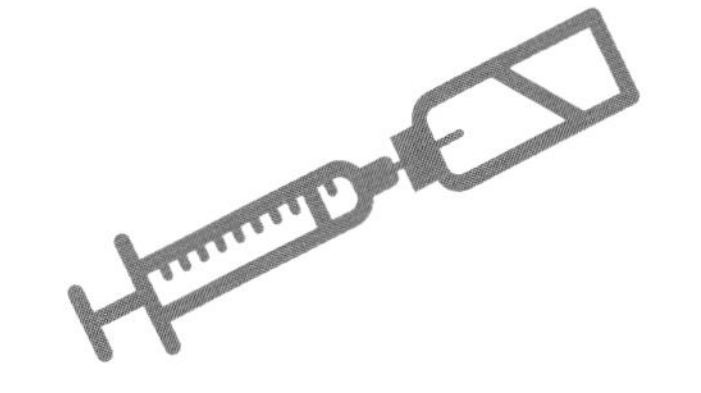

低温殺菌（パスチャライゼーション，Pasteurization）

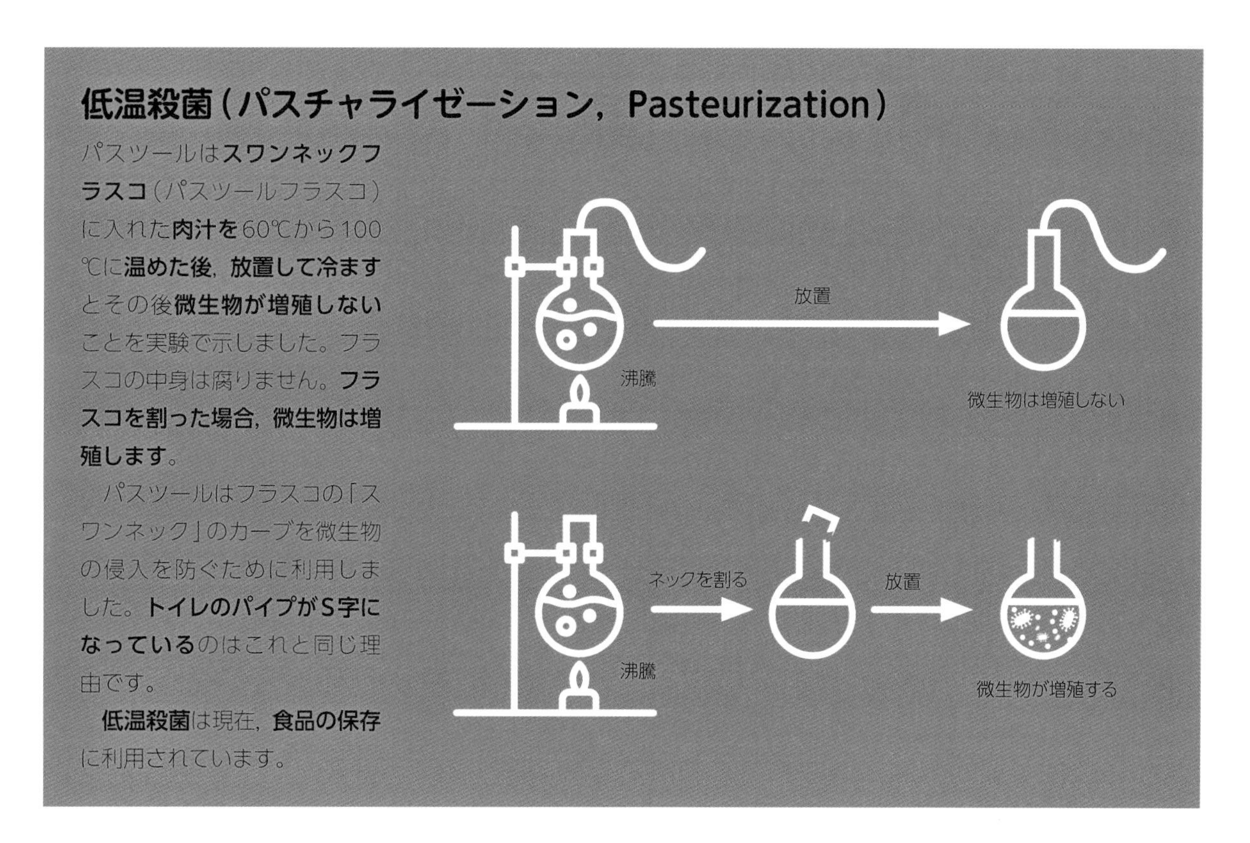

パスツールは**スワンネックフラスコ**（パスツールフラスコ）に入れた**肉汁を**60℃から100℃に**温めた後，放置して冷ます**とその後**微生物が増殖しない**ことを実験で示しました。フラスコの中身は腐りません。**フラスコを割った場合，微生物は増殖します。**

　パスツールはフラスコの「スワンネック」のカーブを微生物の侵入を防ぐために利用しました。**トイレのパイプがS字になっている**のはこれと同じ理由です。

　低温殺菌は現在，**食品の保存**に利用されています。

ワクチン

ワクチンは，弱い病原菌に触れさせることで，その病原体を見つけて攻撃できるように免疫システムを鍛える薬です。病原菌にさらされることよって自然免疫を高めます。

天然痘

伝染力の強いウイルスで，感染すると**発熱し膿疱ができます**。天然痘によって何十億もの命が奪われましたが，**ワクチンができて1979年に根絶されました**。

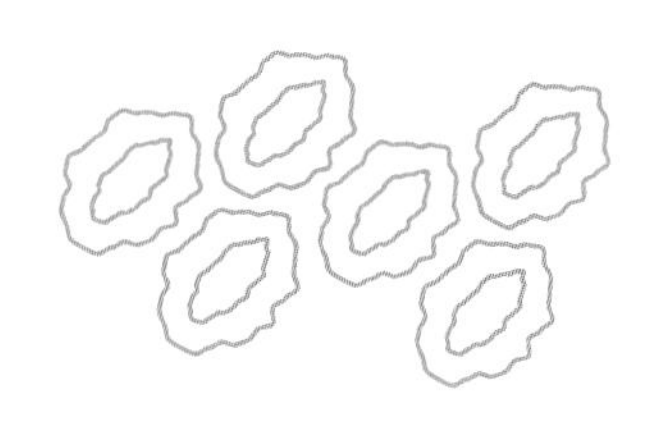

人痘接種

1022年，**中国，セイシュンの尼僧**が，**天然痘のかさぶたを挽き砕き，健康な人の鼻に吹き入れた**ことで知られています。これによって多くの人が天然痘に対する**免疫**を獲得しました。同じような慣例が**トルコ**まで広がりました。

ワクチンの実験

エドワード・ジェンナー（Edward Jenner，1749～1823）は，酪農場で働く，**牛痘に感染したことのある女性は天然痘に感染しない**ことに気づきました。牛痘と天然痘は同じ**ポックスウイルス**の仲間です。ジェンナーは天然痘に感染したことがない人に牛痘の菌を注射し，数カ月後，天然痘の菌を注射しました。結果，天然痘に**感染している人はいませんでした**。

予防接種

- **牛痘は，牛に比べ人間の体内では毒性が強くない。**
- 人間が牛痘の菌を取り入れることにより，より毒性の低い型の天然痘に対する**免疫システム**を獲得する。
- 一度感染した人は天然痘に対する免疫をもっているため，後に天然痘にさらされても，その**ウイルスを特定し，攻撃する術**を知っている。

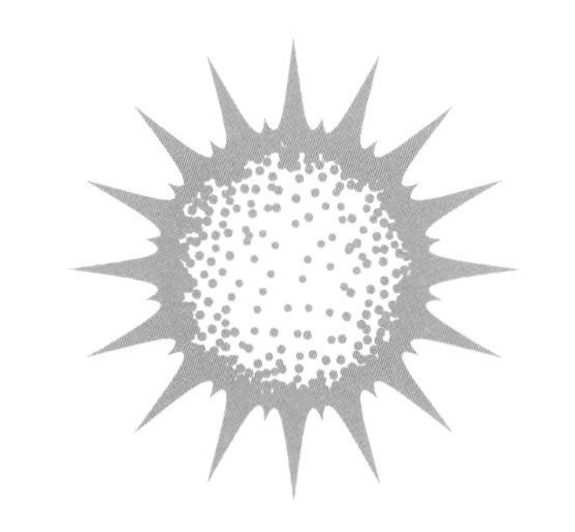

三種混合ワクチン

三種混合ワクチンは，子どもたちを**麻疹**（Measles），**おたふく風邪**（Munps），**風疹**（Rubella）という三つの恐ろしい病気から守ってくれ，MMRワクチンとも呼ばれています。**自閉症と明確な関連性はなく**，この二つを関連づけるクレームは明らかな間違いです。自閉症は病気ではありません。瞳や皮膚の色のように，**人間の多様性の一部**であり，**非難されるべきではありません。**

HPVワクチン

HPVワクチンは，**子宮頸がんを引き起こすヒトパピローマウイルス**（HPV）から守ってくれます。

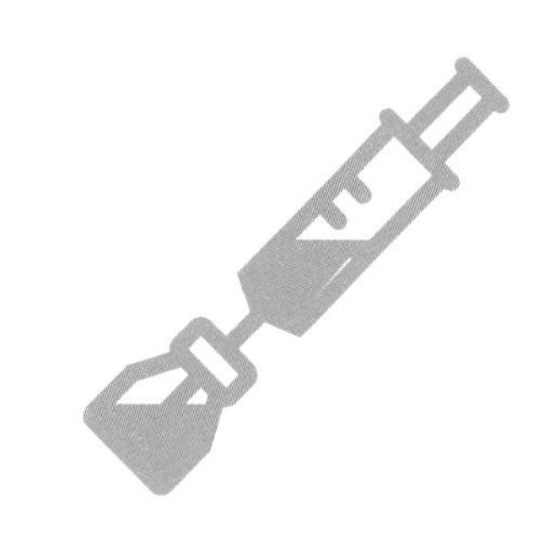

エボラ

エボラウイルスは**出血による死**を引き起こします。エボラは**人間の体内で生存できるよう進化しました**。人間が感染すると特に深刻な症状が出ます。現在も**ワクチンの開発中**です。

細菌学

細菌はあらゆるところに存在します。私たちを守ってくれるものもあれば，病気をもたらすものもあります。細菌が血液内に入ると致命的です。

細菌は**地球上で最も古い生命体の一つ**です。30億年以上存在しています。**原核生物**は，地球上で圧倒的多数を占めています。

細菌の作用

細菌に性別はありません。遺伝子の**水平伝播**を行います。すばやく進化して**抗生物質に対する耐性**を身につけるのはこのためです。多くの細菌は**寄生性**です。細菌は主に三つのグループに分けられます。

細菌の分類

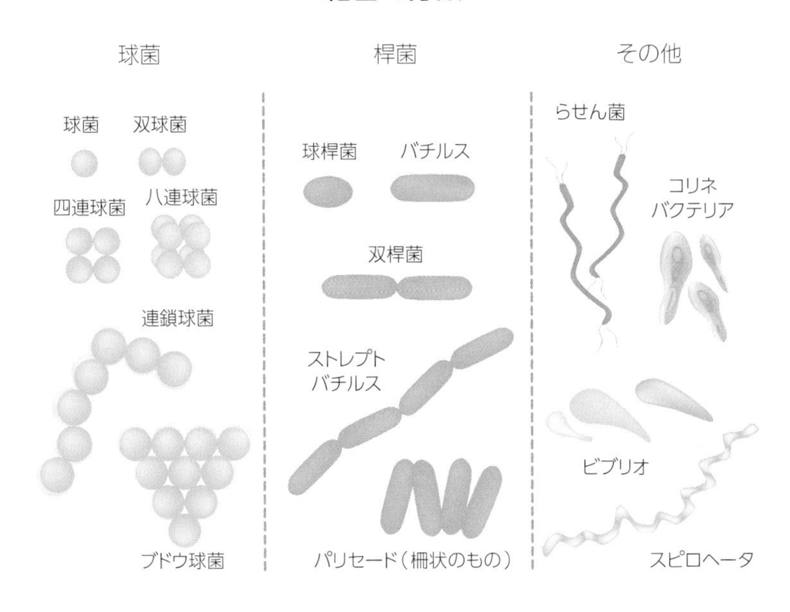

細菌の病原性

一種の細菌がいかに病原性を増加させるかという特徴を示しています。平たくいえば，たった一種類の細菌でも十分にケアする必要があるということです。

耐性菌

メチシリン耐性黄色ブドウ球菌（MRSA）は**「スーパー耐性菌」**で，多くの抗生物質に**対抗する**よう進化してきました。MRSAはほかの細菌感染症よりも**治療が困難**です。

細菌感染症

・細菌性髄膜炎
・肺炎
・結核
・上気道感染症
・胃炎
・食中毒
・眼感染症

殺菌の歴史

イグナーツ・センメルヴェイス（Ignaz Semmelweis，1818～1865）は**ハンガリー人医師**で，**患者と患者の治療の間に手を洗うことによって感染の広がりを防ぎ，命を救うことができる「消毒手順」を初めて取り入れました**。当時の**医学界**では，医師が病気を広げているという考えが受け入れられず激しい怒りを買い，**手洗いを拒否されました**。しかしセンメルヴェイスは正しかったのです。

イギリス人外科医，**ジョゼフ・リスター**（Joseph Lister, 1827～1912）は，**無菌手術**を発達させました。これにより**感染や死亡のリスクを低下させ，効果的な手術**を行うことができるようになりました。

イギリスの社会改革主義者で看護師，統計学者の**フローレンス・ナイチンゲール**（Florence Nightingale, 1820～1910）は，**以前であれば傷そのものではなく感染症で亡くなっていたであろう多くの負傷兵の命を救いました**。彼女の看護のアプローチは**衛生**の重要性を証明しました。

ウイルス学

いろいろな意味で，ウイルスは生きているとは言えません。ウイルスは細胞内寄生体と説明されますが，宿主がいなければ，複製も増殖もできません。

ウイルス

ウイルスには**一般的な風邪**や**肝炎，結核，H1N1インフルエンザ，狂犬病，HIV，エボラ，ヘルペス，麻疹，水ぼうそう**が含まれます。

- ウイルスは**タンパク質に包まれた一片のDNA（あるいはRNA）で構成されている。**
- ウイルスは**宿主のDNAや細胞機構を乗っ取って，自身を複製する。**
- ウイルスは細菌，虫，植物を含む**すべての生体に感染する**可能性がある。

多様性

ウイルスのサイズはマイクロメートルレベルからナノメートルレベルまでさまざまです。

ウイルスの病原性

ウイルスの病原性とは，**病原性**をどれほど増加させるかというウイルスの特性です。時間が経つにつれて低下または増加します。

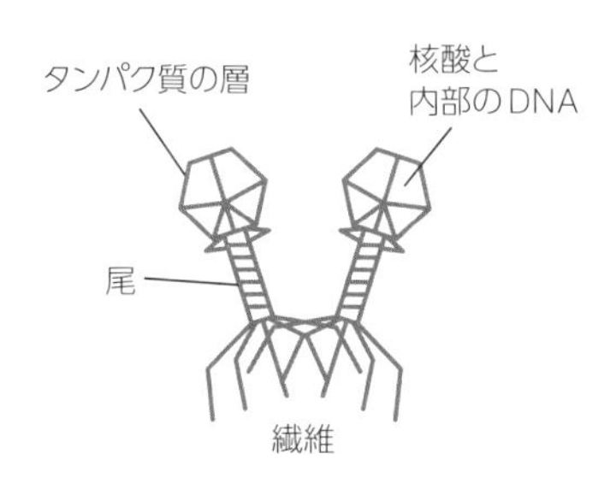

ウイルスの構造とライフサイクルの簡略図

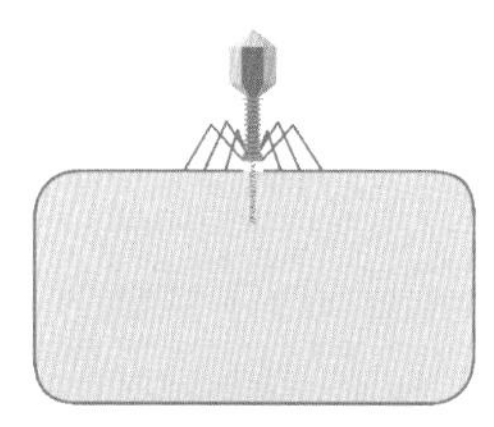

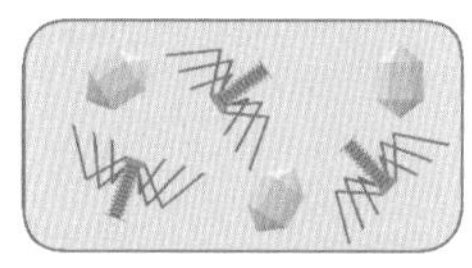

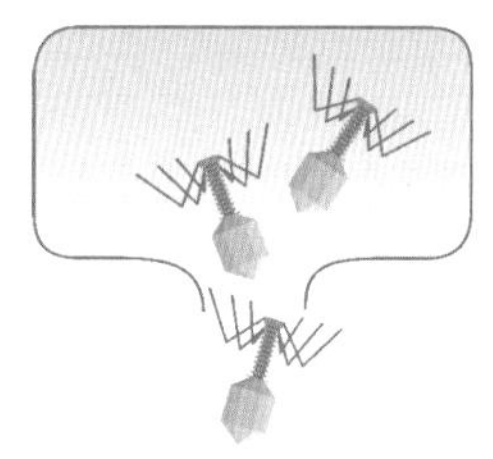

HIV —— エイズを引き起こすウイルス

1930年代以降，世界中で7000万人がエイズに**感染し**，3500万人が**命を落としました**。HIVの歴史はエイズによって汚名を着せられ軽視された方々にとって，大きな損害と**不正義**の歴史です。正しい治療を施せば，HIVは**もう死刑宣告ではありません。**

フランス人ウイルス学者フランソワーズ・バレ＝シヌシ（Françoise Barré-Sinoussi）は共同でHIVを発見した功績を称えられ**リュック・モンタニエ**（Luc Montagnier）と，また**子宮頸がんを引き起こすヒトパピローマウイルス**を発見したハラルド・ツア・ハウゼン（Harald zur Hausen）とともに**2008年にノーベル生理学・医学賞**を受賞しました。

レトロウイルス

レトロウイルスは**宿主のRNAを利用して増殖します。**増殖は主に五つのステップで進行します。

1. **付着**：バクテリオファージウイルスが宿主の細胞に付着する。
2. **侵入**：ウイルスのDNAまたはRNAを細胞に注入する。
3. **生合成**：ウイルスのDNAまたはRNAを複製し，タンパク質を生成する。
4. **増殖**：ウイルスのタンパク質がつくられ，新しいウイルスを形成する。
5. **溶解**：新しいウイルスが細胞から出ていく。

宿主とウイルスDNAの相互作用によって，**ウイルスDNAまたはRNAが宿主のものに組み込まれます。宿主のDNAを変異させたりダメージを与えたり**しなければ，ウイルスはそこに**居続けることができます。**もしこれが**生殖細胞**（精子または卵子）で起これば，**ウイルスDNAの足跡が受け継がれていきます。**

極限環境微生物

極限環境微生物は，過酷な環境で生きています。極限環境微生物は過酷な環境に順応したのでしょうか，それともより原始的な生物形態から進化したのでしょうか？

極限環境微生物の種類

放射線耐性
好酸性：pH 1～5の酸に適応
好アルカリ性：pH 9～14の塩基性条件に適応
好熱性：高熱に適応
好冷性：低温に適応
好熱好酸性：高熱と酸に適応
好乾性：強い乾燥に適応
好圧性：強い圧力に適応
好塩性：高い塩分濃度に適応

熱水噴出孔

熱水噴出孔では，水が400℃近くまで**熱せられ**硫化水素が放出されており，**ほかの生物は生きられません**。これらの噴出孔は，***Picrophilus torridus***とよばれるアーキア，**ナンキョクオキアミ**，いわゆる**ポンペイワーム**を含むあらゆる生態系を支えています。

岩石内微生物

岩石内微生物は地表面下の多孔質岩の中に生息しています。太陽から隔絶された南極の地中深くの岩の中に，**地球の海に生息するすべての生物よりもはるかに多い量の微生物**が暮らしています。

古代細菌

2000年に，**地下約560 mの塩の結晶**の中から古代**細菌の胞子**が発見されました。**およそ2億5000年前のもの**と考えられています。

緩歩動物

クマムシとしても知られるこれらの**ほとんど顕微鏡でしか見えない無脊椎動物は，真空で生きる**ことができ，**大気圏の6000倍の圧力に耐える**こともできます。また**乾眠**（仮死状態）することもできます。

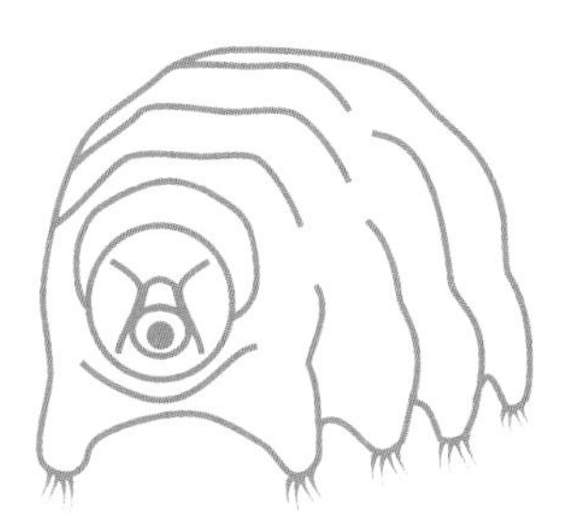

宇宙空間

細菌は**真空では生きられません**。しかし，**空洞に隠れて放射線から身を守る**ことができます。**ボツリヌス菌は宇宙で生きられる胞子をつくります**。

宇宙生物学

宇宙生物学は**地球科学**，**生化学**，**天文学**，**地球物理学**，**生態学**を合わせ，**生命の起源**や**初期の進化**，**未来の生命**について探るものです。宇宙生物学者は，極限環境微生物が**太陽系や宇宙のほかの場所で進化する可能性**について研究しています。

エンケラドゥスとエウロパ

土星の衛星エンケラドゥスと，**木星の衛星エウロパ**の**表面は氷におおわれていますが，その下に液体の水が存在します**。地球の海と条件が類似している部分があります。

火星

生物は放射線や火星の条件で生き延びられませんが，**過去に生物がいた可能性はあります**。

生体材料

生体材料は生物によって合成されたり，相互に作用しあったりしています。調剤や医学に加え，建築やデザイン，織物などにさかんに用いられています。

バイオミネラル

骨，羽根，牙，貝殻などは生物によってつくられる鉱物です。

生物は自身の**保護や強化**，そして**周囲の環境を感知する**ためにバイオミネラルをつくります。多くの生物がバイオミネラルを形成しています。

- **ケイ酸塩**：海綿，藻，珪藻
- **炭酸塩**：無脊椎の貝
- **リン酸カルシウムと炭酸塩**：脊椎動物
- **銅と鉄**：一部の細菌

貝とサンゴ礁

サンゴ礁や貝は，**溶解炭素**を**炭酸カルシウム**（$CaCO_3$）**に変える**ことで**頑丈な構造を合成**します。酸は$CaCO_3$を溶かしてしまうため，**海洋酸性化**はこうした生命体にとって大きな危険をもたらします。

条件	化学反応	効果
通常の大気圏のCO_2濃度	↓二酸化炭素 CO_2 ＋ 水 H_2O → 炭酸 H_2CO_3 → 化学反応 HCO_3^- ↓ H^+ ／ 炭酸イオン CO_3^{2-} ← 重炭酸イオン HCO_3^- ／ Ca^{2+}↑ ＋ 炭酸イオン → 炭酸カルシウム $CaCO_3$↑	通常のpH 8.2 厚い貝と健康なサンゴ

ヒドロキシアパタイト

この**複合体結晶**〔$Ca_5(PO_4)_3(OH)$または$Ca_{10}(PO_4)_6(OH)_2$〕は**骨格**において重要です。**外部からの力が加わる向きに強度を発揮**します。赤ちゃんの**ひざのお皿**はまだ固まっていません。歩く練習を始める頃，ひざの軟骨が**骨になり始め**（カルシウムを含む結晶をつくり出すことにより）**硬くなります**。ヒドロキシアパタイトがもつ性質のおかげによります。

クラゲ

クラゲは，特別な膜内の**タンパク質**にある**硫酸カルシウム**（$CaSO_4$）**の粒子**によって，**地球の重力場を感知し**自分の進む方向を決めます。

走磁性細菌

水生細菌の多様なグループは，地球の**磁力線**に沿って進行します。これは，Fe_3O_4という**鉄の結晶**のために起こります。鉄（Fe）は**強磁性**です。

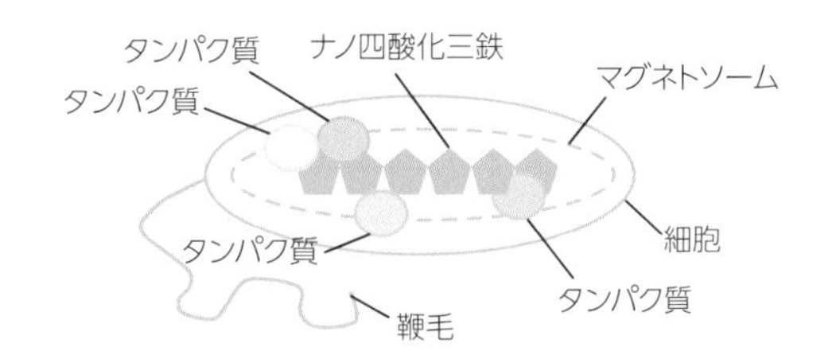

バランス

私たちの**内耳の骨**は，**平衡感覚**を担っています。

バイオデザイン

バイオデザインの分野では，**自然のものを使ってデザインし，自然に起こる現象と連携する方法**が模索されます。

デザイナー，**ナツァイ・オードリー・キエーザ**は，**毒となる副産物を出さずに布地を染色**できる**色素生成菌**の研究を始めました。

菌類

菌類は動物でも植物でもない不思議な生物です。
多細胞のものもあれば，酵母のように単細胞のものもあります。

・およそ10億年前に原生動物から進化した。
・150万種類存在すると考えられている。
・分類学的にはこれまでに12万ほどが体系化されている。
・食べられるものもあるが，有毒のものが多い。

繁殖

接合菌綱としても知られる菌類は，**有性胞子**または**無性胞子嚢胞子**を放出して，**有性的および無性的に繁殖します。**菌類は性別の代わりに**交配型**をもっています。交配型を数百種類もつものもいます。菌類の**繁殖は数秒で終わるものから数百年かかるものまで**あります。

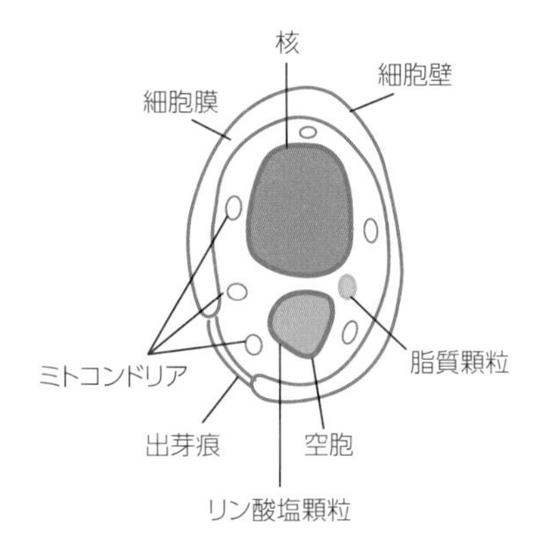

菌類の生活戦略

・**分解者**：木などの**物質を分解**する。
・**共生**：共生する植物が**栄養を吸収**するのを助け，**菌根を使って自身を埋め込む。**これは**生態系**や**農業**に欠かせない。
・**寄生**：**宿主の命を奪うことなく必要な栄養素を摂取**する。
・**捕食**：**菌糸**を使って**獲物を捕らえる。**

菌類の食物

菌類は，**強力な酵素**を分泌することによって**必要な化合物を環境に放出させ，腐らせたものを食べます。**菌類は**従属栄養生物**（自分で自分の食べ物をつくり出せない）です。

菌糸

繊維のような構造をもち，**菌類が食べるあらゆるものを取り巻くように伸びていきます。**菌糸は，**貝や外骨格に見られる多糖類であるキチンを含んでいます。**

菌類と細菌の戦い

菌類と細菌が**同じ資源を巡って争う**とき，**分子の取り合い**をしています。

菌糸体

巨大なクモの巣状の菌糸で，**栄養を吸収する表面積を最大化します。**これが菌類の本体で，**地中にあります。菌類がうまく栄養を摂取すると，土壌が健全に維持されます。**

子実体

子実体（胞子嚢）は菌類が**胞子をつくるための器官**です。

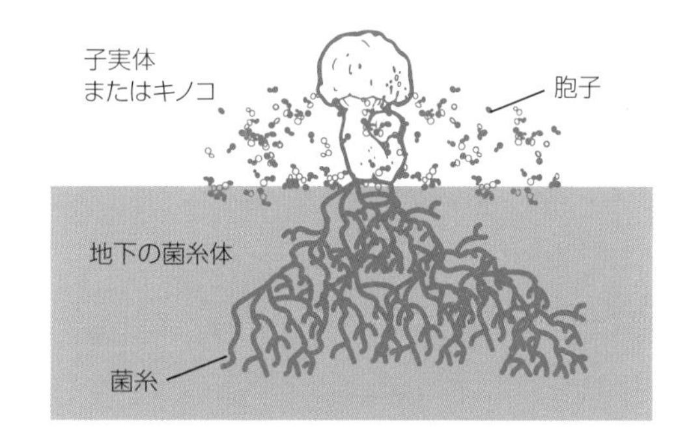

真菌感染症

菌類は，**人間**や**動物**，**植物**に感染します。**作物**への真菌感染症は，**農業にとっての大きな脅威**です。**世界的な温暖化**によって真菌感染症の**危険性が増加**しています。

4 生物学・医学

ペニシリンの発見

1800年代，結核が死亡原因の25%近くを占めていました。1940年代になるとバラのとげを刺してしまった傷から敗血症にかかり亡くなってしまうことはほとんどなくなりました。

1928年，細菌学者**アレクサンダー・フレミング**（Alexander Fleming）は研究所で使用していた，**黄色ブドウ球菌**をつけた寒天プレートが，**カビ**に汚染されているのを発見しました。そのとき彼はカビが**細菌を寄せ付けないバリア**をつくったことに気づきました。

フレミングの論文を見つけた科学者**ハワード・フローリー**（Howard Florey）と**エルンスト・チェーン**（Ernst Chain）は第二次世界大戦中，生化学者**ノーマン・ヒートリー**（Norman Heatley）とともにペニシリンを使って実験を行いました。器具の調達が困難だったため，**古い本棚や牛乳瓶から**ペニシリンを抽出する**装置を自作**しました。

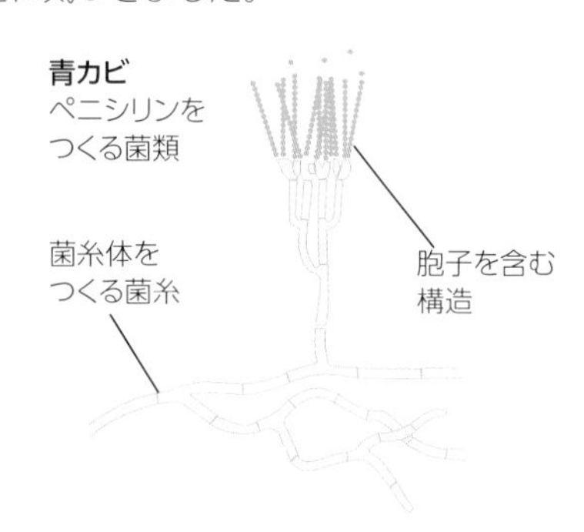

1940年9月，**アルバート・アレクサンダー**という男性が誤ってバラのとげで顔を引っかいてしまいました。その傷は腫れ，感染症を起こし敗血症になりました。フローリーとチェーンはアレクサンダーにペニシリンを試してみると，彼は**すぐに回復した**のです。しかし残念なことに**アレクサンダーが完全に回復する前に，ペニシリンが不足してしまいました。**

ペニシリンの生成や抽出は難しいものでしたが，**異なる種類のカビの菌株**から十分な量をつくることができました。戦争が終わる頃までには，もはや**細菌感染症で亡くなる人はいなくなりました。**

構造

1945年，**ラクタム環**を含むという**ペニシリンの構造**が，**ドロシー・ホジキン**（Dorothy Hodgkin）によって発見されました。ペニシリンは，**細胞膜に結合することで細菌を殺します。**

ペニシリンの構造	側鎖	薬剤名
R—C(=O)—N(H)—C(H)—C(H)—S—C(CH_3)(CH_3)—C(H)—N—C(=O)（ラクタム環），C(=O)OH	$-CH_2-$⌬	ペニシリンG
	CH_2-O-⌬	ペニシリンV
	$-CH(CH_2)-$⌬	アンピシリン
	$-CH(CH_2)-$⌬$-OH$	アモキシシリン
	CH_3O, CH_3O, ⌬	メチシリン

ペニシリンの発達

「フレミングなくしてフローリーやチェーンはない。チェーンなくしてフローリーはない。フローリーなくしてヒートリーはない。ヒートリーなくしてペニシリンはない」
1998年，ヘンリー・ハリス教授

抗生物質耐性

フレミングは，注意して使わないと細菌は進化して**抗生物質に耐性をもつようになる**と警告しました。抗生物質は**感染症が完全に消えるまで使わなくてはならず**，また**使いすぎてもいけません。農業における抗生物質の使用と人間による過剰摂取が細菌の耐性獲得を後押しします。**

細菌は

1. 抗菌薬を分解する酵素を進化させる。
2. 抗生物質のターゲットとして使われる細菌タンパク質が変化するように進化する。
3. 細胞膜を変化させるよう進化する。

アレルギー

ペニシリンに**強いアレルギー反応**を起こす人もいます。

光合成

光合成は，植物が自身の栄養をつくり出すための化学的プロセスです。植物は独立栄養生物で，自らの栄養素をつくり出すことができます。

植物細胞の構造

植物細胞は**固い細胞壁**をもち，**色素体**を含んでいます。**クロロフィル**は**葉緑体**である**色素体**の中に含まれる**色素**です。葉緑体は，**エネルギーとして使うために光子を吸収する細胞小器官**です。

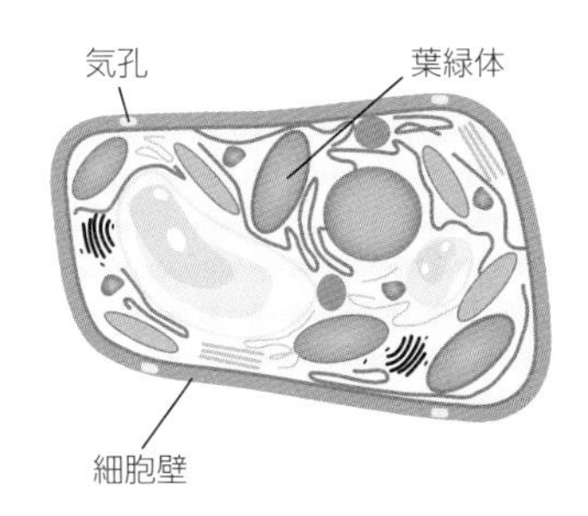

葉緑体は内部に**脂質二重層**を含む**複雑な構造**になっています。**チラコイドはルーメンとクロロフィルを含み**，これらは**グラナ**とよばれる構造に蓄積されます。**ストロマ**はチラコイドの外側にあります。

植物に**光子**が到達すると，葉緑体における**光合成の第一段階が始まります**。つまり**水の分子を分解します**。これは**光に依存しない反応**を引き起こし，**糖と酸素**を生成し，**光合成を完了します**。完全反応は以下の通りです。

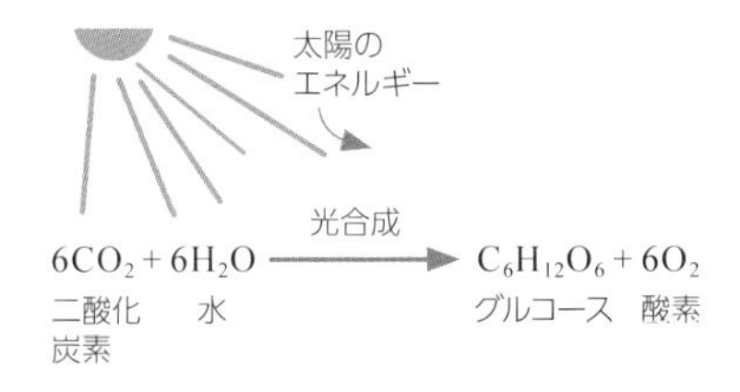

植物が緑色に見えるのは，植物が緑色の光を反射しているからです。植物は**赤い光だけを吸収します**。**ジャングルの奥深く**には葉が**赤または紫**の植物もあります。これは，**吸収する光子を最大限にする**ため，**赤い光を反射して葉に戻している**ためです。

植物組織の構造：C3型，C4型，CAM型

生息する場所の気候によって，植物の**組織構造は異なります**。また**光合成中に二酸化炭素をどのように固定するか**も異なります。

C3型：大部分の植物はこの型：蒸散によって水を失う。カルビン回路で二酸化炭素を固定する。反応に使われる酵素：ルビスコ

C4型：熱帯のイネ科植物：蒸散によって失う水分量は通常より少ない。細胞質内で二酸化炭素を固定する。使われる酵素：ホスホエノールピルビン酸カルボキシラーゼ

CAM型：多肉植物，パイナップル，サボテンなど：節水。夜間のみ二酸化炭素を固定する。使われる酵素：ホスホエノールピルビン酸カルボキシラーゼ

クロロフィル

クロロフィルには***a***（**CH_3分子を含む**）と***b***（**CHOを含む**）の**異なる形態**があります。どちらも**安定していて，単結合と二重結合が交互に並ぶ**ことで**中央のマグネシウム原子のまわりの電子軌道を非局在化しています**。これにより，**性能の高い光受容体**となっています。

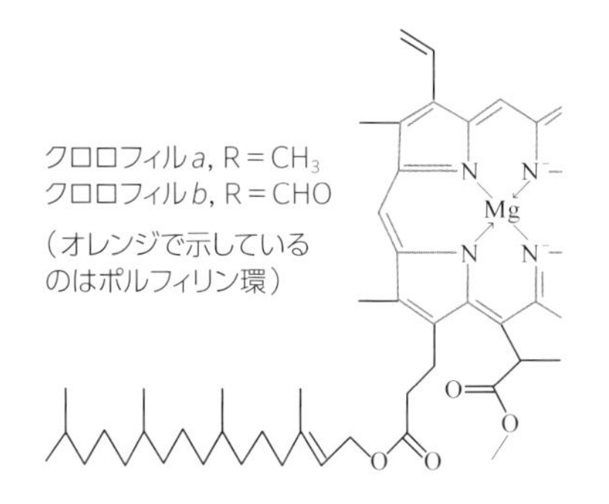

シアノバクテリア

水中には多様な細菌が生息し，エネルギーを生成するために光合成をしています。シアノバクテリアは，**唯一の独立栄養生物**です。**光合成**は，**細胞内共生**とよばれる過程で，**細胞がシアノバクテリアを取り込んだ**ことから進化しました。光合成は，24億5000万～23億2000万年前に**初めて進化した**と考えられています。

多細胞生物

多細胞生物では，それぞれの特別な働きをする細胞がたがいに助け合い，生物全体を支えています。

多細胞生物の進化

地球が誕生して10億年ほど経過したおよそ35億年前に，**単細胞生物が初めて誕生**しました。**多細胞生物は何度も進化を繰り返した**結果，**植物や動物，菌類とさまざまな種が生まれました。多細胞性**が進化するためには，以下に示す出来事が起こる必要があったと考えられています。

1. 細胞と細胞の**接着**。
2. 細胞と細胞の**分子レベルのやりとり，連携，特殊化**。
3. **単組織から複合組織への移行**。

海綿

海綿は，**層を構成しない単組織をもつ多細胞生物**で，**特殊な機能がないたくさんのスポンジ状の細胞でできています**。海綿はわかっているだけでも約1万種類存在します。

多細胞生物の発達

- **性細胞**（受精卵）が**受精**（卵子と精子が結合）すると**分裂して増殖する**。
- **形態形成**：細胞は**特定の形**をとり始める。
- **分化**：細胞は**異なる組織へと特化**する。

構造の複雑化

- **外胚葉**：外側の層（貝殻や皮膚）
- **内胚葉**：消化
- **中胚葉**：臓器組織
- **体腔**：流体で満たされた空洞

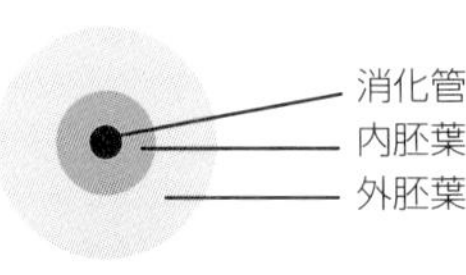

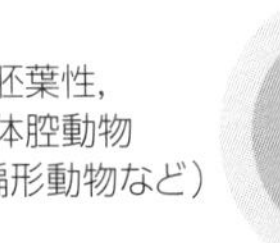

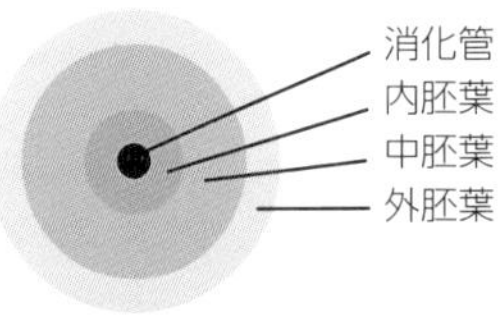

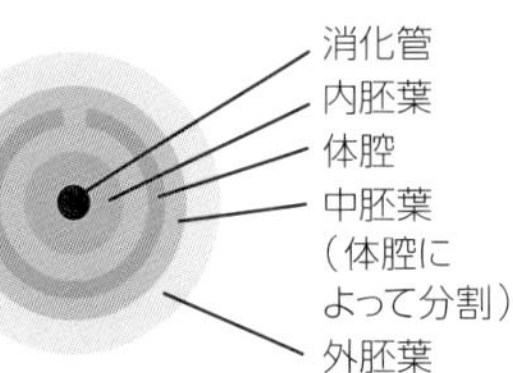

シンプルな生命体

二胚葉：

刺胞動物（**クラゲ，サンゴ，ヒドラ，イソギンチャク**）やその他の二胚葉動物は**二つの胚葉**をもっています。

三胚葉性の無体腔動物：

線虫や**鉤虫**（こうちゅう），**輪虫**といった**三つの胚葉をもつ**シンプルな生命体。

三胚葉性の体腔動物：

二枚貝，カタツムリ，イカといった動物は**体腔**（**流体で満たされた空洞**で，**臓器を保護**します）とよばれる組織構造をもっています。

複雑な動物

肋骨，歯，脳のひだ，眼球など，組織層によって**区分**が生まれます。

環形動物：

ヒルや**ミミズ**

節足動物：

甲虫，クモ，ロブスター，チョウなど，**外骨格**と**関節肢**をもつ**無脊椎の昆虫**

脊索動物：

鳥，動物，魚など，**脊髄**をもつ**脊椎動物**

共生

共生は種と種の間の相互関係です。栄養源を求める種の間の競争が生態系での多様性を生む原動力になっています。一方で競争は連携を生みます。共生関係は至る所に存在します。

種類

寄生：一方の種には恩恵があり，もう一方には害がある。
相利共生：両方にとって恩恵がある。
片利共生：一方の種には恩恵があり，もう一方には恩恵も害もない。

虫媒植物

花を咲かせる植物は**甘い花蜜**をつくり，**昆虫はそれを食べます**。昆虫が自らの栄養を得るために花から花へと移り，同時に**植物の花粉を運んで次の世代をつくる**手伝いをしています。

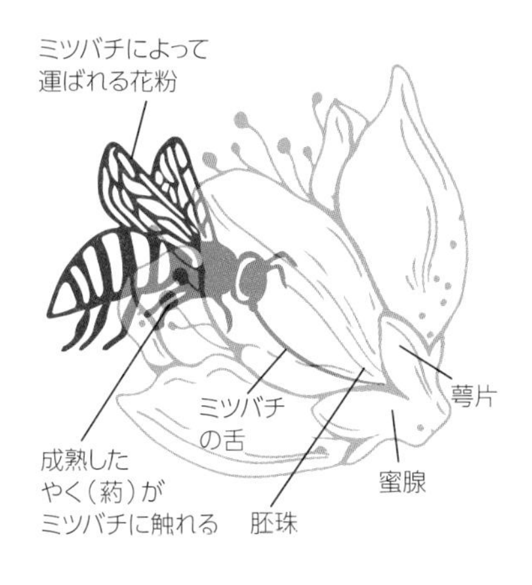

サンゴと褐虫藻

サンゴ礁は，**ポリプ**（クラゲと類似）でできていて，**口**，**触手**，**消化管**があります。**溶解した鉱物**を取り込んで**タンパク質**と組み合わせ，時間をかけて自分が住む**炭酸カルシウム構造**を構築します。ポリプは，**触手で刺して小さな生物を捕まえ消化します**。**造礁サンゴ**には，**褐虫藻**（かっちゅうそう）が共生しています。これは**光合成をする藻で**，**酸素とグルコースを生成し**，日中はこれを栄養にしています。**グルコースは，藻とポリプにとっての栄養です**。代わりにポリプが捕獲した食物（そしてポリプが**放出する二酸化炭素**）が**藻にとっての栄養**になっています。サンゴと藻は24時間栄養を摂ることができ，また驚くことに，**サンゴの次世代は，それぞれ褐虫藻を獲得し共生します**。

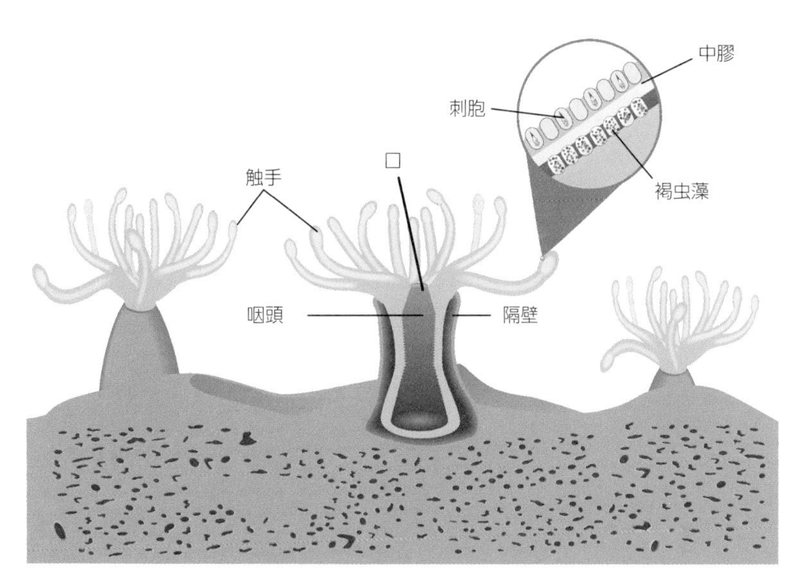

クマノミ

クマノミは，**イソギンチャク**（クラゲやサンゴのポリプと同様に）と**共生関係**にあります。**イソギンチャクの触手はクマノミを捕食者から守り，クマノミはイソギンチャクを小魚から守り**，また**イソギンチャクを清潔に保ちます**。イソギンチャクが生成する**特別な粘液におおわれる**ことによって，**クマノミはイソギンチャクの毒に対する免疫を獲得**します。

マイクロバイオーム（微生物叢）

細菌や古細菌，菌類といった微生物は，共生関係にある他の生物の表面や内部で生きています。そうした微生物がいなかったら私たちは生きることができません。微生物は私たちを感染症から守り，私たちが食べる食物を分解し，栄養素やエネルギーを放出しています。

私たちの体は，**細菌，菌類，アーキアとよばれる単細胞生物，ウイルス**を含む何十億もの微生物を宿しています。**マイクロバイオーム**は，**すべての遺伝子とこれらの生物の組み合わせ**です。**マイクロバイオームは，健康で良い暮らしをするのに非常に重要です。**

共生

人間は多くの微生物と**共生関係**にあります。マイクロバイオームは健康においてきわめて**重要**であるため**「忘れられた臓器」**といわれることもあります。**マイクロバイオームが多様であるほど，より健康でいることができます。ある種の微生物が体内に侵入すると，病気を引き起こします。**── これが**感染症**です。

食物

あなたが何を食べるかは，微生物叢にとって重要です。**食物繊維**を多く含む食事をとることで，消化器官は規則正しく活動します。食物が腸内を一定のペースで正しい場所に運ばれないと**腐敗して毒性になり**，私たちの**健康を保ってくれている微生物を殺してしまいます。脂肪や糖を過剰に摂取すると消化速度が遅くなり，微生物の力が弱まって**しまいます。

慢性疾患ピラミッド

微生物叢の共生

微生物叢の破綻

腸内微生物叢ピラミッド

食中毒は，**微生物叢のバランスを崩す**新たな細菌の侵入により起こります。

人間以上

人体内の微生物は，人間の全細胞の数を大きく上回る，10倍ほどの細菌細胞が存在します。

腸内マイクロバイオーム

腸内フローラとよばれることもあります。細菌なしでは私たちは食物を消化できませんし，食物から栄養素を吸収することもできません。ビタミンをつくる，食物を分解する，感染症から守るなど，腸内細菌は種類によってそれぞれの役割を担っています。

皮膚のマイクロバイオーム

皮膚にも細菌や菌類，ウイルス，古細菌が常在しています。マイクロバイオームのバランスが崩れると皮膚感染症や自己免疫疾患，ニキビなどを引き起こします。

進 化

進化とは生物集団の遺伝的特徴と遺伝形質における変化の蓄積です。
進化は，多様で，より「複雑な」生物へのステップで，直線的な変化のステップではありません。

『種の起源』

ダーウィン以前の多くの科学者たちも，ガの羽の模様からカニの模様まで，**種が時間をかけて変化してきた**ことに気づいていました。アラブ人学者**アルジャーヒズ**（Al-Jahiz，776～868）は，**時間と地理に関連した，競争と捕食を通しての変化**について記しています。ダーウィンの業績は1859年に『**種の起源**』を出版し，**自然選択説**を示したことです。**アルフレッド・ラッセル・ウォレス**（Alfred Russel Wallace，1823～1913）も，この考えにたどり着いていました。

自然選択のキーポイント

- **生存と繁殖**は特徴の多様性に依存している。
- 集団における**遺伝的特徴**は**時間をかけて変化**する。
- **多様性**はすべての集団内に存在する。

共通祖先

人間とチンパンジーのDNAは98.4%が共通しています。人間がチンパンジー**から進化した**という考え方は間違っています。人間とチンパンジーはおよそ700万年前に**共通の祖先から進化しました。クジラ，シャチ，イルカ**は，およそ5500万年前に，**カバ**や**牛**，**レイヨウ（羚羊）と共通の祖先**から進化しました。

「適者生存」は誤解を招きやすい表現です。これは「最も強い」という意味ではなく，生物がその環境で「いかにうまく子孫を残し，いかに繁栄できるか」という意味です。

羽毛恐竜

およそ2億130万年前の**三畳紀－ジュラ紀の絶滅**を**生き残った生物**の中に**小さな羽毛恐竜**がいました。現在の**鳥類の共通祖先**です。**ワニ類**と鳥類の祖先は同じです。

適応

種はその環境に**適応**します。**遺伝形質**は，その環境により適応できるようになります。**環境により適応した生物は次の世代を残せる可能性が高まります。**1835年，**チャールズ・ダーウィン**（Charles Darwin，1809～1882）は，ガラパゴス諸島を探索しました。それぞれの島に，島の生態系やその島で得られる食物に合わせて**くちばしの形が変化**した，**それぞれの島固有のフィンチ**がいることに気づきました。

遺伝と変異

生物が子孫を残す前に死んでしまったとしたら，その遺伝子は遺伝子プールから失われることになります。生物がたくさんの子孫を残したとしたら，その遺伝子は遺伝子プールから簡単に使えることになります。

遺伝子に関する専門用語

- **対立遺伝子**：多くの形態が存在する遺伝子
- **遺伝子型**：特定の特徴に対する遺伝子
- **表現型**：その生物の形態，構造，行動，生理的性質などの形質

環境効果

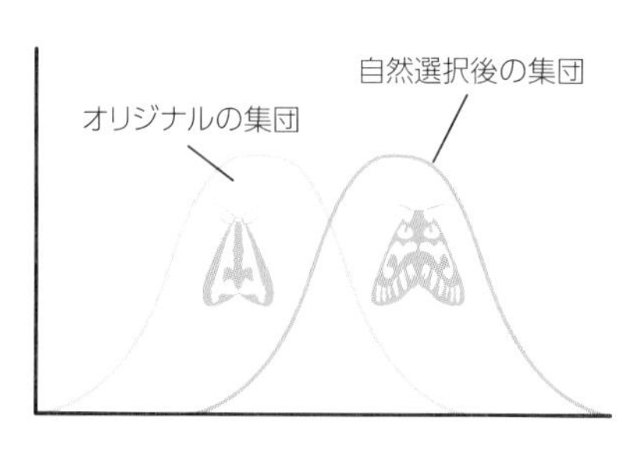

表現型発現は**発現された遺伝型**と**環境**の結果です。19世紀，薄いグレーの**オオシモフリエダシャク**（ガの一種）は**苔におおわれた木**の上で完璧なカモフラージュをしていました。ところが工業地帯の**スモッグ**や**大気汚染**によって**苔が生えなくなり，木は黒くなってしまいました。**ほかと比べて薄いグレーの**ガはより目立ってしまい捕食され，選択圧によってより濃い色のガが生き残ったのです。**

突然変異

遺伝子変異は，生物にとって**有益で**ある場合もあれば**そうでない**場合も，それどころか**危険**である場合もあります。突然変異は，**その生物に与える影響とはまったく関係ありません。**突然変異は，**ランダム**に発生します。**遺伝による適応**と同時にランダムに発生し，**各世代に伝えられます。突然変異は，生き残るための特徴となりえます。**

遺伝形質

特徴には**「劣性」**と**「優性」**があります。**優性の遺伝子型**は**遺伝する可能性が高い**ようにみえます。運動することによって筋肉が増強されるなど，**表現型の特徴の変化は遺伝されません。**両親がトレーニングをしたからといって筋肉が発達した赤ちゃんが生まれるわけではないのです。**環境と遺伝という文脈**のなかで，**遺伝的形質**が**選択によって**引き出されます。

遺伝的浮動

適応や突然変異と同時に**浮動**も起こります。これは**対立遺伝子のランダムな変化**で，小さな集団では，**ある特徴が消えてしまう**こともあります。

エピジェネティクス

エピジェネティクスは，**遺伝子発現が世代から世代に伝えられるパターンを研究する**ものです。**妊娠**の段階によって，エピジェネティクスにより**ストレスが遺伝される可能性があります。**

エピジェネティクスのメカニズム

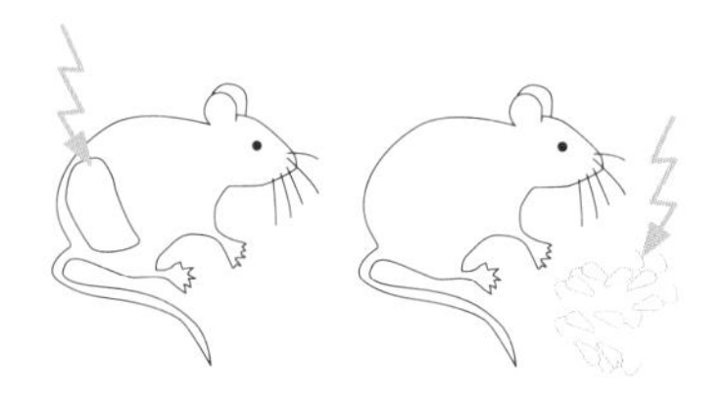

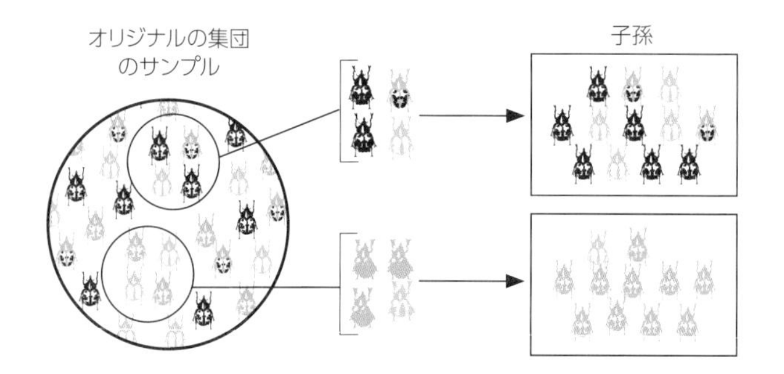

ペットの進化

5000年以上に渡る**選択飼育**を通じて，人間はオオカミをセントバーナードやチワワに変えました。**近親交配**の結果，あらゆる動物に**深刻な健康問題**が起きています。

動物学

動物学は，動物がどのように生活し，どのように環境に適応し，それぞれがどのように争い，共生しているかという生物の研究です。比較解剖学は，異なる種の生体構造の比較です。

動物学的な分類

生物の分類は，生態学者や科学者が比較研究を行うのに重要です。**分類体系**は**進化関係**を反映しています。

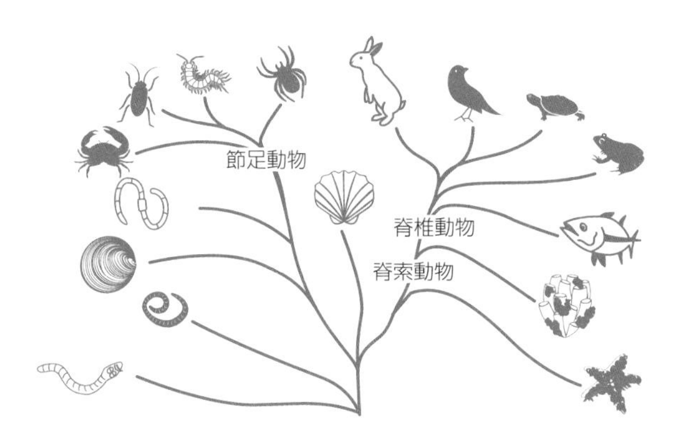

特定の種は分類上のカテゴリーに整理されます。

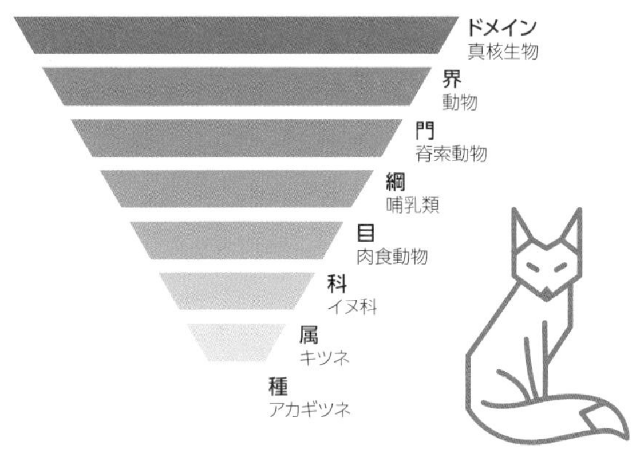

収斂(しゅうれん)進化

まったく異なる種でも，**類似した形をしている部位**をもつものがいます。**ペンギン**や**アシカ**の生体構造が**類似している**ことは，厳しい**極地の生態系**についてや**その場での進化**について多くのことを教えてくれます。厳しい冬を生き残るために，**大きな体**や**ヒレ足**や**代謝的適応**の機能をもっています。

形態学

形態学は，体の**大きさや形**など，構造的特徴の研究です。**イルカ**は**魚竜**（絶滅した恐竜）と身体構造が非常によく似ています。魚竜はおよそ2億5000万年前の水中にいました。その化石から，現在のイルカのように**ヒレ**があり，**肉食**で，卵生ではなく**胎生**で子どもを産んでいたことがわかっています。しかしながら**魚竜**は**遺伝学的にはよりニワトリに近く**，**イルカはよりウサギに近い**といえます。

骨格の形態

さまざまな生物の**上肢**を比較することで，泳ぐ，飛ぶ，登るといった特定の状況に適応するために進化した同じ**骨の構造**が，どれくらいの**長い進化の時間**を経たのかがわかります。これは**進化的な祖先**との遺伝関係を示す証拠にもなります。

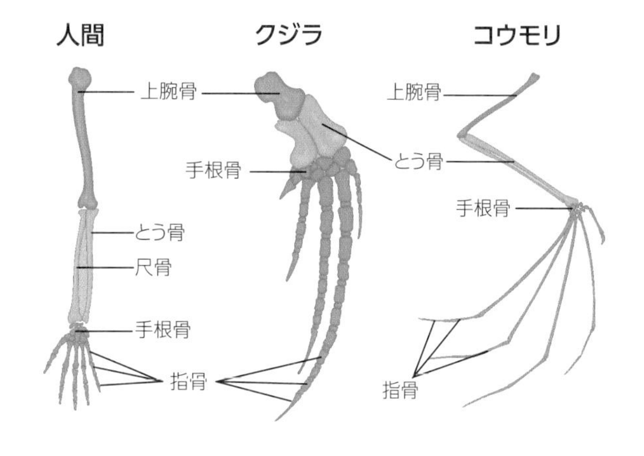

比較と組織型

動物細胞は，**移動したり食べたりするためのいくつかの部位**をもっています。しかし一度，栄養素が体の中に入ると，**動物細胞の栄養素へふるまいはほとんど同じ**です。**冬眠**や**鳥の渡り**などのために行う**代謝に適応した特殊な機能**をもつ動物細胞もあります。

生殖とクローン

無性生殖する種もあれば，性行動を行う種もあります。双子は天然のクローンです。

生殖細胞または生殖母細胞

- 生物の生殖細胞。**菌類の胞子**，**脊索動物の卵子と精子**など。
- 生殖母細胞は**一組の染色体**をもつ**「半数体」**。
- **人間の生殖細胞**には**23の染色体**がある。

体細胞

- 生物の細胞は**体細胞**。
- **人間の体細胞**には**46の染色体**が含まれている。
- 46の染色体数は，**「一倍体」の染色体数の2倍**。

有糸分裂

細胞分裂する細胞は**組織を成長または修復するために遺伝物質を複製し分裂します**。

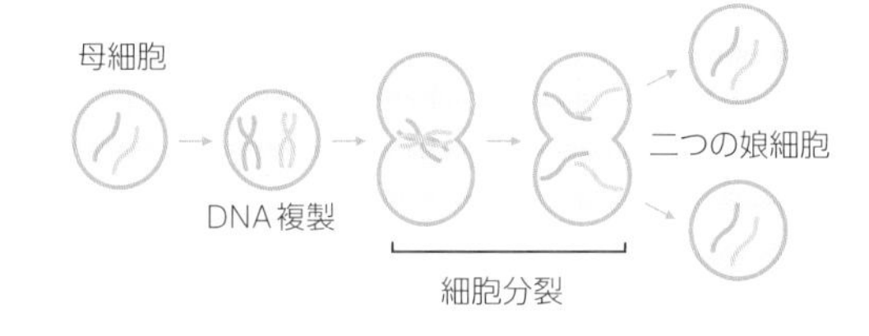

減数分裂

特殊な細胞分裂で，**染色体の数が半分に**なります。**動物**や**植物**，**菌類**など有性生殖を行う**真核生物**の生殖細胞で減数分裂が行われます。

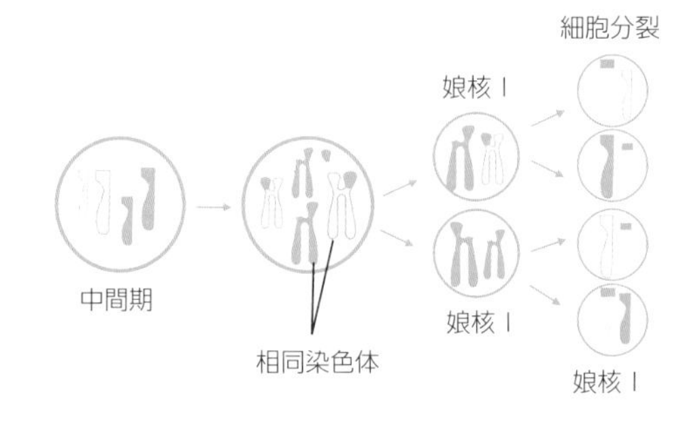

人間と性

ラブソングから性感染症，赤ちゃん，社会的偏見まで，性はまさにさまざまです。**同性愛者**もいれば**異性愛者**，**バイセクシュアル**（両性愛），**パンセクシュアル**（全性愛），**アセクシュアル**（無性愛）もいますが，どれも**自然**なことです。人間にとってセックスは**心地よい**もの。**一夫一婦制**文化もあればそうでない文化もあります。人間のセックスの最も重要な特徴は**同意**です。性的関係を結ぶ双方（またはすべて）のパートナーが**一定の年齢に達していなくてはならず**，また性行為に加わることに対してあらゆる側面において完全に同意していなくてはなりません。

交尾の習性

- **ゴクラクチョウ**のオスは複雑な**求愛ダンス**をする。
- **カタツムリ**は**雌雄同体**（男性器と女性器の両方をもつ）。
- **チョウチンアンコウのメスは交尾の後，オスを自分の体の一部に融合する。**
- **カマキリのオスはメスに食べられる。**
- **キリンのオスはメスのおしっこを飲んで，**メスが**発情しているかどうか**を確かめる。
- 一部の**昆虫**は**無性生殖**をする。これは**単為生殖**とよばれる。
- **コブダイ**や**クマノミ**，**ハゼ**など，多くの魚は**性転換**する。
- 多くの**猛禽類**（もうきん）（**ワシ**，**タカ**，**フクロウ**）の**メス**は，**オスより体が大きい**。
- **イルカは楽しむために同性で性交する。**

双子

- **一つの同じ卵子**から生まれた子どもを**一卵性双生児**といいます。一卵性双生児は**天然のクローン**です。
- **別々の二つの受精卵**から生まれた子どもを**二卵性双生児**といいます。

幹細胞

**幹細胞は体のどの細胞にもなれる可能性を秘めています。未分化細胞といいます。
すでに研究が行われている幹細胞治療によって，
けがや病気によって損傷を受けた細胞や組織との交換が，将来可能になると期待されています。**

肝細胞，網膜細胞，血液細胞といった人体の多くの細胞は，絶えず新しいものと**交換されています**。また**特定の機能のために特殊化**しています。

成体幹細胞

- **万能性幹細胞：体内にごく少数**存在します。**歯**や**骨髄**，**血管**など，さまざまな組織に存在する万能性細胞は**どのような細胞にも分化します**。
- **多能性幹細胞**：万能性幹細胞**より多く**存在しますが，**分化できる細胞の種類は限られています**。

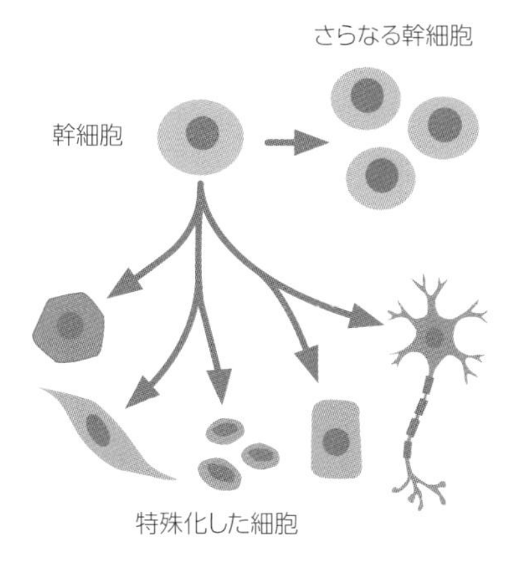

胚性幹細胞（ES細胞）

胎芽の中の，発達のごく初期の段階にある細胞です。卵子が精子によって受精すると，**染色体が倍数となり**，細胞は**減数分裂**（分割して増殖）します。これは**胚盤胞**とよばれる状態になるまで続けられます。胚盤胞内に，胚性幹細胞があります。

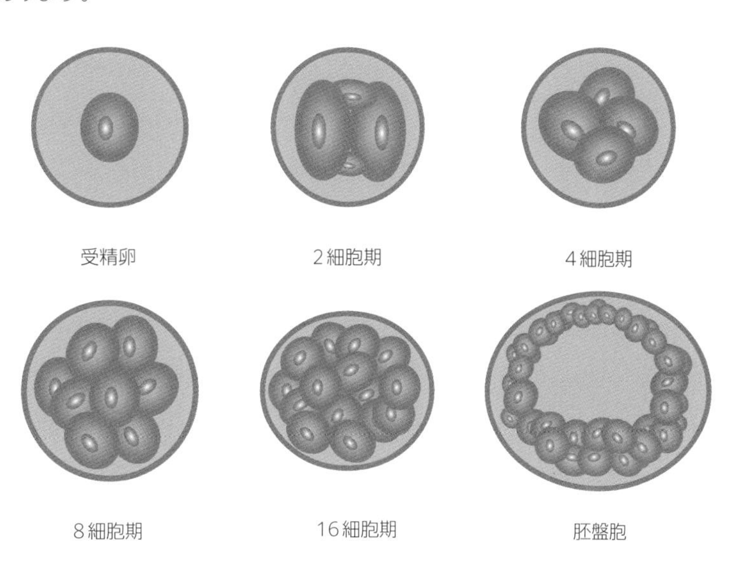

体外受精

体外受精は**妊娠の補助**として行われます。また**幹細胞の研究**にも（ドナーの許可を得て）用いられます。

幹細胞の研究

幹細胞治療における**安全性と信頼性の両方の証明はまだほとんどなされていない**一方で，幹細胞を使って**病気やけがによって失われた細胞を取り換える研究が進められています**。**原理上，幹細胞を肝臓に送れば肝細胞になります**が，その幹細胞をその場所にどのようにとどめておくかが課題となっています。

身体組織

人体構造は11の主要構造に分けることができ，これらはすべて相互作用しています。

構造の特殊化

- **心臓血管**：**心臓**；**静脈**；**動脈**；核をもたず酸素を運ぶ**赤血球**；**白血球**；**血漿**と**血小板**。
- **呼吸**：**肺**の**肺胞**は，**ガス交換**の際に**二酸化炭素**と**酸素**を通過させる。
- **消化**：**口**から**肛門**，**肝臓**を含むすべての消化管。
- **腎臓**：**血液**から**毒素**をろ過する**腎臓**と**膀胱**を含む。
- **神経**：**電気信号**を感知したり送ったりする細胞。
- **内分泌**：私たちの体を**自己調整**する**ホルモン**のシステムで，**副腎**，**脳下垂体**，**すい臓**，**卵巣**，**甲状腺**，**脳**，**睾丸**，**胸腺**が含まれる。
- **免疫**：白血球，つまりリンパ球（T細胞，B細胞，NK細胞）；好中球；単球/マクロファージ；および**脾臓**（ひぞう）細胞を含む。
- **外皮**：**毛**，**爪**，**皮膚細胞**；**皮脂腺**，**脂肪細胞**，**メラニン**，**汗腺**を含む。
- **骨格**：**骨形成原細胞**は**骨芽細胞**になり，**骨基質**と**骨細胞**を形成する。
- **筋肉**：これらの細胞は**収縮性のタンパク質**をもち，筋肉が伸びるのを助ける。
- **生殖**：**性器**と**生殖器官**。

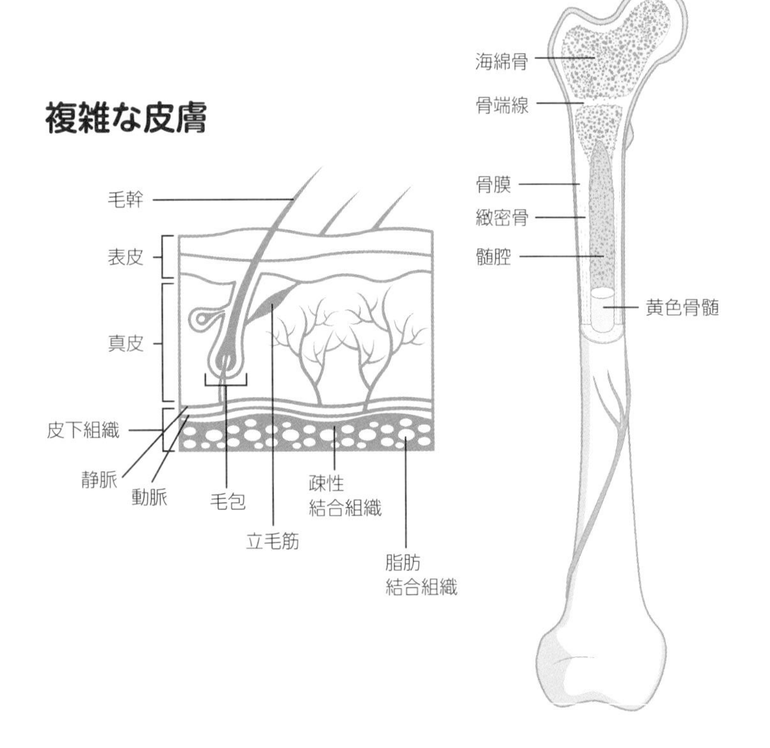

細胞特性

成人には200種類以上の細胞があります。たくさんの種類の細胞でつくられる生物は**受精卵**（精子によって受精した卵子）としてその命がはじまります。人間の受精卵が**胚盤胞**になるのに4日かかります。そしてそれまでは均一な球状だった細胞が分割，増殖し，臓器組織細胞など特定の細胞に**特化**されはじめます。

遺伝子発現

それぞれの**特化された体細胞**は同じ**DNA**を含んでいますが，各細胞は**その機能を果たすべく正しいタンパク質を合成するためにDNAの正しい部分を読み取る必要があります。**細胞が特定の遺伝子を活性化させたとき，それらの**遺伝子は発現されている**といえます。

人体解剖学

解剖学は臓器系，体の部位，組織，
そしてそれらがどのように相互作用しているかに関する研究です。

解剖学のアプローチ

- **体系的なアプローチ**：系統の研究
- **部位的なアプローチ**：部位の研究

解剖学的平面

解剖学者たちは，体の部位の**特定の構造**について論じるために**身体の平面**を用います。

体表解剖学

主に皮膚と**筋骨格系**に関係しています。解剖学の中でも体表解剖学は，体の外部を調べることによってわかることと関係のある分野です。

筋肉の名称

筋肉の名称は複雑なようですが，いくつかの基本的な規則で成り立っています。

- サイズ
- 形
- 位置
- 筋繊維の方向
- 筋肉の作用
- 筋肉の始点
- 始点と付着点
- 筋肉の機能

動き

筋肉がほかの筋肉と連携しながらどのような動きをするかを表現するために，解剖学者たちは用語を決めています。

前突：前方への動き
後退：後方への動き
外転：離れる動き
内転：向かう動き
屈曲：曲げる動き
伸展：伸ばす動き
回内：下または後方に曲げる動き
回外：上または前方に曲げる動き
挙筋：手足を上げる
下制筋：手足を押し下げる
回旋筋：回転
括約筋：輪状のものを開いたり，閉じたりする

筋肉の大きさ

大：グループ内で最大の筋肉
小：グループ内で最小の筋肉
長：グループ内で最長の筋肉
短：グループ内で最短の筋肉
広：グループ内で最も幅の広い筋肉

筋肉の形

僧帽筋：台形
三角筋：三角形
鋸筋：鋸歯状
広頸筋：平たく幅広

筋肉の方向

直筋：筋繊維が正中線または背骨に対して平行
斜：斜め方向
横：横方向

骨または交点からの始点数

二頭：二点
三頭：三点
四頭：四点
（例：**二頭筋**，**三頭筋**，**大腿四頭筋**）

機能

機能の例：
咬筋：咬む筋肉
笑筋：微笑む筋肉

位置

内側：中央に近い
側：外側

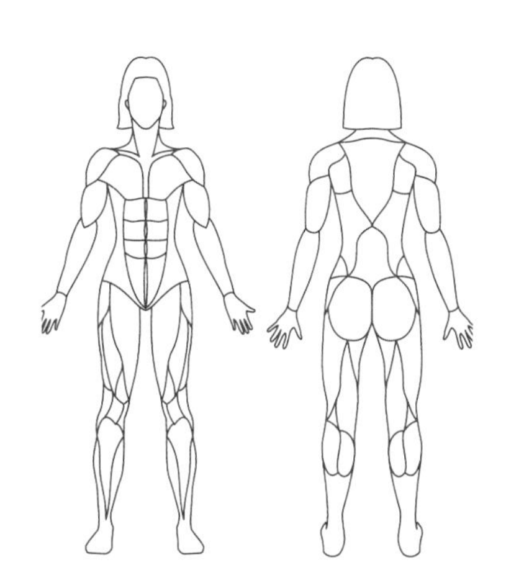

免疫学

免疫システムは，感染性微生物に対する
体の防御システムです。

抗原／病原体

免疫反応を促進する**生物**または**粒子**

抗体

抗体は**病原体に付着するタンパク質**です。**免疫グロブリン**は**プラズマ細胞によって生成される**大きなY字型のタンパク質で，**病原体を無毒化**します。

リンパ球

リンパ球は**白血球**です。リンパ球は，病原体を**食作用**とよばれるプロセスで**食べて殺します**。リンパ球には以下が含まれます：**T細胞**，**B細胞**，**NK細胞**，**好中球**，**単球**，**マクロファージ**

適応免疫

免疫システムは，**ウイルス**や**細菌**が体内に侵入すると**活性化**されます。**抗原**を攻撃する細胞の**B細胞**や**T細胞**は，**以前に出会ったことがある微生物**を認識できます。

抗体

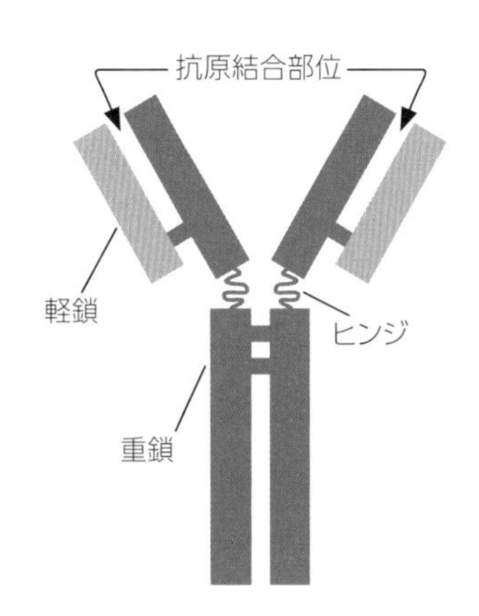

抗原

・異物のタンパク質によって免疫システムの抗体の生成を促進する。
・ウイルス，細菌，毒素などが免疫反応のトリガーになる。

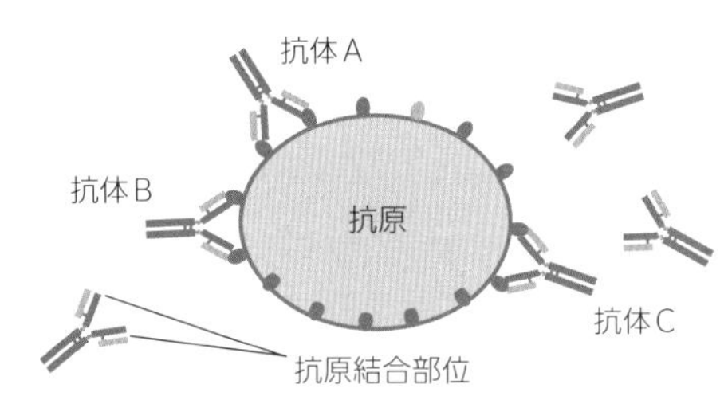

免疫システムの場所

免疫システムは体のさまざまな部位に位置しています。

・**リンパ節**：リンパ球はリンパ節に存在し，病原体を認識する。
・**白血球**：病原菌を攻撃する。
・**骨髄**：ここで血球がつくられる。
・**肺の線毛**：病原体を物理的に取り除く，または阻害する。
・**皮膚**：バリアを形成する。
・**胃**：胃酸で細菌を殺す。
・**脾臓**：細菌感染から守る。

免疫学

・がん免疫療法
・免疫抑制
・ウイルスの免疫生物学
・炎症の研究
・腫瘍免疫学

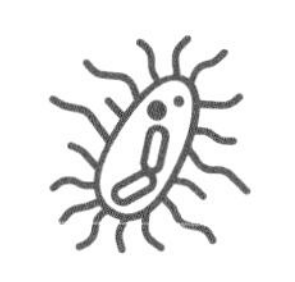

免疫系疾患

・**自己免疫疾患**：**免疫システムが過剰反応**し，**自身の組織を攻撃**しダメージを与えてしまう（例：**アレルギー反応**，**関節炎**，**I型糖尿病**，**乾癬**（かんせん），**セリアック病**，**全身性エリテマトーデス**，**ナルコレプシー**）。
・**免疫不全**：**病原体から体を守る力が低下**し，**感染症にかかりやすくなる**。
・**がん**：がんは，**免疫システムから逃れる**ため，かしこい分子を利用する；がんは自身の体内で成長する**制御不能の細胞**です。
・**衛生仮説**：あまりに**清潔すぎる環境**で過ごすことで免疫機能が低下するという説。

血液循環

血液は複雑な液体です。半分は血漿（塩水とタンパク質）です。赤血球，白血球，血小板が含まれています。

血球

赤血球，白血球，血小板のほとんどは**骨髄**でつくられます。

- **白血球**：主に**B細胞**と**T細胞**がある；白血球は**免疫システム**の一部。
- **血小板**：皮膚が傷つき出血した際に，血液が**凝固する**のを助ける。これにより**かさぶた**ができる。
- **赤血球**：体中に**酸素**を運ぶ；**酸素を吸収する表面積が最大になる構造**；**ヘモグロビン**とよばれるタンパク質を含み酸素と結びつく；**核をもたない**ため**減数分裂できない**。

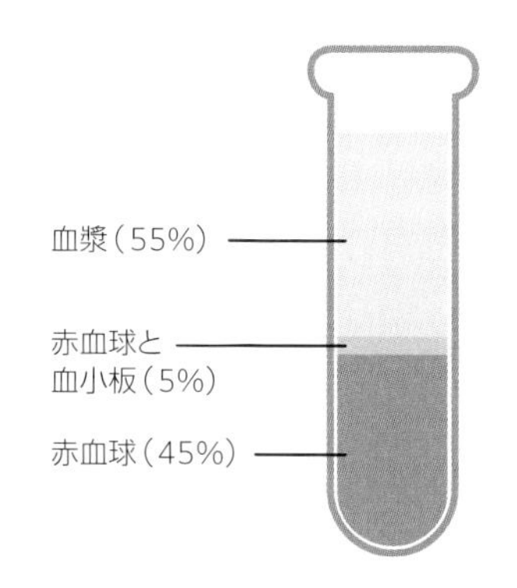

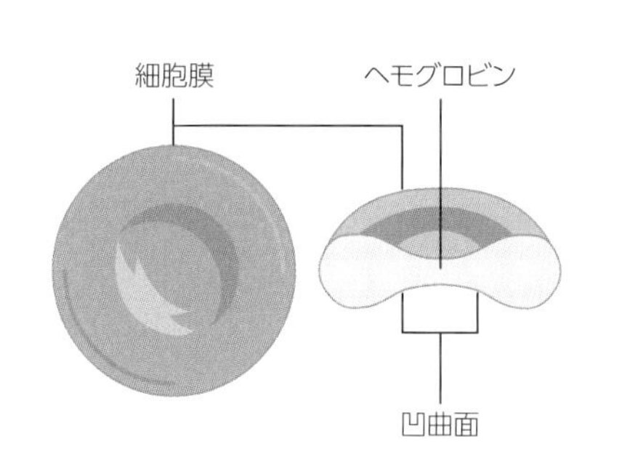

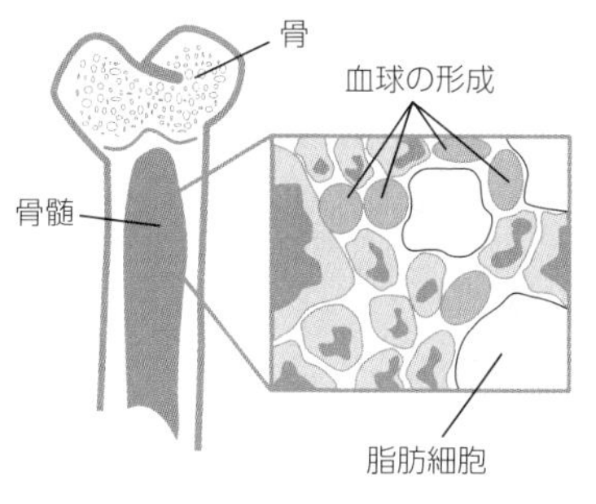

血液の循環

イングランド人物理学者**ウィリアム・ハーヴェイ**（William Harvey, 1578～1657）は，**血液を体中に循環させているのが心臓である**こと発見しました。

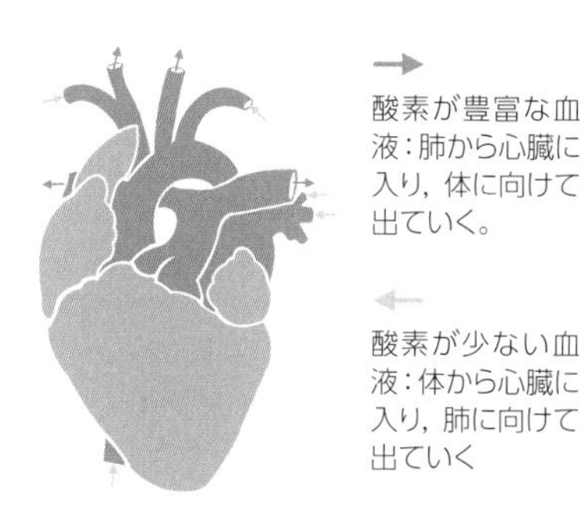

彼は，**静脈**に特別な**V字型の弁**があり，これによって**血液が一方向に循環している**こと，**静脈と動脈が異なる機能をもっている**ことに気づきました。

- **動脈**：**心臓から出た**血液を体中へ運ぶ。
- **静脈**：各器官からの血液を**心臓に戻す**。

二重構造

人間の循環システムは**二重構造**です。一つは**心臓と肺の間**，もう一つは**心臓からほかの器官**の間です。

- **肺循環**：血液を**肺に**運び，そこで**呼吸**を通じて**酸素を取り込む**。
- **体循環**：血液を**体中に**送り込み，**組織に酸素**と**栄養**を運ぶ。

呼吸

- **息を吸う**：肺の**肺胞**から**酸素**を拡散する。血液中の**ヘモグロビンが酸素を吸収する**。
- **息を吐く**：**血液から出された二酸化炭素**を**肺胞**から拡散し，その後，体外に放出される。

寄生虫学

寄生生物には単細胞のものや多細胞のものがいます。
寄生虫学は寄生生物の研究です。

外部寄生虫と内部寄生虫

外部寄生虫は宿主の**皮膚**など**外部**に感染し，**内部寄生虫**は**体内**に感染します。

オフィオコルジケプス科（広い意味での冬虫夏草を含む）

昆虫に感染する寄生菌類で，**胞子を放出する**必要があるまで体内で静かに栄養を摂取します。そして**昆虫の脳をコントロール**して湿気の多い場所に移動させると，すぐに**頭部から出て**成長します。

寄生バチ

- **イモムシなど，ほかの節足動物の体内や表面に卵を産みつける。**
- 卵が**孵化して幼虫になる**と，**ホルモンを放出**してイモムシの**成長をコントロール**する。
- 幼虫の準備が整うと，**イモムシを麻痺させる。**
- 内部寄生バチの幼虫は**イモムシの体に穴を開けて外に出る。**

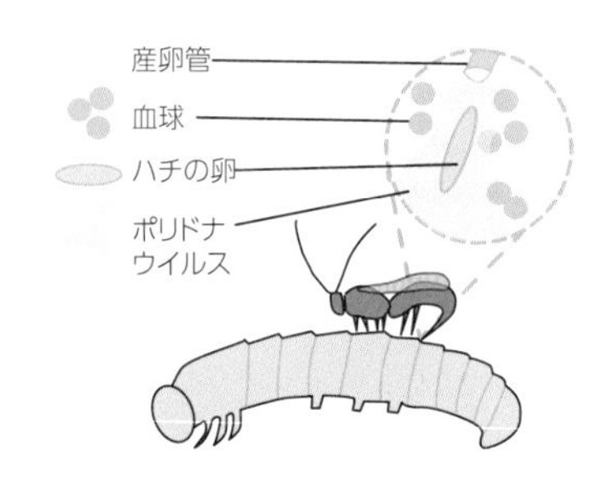

ボルバキア

ボルバキアは，**アルマジリジウム**（**ダンゴムシ，テントウムシ**）に感染し，配偶子（この場合は卵細胞）を通じて拡散する**寄生細菌**です。ボルバキアは，より多くの卵に拡散するよう，**遺伝的にはオスの個体をメスに変えてしまいます。**昆虫の性比は歪められますが，アルマジリジウムは絶滅を避けるために**両方の性別の特徴をもつ**ようになることもできます。

寄生の利用

ボルバキアは**蚊**にも寄生するため，**ジカウイルス**や**デング熱，黄熱**を防ぐためにも利用されます。蚊の体内で**栄養のある分子を奪い合う**ため，ウイルスが**増殖しにくくなる**のです。

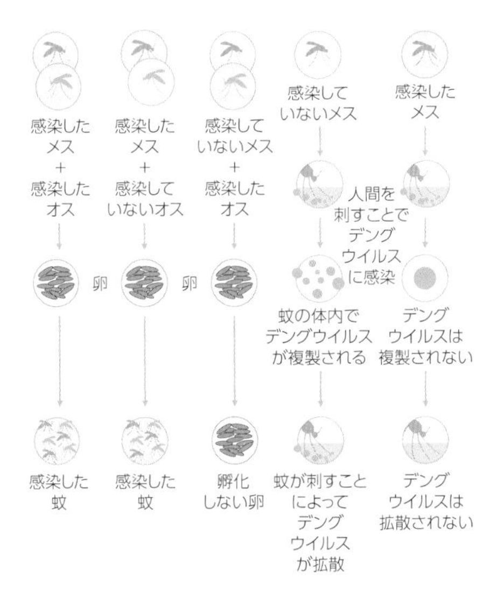

マラリア原虫

- **マラリア**の原因。
- 蚊から**人間**に感染。
- **肝臓**と**赤血球**に感染し，**熱，倦怠感，吐き気，頭痛，発作**を引き起こし，**死に至る**場合もある。
- 2017年の1年間だけで，43万5000人がマラリアで命を落とした。

トゥ・ヨウヨウとアルテミシニン

トゥ・ヨウヨウ（屠呦呦）は1930年生まれの中国人薬理化学者です。広範囲にわたる研究に続き，屠は**伝統的な漢方薬の技術**を用いて**ヨモギ**から**マラリア原虫を抑制する**化合物，**アルテミシニン**を抽出しました。その功績が認められ，**2015年にノーベル生理学・医学賞**を受賞しました。

アルテミシニンの分子構造

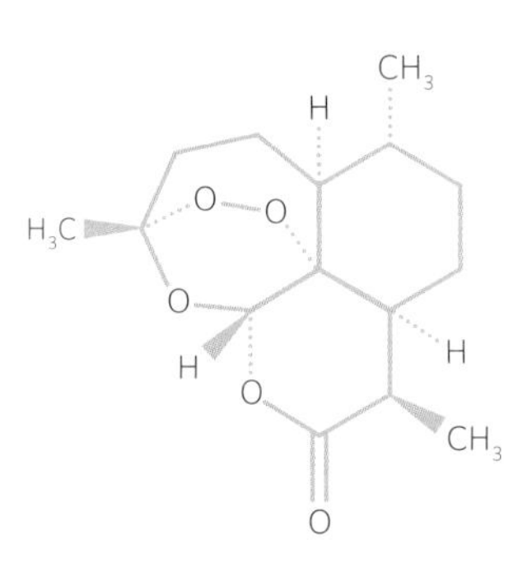

神経科学

神経科学は神経系やニューロンの創発特性，ニューロン間のつながり，認知，意識について探るものです。

・**中枢神経系（CNS）**：脳と脊髄。
・**末梢神経系（PNS）**：**神経** —— **感覚**，**運動**（身体，自律神経）。
・**腸神経系**：**腸の神経系**（CNSから独立している）。

作用

・**感覚入力**：**環境の変化**を感知 —— 感覚神経から**CNSにインパルスが送られる**。
・**統合**：**変化を処理し，どう行動するかを決定**する。
・**運動出力**：入力に対する**反応** —— **筋肉に向けて**インパルスが送られる。

ニューロン

・**神経細胞**は**電気信号を送受信できる**特殊な構造をもっている。
・体内で**最も寿命の長い**細胞。
・多くは有糸分裂を行わない（自身と置き換わることもできない）。
・**信号**は**軸索**から送られる。
・ニューロンは**互いにつながって神経ネットワークを形成**する。

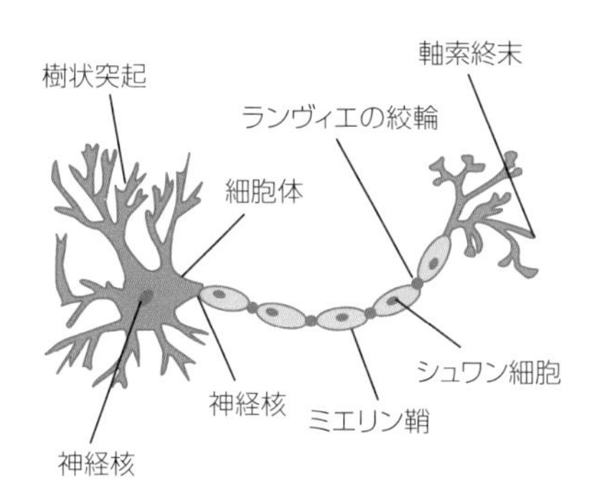

グリア細胞

これらはニューロンの機能をサポートします。

CNS

・**アストロサイト**：調整，サポート
・**小グリア細胞**：脊髄を保護します。
・**上衣細胞**：脳の被膜
・**希突起膠細胞**：ミエリン鞘をつくります。

PNS

・**シュワン細胞**：ミエリン鞘をおおいます。
・**衛星細胞**：神経細胞をおおいます。

活動電位

強い痛み＝周波数が高い，というようにニューロンにおける電気信号の**周波数**によってメッセージの**強さ**を伝えます。

脳

脳は，領域によって担当する機能が異なります。

・**大脳**：白質のひだが灰白質に包まれている
・**前頭葉**：感情，優先，計画，問題解決
・**運動皮質**：運動
・**側頭葉**：記憶，言語
・**視覚皮質**：感覚
・**頭頂葉**：知覚，理解，論理的な処理
・**後頭葉**：視覚，空間
・**小脳**：調整
・**脳梁**：左脳と右脳をつなぐ
・**脳幹**：中脳，橋，延髄 —— 情報を中継する；心臓の拍動，呼吸，睡眠，痛み，刺激の知覚
・**間脳**：視床下部，視床上部，乳頭体，大脳辺縁系 —— 生殖，安全，食べる，飲む，眠る，不安などの強い感情

手術

外科的手段でしか治療ができない病気やケガもあります。外科手術は，皮膚を切開して体の一部を移動させたり，取り除いたり，修復したり，調整するといったもので，特殊な器具を使って行います。

麻酔

麻酔ができる以前は，特に**抜歯**など，**手術そのものの痛みによって命を落としてしまう**患者もいました。

免疫反応

体の**免疫システム**が**未知の組織を異物と判断して拒絶する**ことがあるため，**臓器移植**には危険がともないます。**患者に適合するドナー**を見つけ，**免疫抑制剤**を使用することで**臓器移植の成功率を上げる**ことができます。

移植

以下のようなものがあります：**股関節と膝関節の置換**，**歯のインプラント**，**美容整形**，**形成再建**，**体内に電子機器**（**ペースメーカー**や**血糖値センサー**，**神経刺激装置**など）を埋め込む

消毒

感染率を下げるために有効です。**深部の手術**では**消毒は危険なため使うことができません。**

外科用語（英語での接尾語の例）

- **-tomy**：切る
- **-ectomy**：切って取り出す
- **-ostomy**：人工的に開口部をつくる
- **-plasty**：形をつくり直す
- **-plexy**：発作や卒中
- **-rraphy**：縫い合わせる（胃縫合など）
- **-desis**：二つのものをつなげる

抗生物質

抗生物質ができる以前は，外科手術後に**感染症で亡くなるリスク**は高いものでした。抗生物質のおかげで感染症はコントロールしやすくなり，**手術が安全にできる**ようになりました。

手術器具も必要に応じて充実しました。

- **把持鉗子**：ものを掴む
- **鉗子と閉鎖栓**：締めて閉じる（例：血管）
- **開創鉤**：組織を広げる
- **メカニカルカッター**
- **拡張器での観察**：開口部を開く
- **吸引管**：液体を排出する
- **灌注と注射針**：液体の注入または除去
- **スコープと探針**：変化を見る/測定する

注射器

ガーゼ

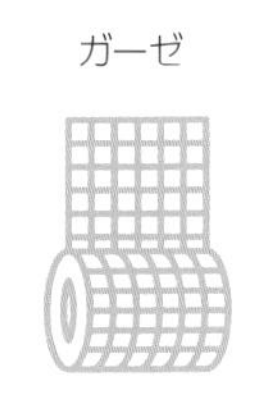

ピンセット

鉗子

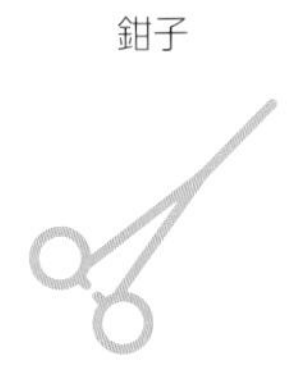

革新の経緯

1914年　初めて人から直接輸血が行われる。
1950年　初の腎臓移植が行われる。
1960年　初の股関節の交換が行われる。
1963年　初の肝臓移植が行われる。
1964年　目のレーザー治療が始まる。
1967年　初の心臓移植が行われる。
1987年　初の心臓と肺の移植が行われる。
2005年　初の顔の移植が行われる。
2008年　レーザーを使ったかぎ穴の大きさしか切らない手術が行われる。
2011年　初の脚の移植が行われる。
2012年　初の子宮移植が行われる。

生活史

生活史の研究では，環境の多様性に応えて種が採用する手段（または戦略）を評価します。

生活史とその戦略には以下のようなものがあります：**寿命，子孫の数，卵のサイズ，親の行動，成熟する年齢，**環境の中で入手可能な食糧と関連した**死亡年齢**

さまざまな種のサイズの比較

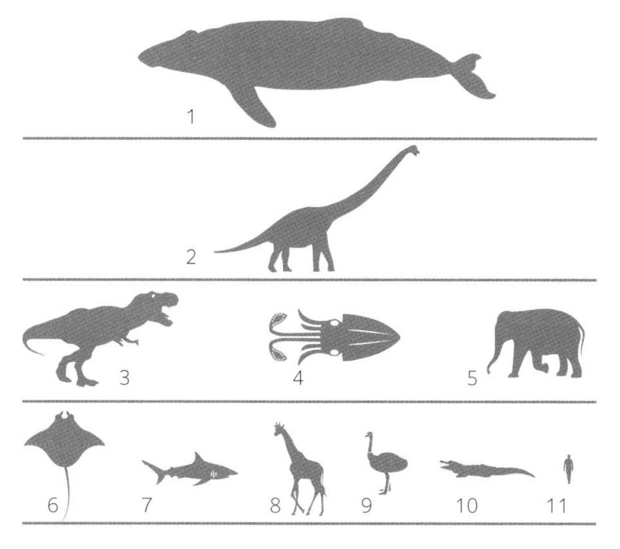

1. シロナガスクジラ
2. ディプロドクス
3. ティラノサウルス
4. ダイオウイカ
5. ゾウ
6. マンタ
7. ホホジロザメ
8. キリン
9. 恐鳥
10. クロコダイル
11. 人間

魚の子育て

魚の子育て戦略を二つご紹介します。

- **ジョーフィッシュ（アゴアマダイ）**は，口の中で卵を育て，卵から孵化した子どもたちを保護する。
- **大西洋サケ**は受精卵を砂利の中に埋め，卵はその砂利の中で冬を越す。サケの卵は孵化すると，親から独立して成長する。

メスは川床を掘った産卵床に数千個の卵を産み，オスが卵を受精させます。産卵と受精を終えたオスとメスは一生を終えます。

サケの稚魚は栄養分が詰まった袋をもっていて，しばらくは巣で過ごします。

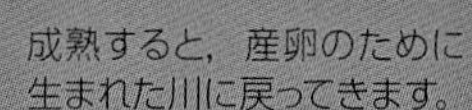

成熟すると，産卵のために生まれた川に戻ってきます。

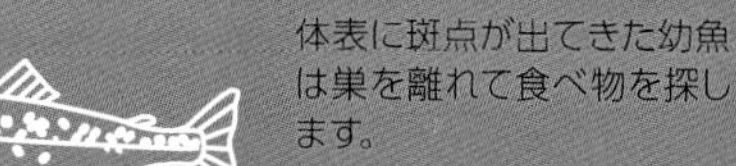

体表に斑点が出てきた幼魚は巣を離れて食べ物を探します。

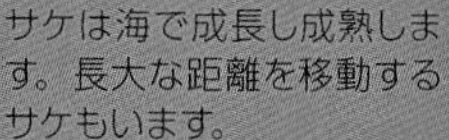

サケは海で成長し成熟します。長大な距離を移動するサケもいます。

生活史は，**生物の集団としてとる仕組み**です。生物の一生に起きる生存と繁殖の可能性を高める出来事を調べます。

個体群生態学は，個体群とその環境の間に見られる長期間にわたる**個体群動態**の研究です。

生物は，**特定の行動によって繁殖率を最大限に高めています**（成熟するまで養育するなど）。生活史の研究においてこのことは重要です。

- **過酷**な環境には，生物はすばやく**適応**する必要があります。最初の生殖機会を迎える前に死んでしまう可能性が高いため，**速い生活史戦略**は最も有利です。
- 環境が**よく**，生存と安全な繁殖のために必要な食糧が十分に得られる場合，**ゆっくりとした生活史戦略**が好まれます。

生殖戦略

- **一回繁殖**：一生の間に一度繁殖を行う。
- **多数回繁殖**：一生の間に複数回繁殖を行う。
- 環境的な制約や資源に応じて，**同じ種でも一回繁殖，多数回繁殖のどちらかの方法をとる種**もいる。

生態学の原理

生態学では，生物の相互関係やその環境を研究します。

1. 個々の生物が集まって集団をつくります。**個体数**（集団における個体の数）と**多様性**（種類の数）はたがいに影響しながら**長い時間をかけて変化します**。

2. すべての**エネルギー**（食物）は究極的には**太陽**に由来します。**炭水化物**や**グルコース**といった**炭素を多く含む糖**は**光合成**を通じて**植物**や**藻**によって生成されます。栄養の流れは，**直接的な食物連鎖よりもクモの巣状に広がる相互作用**と表現するのが適切です。

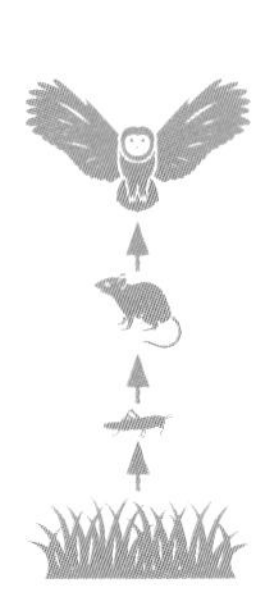

3. 生物は化学反応によってエネルギーを得ています。**代謝がどのように作用するかは，化学と物理学で説明されます。**

4. 化学的な**栄養素は生態系を通じて循環しています。炭素**や**窒素**，**リン**，**ナトリウム**のような元素はグルグル循環しています。このプロセスには生態系における**死体の腐敗や再生利用**も含まれます。

5. 集団の増加率は**出産数**，**死亡数**，そのエリア間での**総移動率**に制御されています。

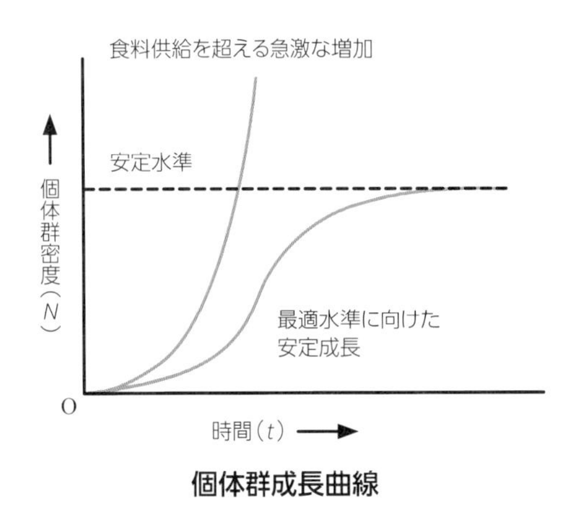

個体群成長曲線

6. そのエリア内で，新しく発生した形態の数，そのエリアに移入してきた数，絶滅した数によって，**そのエリアでの多様性**が決まります。

7. 生物は種を超えてさまざまな様式でたがいに影響しあっています：**食べたり食べられたり**，**同じエリアで共存したり**，または**同じ食物を食べたり**します。エリア内での**生物の相互作用**はその個体数に影響を与えます。

8. 生態系は，**相互作用を受け**，**クモの巣状の構造となり**，非常に複雑です。

9. **人間の人口は，生態系の相互作用の中でバランスを欠くほど肥大しており**，何百万年もの間安定していたクモの巣状に広がる相互作用や養分循環を破壊したり，変更したりしています。

10. 自然のプロセスは**人間の生活にとって必要不可欠**です。生態系は人間が依存する原料やプロセス，物質（**生態系サービス**とよばれる）を提供しています。

私たちは生態系から何を得ている?

栄養カスケード

捕食者から植物，細菌の芽胞まで，生態系のわずかな変化が蓄積し，生態系に重大な変化をもたらすことがあります。これは栄養カスケードとして知られています。

屈性：根が地下へ伸びる，葉が太陽に向かって成長するなど，**環境的な刺激に反応して変化または成長が起こる**ような，生物学的な現象。

栄養段階：**食物連鎖**や**食物網**におけるエリア内の上下関係を決めるレベル。

栄養カスケード

食物連鎖や食物網内の生物が**死に絶える**，または**過度に増加する**と**生態系全体に影響を及ぼします**。**捕食者**が現れたり駆除されると生態系に**カスケード効果**をもたらし，連鎖的に次々と**個体数**を変化させ，**養分循環**を変えてしまいます。

独立栄養生物：自身の栄養源を無機物質や太陽光から自分で栄養源をつくり出せる生物。たとえば植物は太陽光を利用してグルコースを生成します。

従属栄養生物：必要な栄養を摂取するためにほかの生物を食べるしかない生物。

イエローストーンのオオカミ

1900年代，人々は生態系に与える影響について深く考えることなく，**スポーツとして盛んにハイイロオオカミを狩っていました**。1926年，最後の2頭のオオカミが殺され，その地域で絶滅してしまいました。**オオカミが周囲にいなくなったことによって，シカの個体数が急増しました**。そしてシカの急増によってより多くの低木や草，植物が食べられました。植物は昆虫にとって，また土壌の質を維持するために欠かせません。結果として**土壌の質が変化し，影響は木々や生態系のすべての生物に及びました**。このようにしてイエローストーンは20世紀のあいだじゅう過酷な状況が続きました。1995年，何とか元の環境に戻そうとイエローストーン国立公園に**再びオオカミが放たれました**。オオカミが戻ってきたことで，**個体数のバランス，植物の成長，土壌の質のすべてが回復**しました。

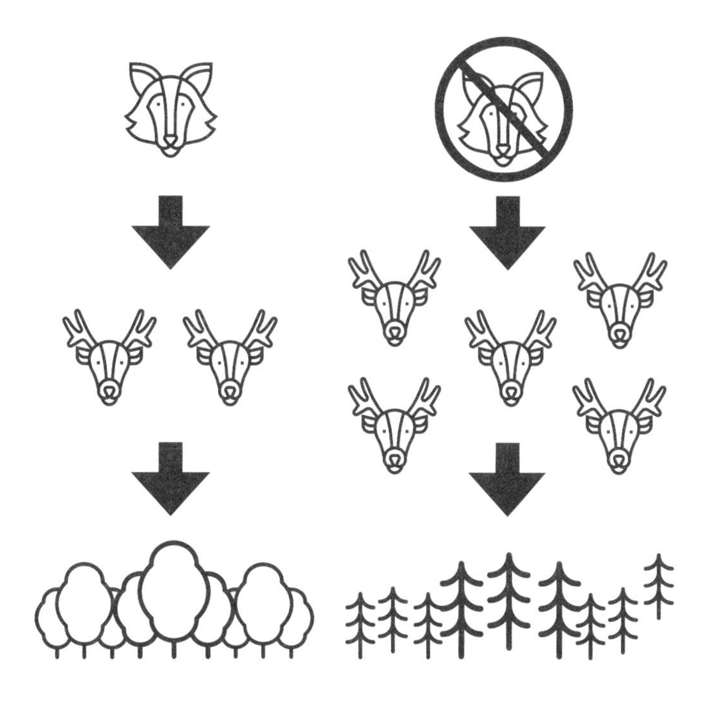

トップダウン効果：栄養段階は捕食者の個体数によって制御されます。たとえば肉食動物によって草食動物の数が抑制されます。

ボトムアップ効果：草や植物といった食料の制限は草食動物の個体数に影響を与え，ひいては肉食動物の個体数にも影響を与えます。

地球の海

地球の表面の71%は水でおおわれていて，地球上の生物の50から80%は海に住んでいます。しかしこれまで探索された海は海全体の10%にすぎません。

海流

海流は**非常に複雑な流れ**を形成します。不均一な加熱によって**対流**が起こります。こうして**水と栄養素を循環させます**。

- 海流は数千kmもの長さになる場合がある。
- より温度が低く，密度が高い**極海流**は沈み込み，**暖かい赤道**に向かって流れる。
- 冷たい水は赤道で温められ，上昇する。
- より温かい，より密度の低い**赤道海流**は上昇し，冷たい**極**に向かって流れる。
- 温かい水は極で冷やされ，沈み込む。

コリオリ効果

これは**地球の自転**によって引き起こされる効果です。

- 北半球に発生する風により，海流が時計回り（右回り）になる。
- 南半球に発生する風により，海流が反時計回り（左回り）になる。

塩分濃度

- 塩分濃度は海に**どれくらいの塩が溶けているか**を表す。
- 塩水は**淡水より密度が高い**。
- 海と**淡水の川**の水は海流に影響を与える。
- 塩分濃度は**蒸発**によって高まる。
- 塩分流は，塩分濃度が高い水を海底へ運び**深層流**を生み出す。

熱塩循環は**密度勾配**による深層海流を生み出します。

ラニーニャとエルニーニョ

熱帯太平洋の中部と東部の海流の向きは，複雑な振動をします。

- **エルニーニョ**：平均海面水温が**通常より高い**状態が続き，太平洋上に通常と逆向きの風を起こす。
- **ラニーニャ**：太平洋の赤道付近での平均海面水温が，**通常より低い**状態が続く。

海の深さ

海洋学者や**海洋生物学者**は海を深さで区別します。

マリアナ海溝

西太平洋の非常に深いところに位置する大きな海溝です。長さ約2540km，幅約70kmです。最も深いところは11kmあり，**エベレスト山もすっぽり入ってしまう**ほどです。

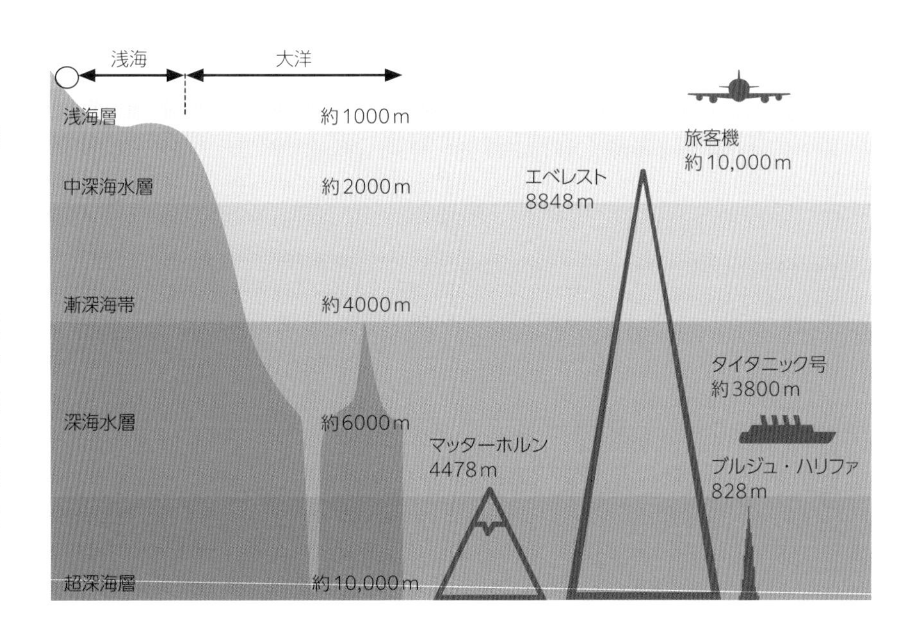

絶 滅

**絶滅は，生物または生物集団が完全に死に絶えることです。
絶滅に至るまでの時間はさまざまです。**

絶滅危惧種

絶滅の危機に瀕している生物。2018年，**キタシロサイ**の最後のオスが死んでしまいました。

近絶滅種と推定される個体数

アムールヒョウ：60
クロスリバーゴリラ：250
クロアシイタチ：300
アムールトラ：450
クロサイ：約5000
アジアゾウ：40,000～50,000
オランウータン：104,700

絶滅危惧種

タイマイ
リカオン
ガラパゴスペンギン
ジンベエザメ
チンパンジー
タイセイヨウセミクジラ

大型動物相の絶滅

大型動物相は，**生息地破壊**に対して脆弱な大型動物です。世界の大型動物相の多くは絶滅の危機に瀕しています。

生息地破壊

生息地破壊は絶滅の主な要因の一つで，**生物の多様性を低下させます**。原因には以下のようなものがあります：**森林伐採**，**汚染**，**狩り**，**極度の自然災害**

昆虫集団

世界の昆虫の40%は絶滅に瀕しています。昆虫は，**水のろ過**や**作物の受粉**など，**重要な生態系サービス**を提供します。絶滅の要因は**殺虫剤**と**生息地破壊**です。

化石記録

化石記録には，過去に絶滅してしまった生物の痕跡が保存されています。

大量絶滅

かつてこの地球上に生きたすべての生物の90%以上は現在では絶滅しています。**大量絶滅の時期は地質学的に特定できます。**

	絶滅イベント	年代
1	完新世絶滅	現在
2	K-Pg境界大量絶滅	6500万年前
3	三畳紀-ジュラ紀大量絶滅	1億9900万年～2億1400万年前
4	P-T境界大量絶滅	2億5100万年前
5	デボン後期大量絶滅	3億6400万年前
6	O-S境界大量絶滅	4億3900万年前

人新世

人間の活動は地球の地層を大規模変更しているため，今の時代を人新世と呼ぶ専門家も多くいます。世界はまた六番目の大量絶滅と，四番目の産業革命を経験しようとしています。

多様性と個体数

多様な生態系は，環境の変化に反応してより多くの遺伝子を提供するためより安定し，より健全です。多様な生態系とコミュニティは変化に対するより高い適応力をもっています。

- **遺伝的多様性**：種のDNA内の遺伝子の数
- **遺伝的変異性**：遺伝子の変化しやすさ
- **生態系の多様性**：生物多様性の種類

表現型

生物の観察/計測可能な特性。**瞳の色**は表現型であり，**アリがどのように巣をつくるか**や，**ガの羽の模様**もそうです。表現型には以下が含まれます。

- 物理的な形（形態）
- 時間とともにどのように発達したのか
- その生物の生化学
- 行動と本能

単一栽培

多様な集団は，**より多くの遺伝子をもつ**ため**病気や捕食に対してより耐性があります**。大きな農場で育つ**単一栽培（遺伝子クローン）**の作物を例に考えてみましょう。**病原体**は簡単に進化して，単一栽培種を攻撃するようになります。病原体は容易に拡散してしまうため，**遺伝的多様性の低い作物はより脆弱に**なります。**病気に耐性のある作物**を育てても，**病原体は絶えず進化し続けている**ため**短期的な解決策**にしかなりません。しかし遺伝的に多様な集団であれば病原菌はより拡散しにくくなります。

最小存続可能個体数（MVP）

最小存続可能個体数（MVP）は，**種が存続するために必要な最小個体数**です。

ガラパゴスのフィンチの多様性

遺伝子型

遺伝子型は，ある形質に対応する遺伝子につけられた名前です。

- **対立遺伝子**は，遺伝子がとりうる形の一つです。
- 二倍体生物は**ヘテロ接合**です。
- **野生型**は自然に発生する遺伝子です。

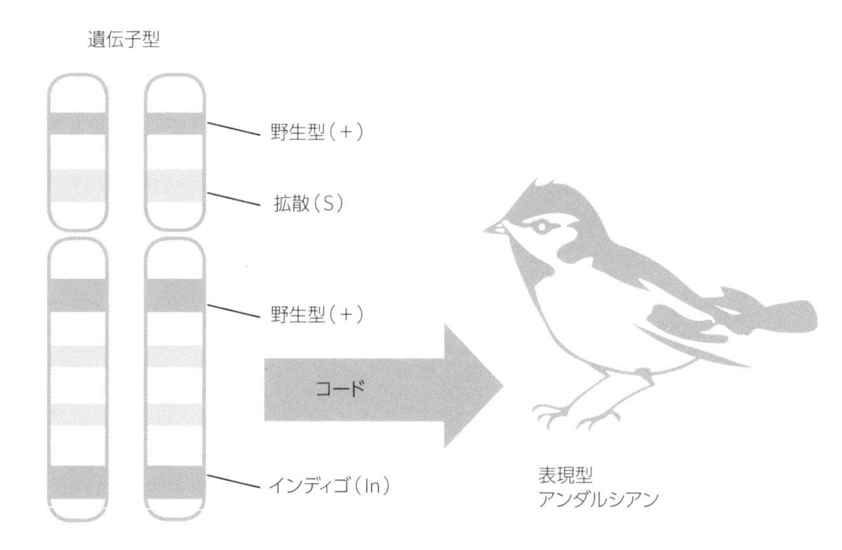

5 地質学・生態学

プレートテクトニクス

地球は層で構成されています。構造プレートを構成する比較的薄くて固い，岩の多い外部地殻は熱い溶岩を攪拌する流れの上に浮かんでいますが，これによって地球物理学的活動が引き起こされます。

地殻

- 地球の地殻の**厚さ**はおよそ4.8～40km
- 地殻は**固体**
- 含まれる元素の重量の割合は以下の通り：**酸素**46.6%，**ケイ素**27.7%，**アルミニウム**8.1%，**鉄**5%，**カルシウム**3.6%，**ナトリウム**2.8%，**カリウム**2.6%，**マグネシウム**2.1%

マントル

- 厚さはおよそ2900km
- マントルは**液体**
- 以下のものを含むいくつかの層で構成されている：**ケイ酸塩**，**カルシウム**，**マグネシウム**，**鉄**，その他の**鉱物**
- 温度は200～4000℃

外核

- 厚さはおよそ2200km
- 外核は**液体**
- 主に**鉄**と**ニッケル**を含む
- 温度は4400～6100℃

内核

- 厚さはおよそ1220km
- 内核は**固体**
- 主に**鉄**と**ニッケル**，少しの**ウラン**を含む
- 温度は最高5982℃

地球内部の熱の流れ

構造プレートは下部の**マグマの流れ**によって**一年に約2～5cm**移動しています。

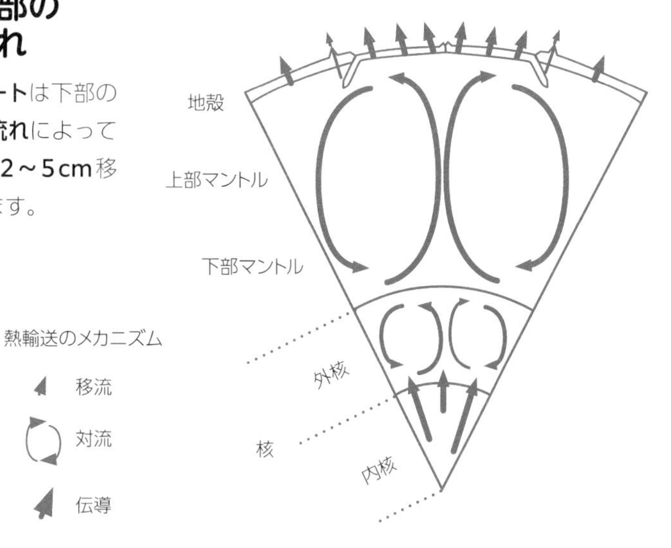

地殻運動

固い地殻のスラブは**たがいに押し合い山脈を形成します**。しかしながらプレートはたがいに**下向きにも押し合っていて**，沈み込みとよばれるプロセスによって**海溝が形成されます**。

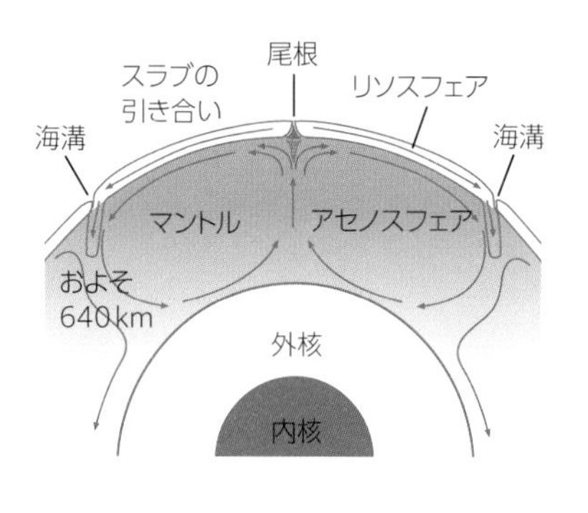

海洋底拡大説

大西洋中央海嶺は，海底の16,000kmに渡る海嶺です。海嶺の中央には，海嶺からプレートが押しのけられ，新しい海底が形成されています。

プレート境界

- **収束型**：プレート同士が衝突する。時に**沈み込み**や**山脈形成**が起こる。
- **発散型**：プレート同士が離れる。**海溝**を形成。
- **トランスフォーム型**：プレート同士がずれる。
- プレート境界で**地震が起こり**，**火山**ができる。

大気物理学

地球を宇宙線から保護し，温度が一定に保たれ，生物が呼吸できるのは大気があるからです。大気には主に酸素と窒素が含まれています。

構成要素	体積パーセント
窒素	78.084
酸素	20.946
アルゴン	0.934
二酸化炭素	0.036
ネオン	0.00182
ヘリウム	0.000524
メタン	0.00015
クリプトン	0.000114
水素	0.00005

大気には主に六つの**層**があります：

- **対流圏**：**気象現象**や**人間活動**が起こるのはこの層。
- **オゾン層**：**オゾン**の薄い層で，酸素の原子3個が結合したオゾン分子 O_3 で構成されている。
- **成層圏**：この層より高いところでは気象現象は起こらない。
- **中間圏**：**小惑星**や**流れ星**の多くが，この層で燃えて発光する。
- **熱圏**：**オーロラ**はこの層で発生する。
- **外気圏**：**衛星**が周回する。

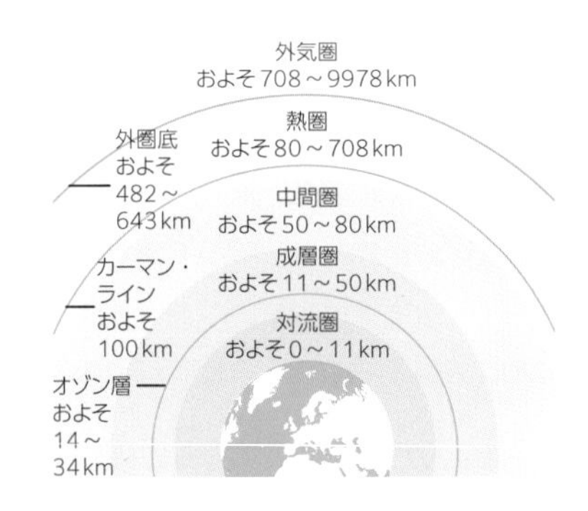

不均一な加熱

季節は，地球の**地軸が傾いている**ことで生じます。地軸の傾きによって大気が不均一に加熱されるからです。**地球の極地**は**加熱されにくく**，逆に**赤道地域**では**集中的に加熱されます**。

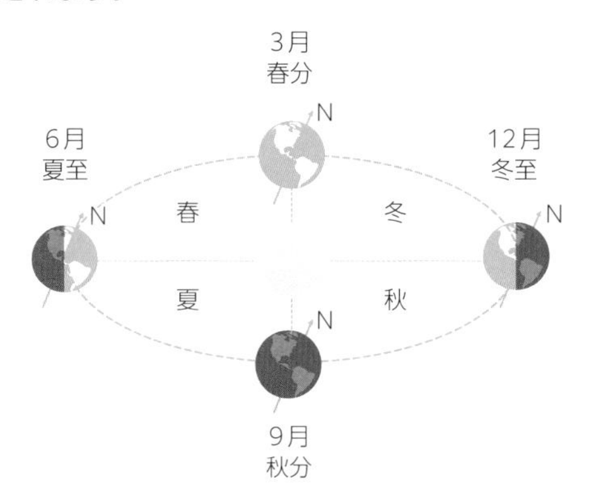

コリオリ効果

地球は北極から見ると**反時計回りに回転**しています。この動きは**対流**とともに**セル**とよばれる**大気循環**を引き起こします。北東風や南東風を起こす**貿易風**など，海流と同じように**風**にも**パターン**が見られます。

アルベド

地表面における太陽光の反射率を表します。地表面の反射率が高いほどより多くの**熱**が大気へ返ってきます。

ハドレーセル

天気は**セル**とよばれる**対流**を生み出します。

- **赤道付近**のセルは大きな対流を生む；暖かい空気は急激に上昇しますが，急激に冷やされ凝結し，雲を形成し雨を降らせます。
- 極に近づくほどセルは小さくなる。

気圧

- 対流するセル同士がぶつかると気圧が下がる。
- 対流するセル同士が離れると気圧が上がる。

生物地球化学的循環

生態系を通じた栄養素の動きは生物や生物多様性にとって重要です。養分循環は特定の栄養素によって繰り返されています。

生物地球化学循環

異なるエリアを含む生物圏で行われます：地球表層部の**硬い岩盤**や**地球圏**（陸地）→**水圏**（水）→**大気圏**（空気）

養分循環は**生物地質学的**プロセスを通じた**元素の循環**を必要とします。

- **生物量**：生物の質量と数；生命体，排せつ物，死体
- **落葉落枝**：落ち葉や生物の腐敗した死体
- **土**：地球の上層の物質；植物，昆虫，動物，土の中で成長する菌糸類：有機体を含む土，岩石粒子，腐敗する物質，水，鉱物
- **吸収**：食物または栄養素の吸収と消化
- **分解**：複雑な化合物の単体への分解

酸素

- 生物の**呼吸**に使われる。
- **タンパク質**や**脂質**，**糖**などの**有機化合物**になる。
- **光合成**をしている最中は植物から排出される。
- **水循環**は**酸素循環**と非常に近い関係にある。
- **酸化還元反応**は，**酸素の移動**に関わっている。

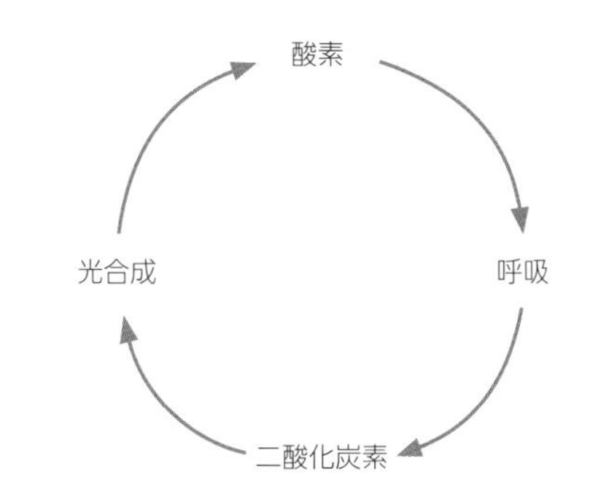

窒素

窒素は**タンパク質合成**に用いられます。**細菌**はこの循環に欠かせません。

1. 窒素固定細菌が**窒素ガス**（N_2）**をアンモニア**（NH_3）**に変換**。
2. 地中の**硝化作用**によってアンモニアが亜硝酸イオンに変換。
3. 生物は**尿**や**汗**，**排せつ物**としてアンモニアを排出；細菌が**窒素を多く含む排せつ物をより単純な分子に変換する**ときに**アンモニア化作用**が起こる。
4. 脱窒素細菌は**単純な窒素化合物を窒素ガス**（N_2）**に変換**し再び循環させる。

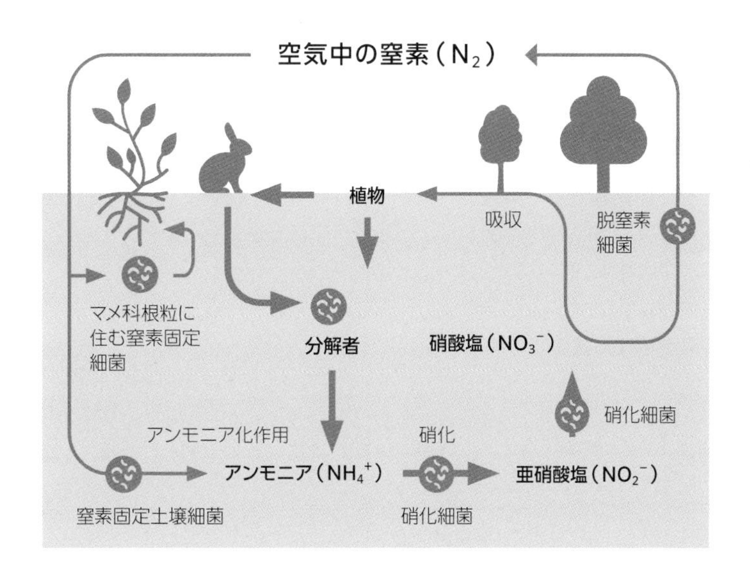

すべてのサイクルには，**バイオマスによる吸収**と**サイクルへと再び返る腐敗**を通じた異化が含まれます。

- **リン循環**：リンは**細胞代謝**に不可欠な元素です。
- **硫黄循環**：硫黄は**タンパク質と酵素の形成**において重要です。

水循環

**水循環は究極的には太陽のエネルギーが原動力です。
地球上の水は絶えず循環しています。**

太陽が**海**や**湖**，**川**など地球表面の水を温めると，温められた水が**蒸発**します。蒸発した水は空気とともに上昇して**冷やされ**，**凝結して雲を形成**し地球に**雨**を降らせます。

蒸発：水の蒸発。
凝結：温められた空気が上昇し，上空で冷やされると凝結して湿気を含みます。
降雨：温かい空気が冷やされると雲を形成し，雨や雪を降らせます。これが水循環の主な仕組みです。降雨や降雪の量，期間，頻度がサイクルに影響を与えます。
表面流出：地上の水は川を通って，または地下に浸透して最終的に海へ流れ込みます。水は湖，盆地，地下水路に蓄えられます。土や岩石に蓄えられることもあります。流出水は盆地または貯水池に流れ込む水の総量です。
地下水流：水は土や岩石を通って川や海へ運ばれます。
浸透：水は土に浸透しながら下方へ移動し，最終的に海に到達します。
ろ過：水は透水層を通過し地下水として浸透します。

雲

雲は**標高によって形が異なります**。標高が上がるほど**気圧**と**気温**が下がります。すべての天気は，**対流圏**内で発生します。雲は**水循環**の一部であり，絶えず変化しています。

- **上層雲**：巻積雲，巻雲，巻層雲；積乱雲は巨大な雲を形成し，非常に高いところまで到達する
- **中層雲**：高積雲，高層雲
- **下層雲**：層雲，層積雲，積雲

天気：気候における一時的な変化
気候：気候における長期的な変化

天気を説明する上で重要な構成要素は，**気温**，**気圧**，**風**，**湿度**，**降水量**，**雲量**の六つです。これらは大気の**流れや動きに影響を与えます**。

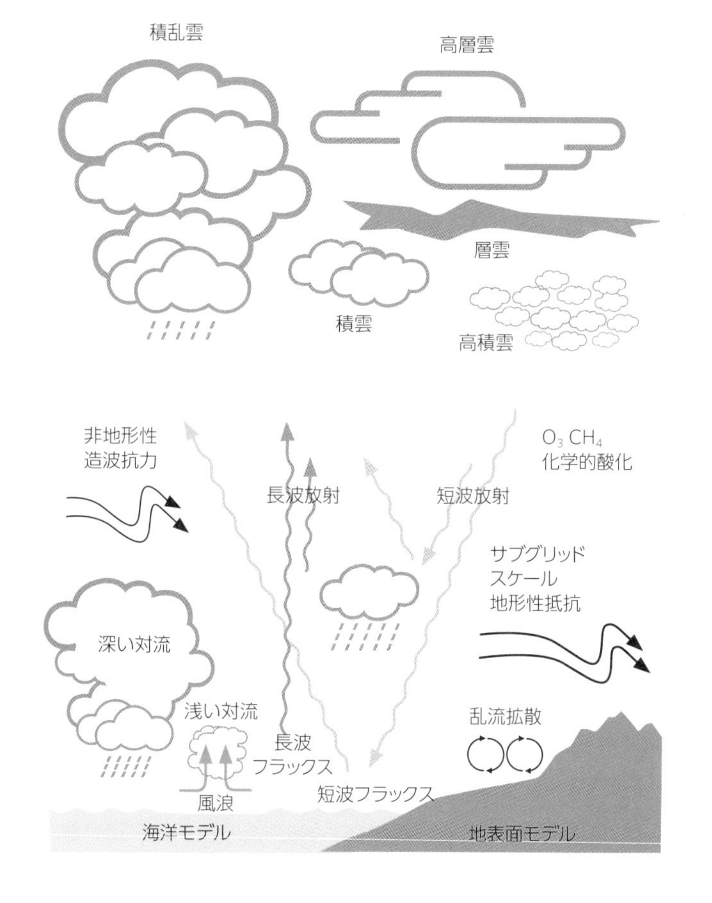

炭素循環

炭素は光合成においてCO_2とグルコース($C_6H_{12}O_6$)を，そして解糖(グルコースの分解)を通じて循環しています。炭素循環はH_2やH_2Oなどが関わる水素循環と関わっています。また水素循環は酸素循環と関係しています。

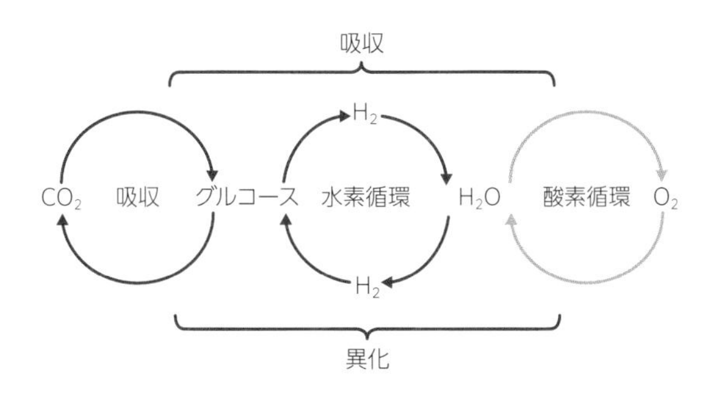

1. **呼吸**と**燃焼**によって二酸化炭素が大気中に放出される。植物は光合成ができない**夜間，二酸化炭素を放出**する。
2. **日光**が得られる間は，**光合成によって二酸化炭素がグルコースを生成**する。
3. 動物が植物を食べ，**グルコースを代謝および消化する**と**炭素原子が遊離**し，その多くは**酸素呼吸中**に二酸化炭素として放出される。
4. 生物が**死ぬ**。
5. **腐敗**すると**二酸化炭素**と**メタン**として炭素原子が大気中に放出される。
6. 何百万年もの時間をかけ，**化石**は地球物理学的過程によって**原油と天然ガスに変化**する。

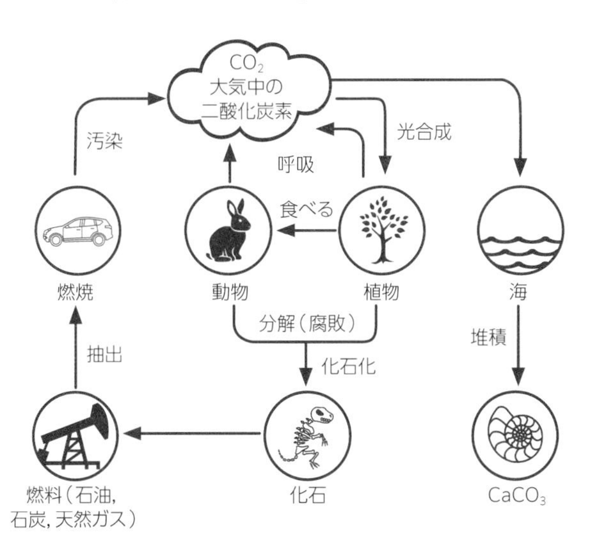

炭素固定

生化学過程によって炭素(CO_2)が吸収されて**炭素化合物**となることを炭素固定といいます。**光合成**はこの一例ですが，植物は最終的には死に，**腐敗**する際にCO_2を放出します。最も永続的な炭素固定プロセスは**サンゴ礁**による**石灰岩**の形成です。

温室効果

CO_2，メタンCH_4，水蒸気H_2O，亜酸化窒素N_2O，オゾンO_3といった気体は太陽からの赤外線を大気の低い位置に閉じ込めます。これらの**温室効果ガスは熱エネルギーを吸収し放出します。**人間の産業活動によってCO_2，CH_4，N_2Oが増加すると保持される熱エネルギーも増加し，その結果，蒸発率が上昇して活発な気候が増加します。

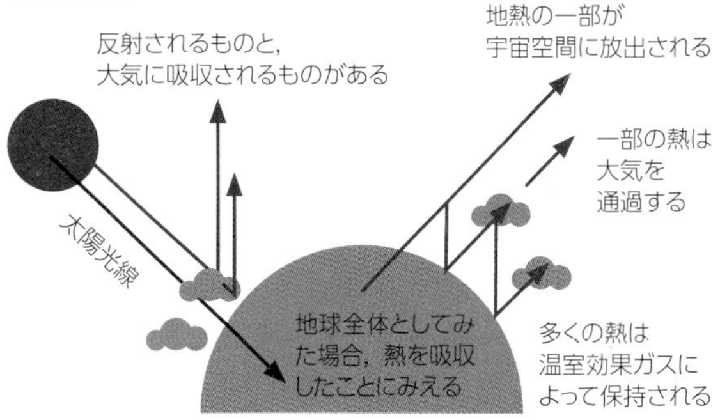

メタン

メタン(CH_4)は二番目に重要な温室効果ガスです。**湿地帯における分解**，**生物の消化**，**石油および天然ガス中**において自然に生成されます。**地球温暖化**によって**極圏の凍土帯**が解けるにつれ，より多くのメタンガスが大気中に放出されます。

岩石の循環

45億年前，超新星の残骸などを重力によって引きつけた結果，地球が誕生しました。
核には多くの鉄が入っていきました。地球の核には，鉄が80%，
そのほかにニッケル，金，プラチナ，ウランが含まれています。

岩石の種類

・**火成岩**：熱い**マグマ**が急速に冷やされてできる；**花崗岩**，**黒曜石**，**軽石**は火成岩です。

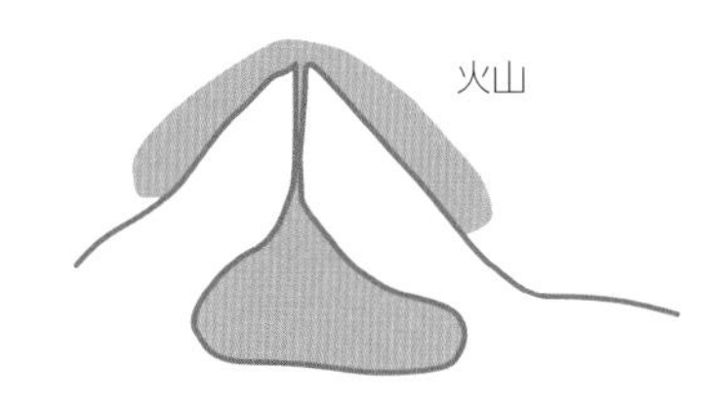

・**堆積岩**：**堆積物**の層（浸食された砂や岩石粒子）が，数百万年かけてつくられた層に圧縮されて形成されました；**石灰岩**，**砂岩**は堆積岩で，しばしば**化石**が見つかります。

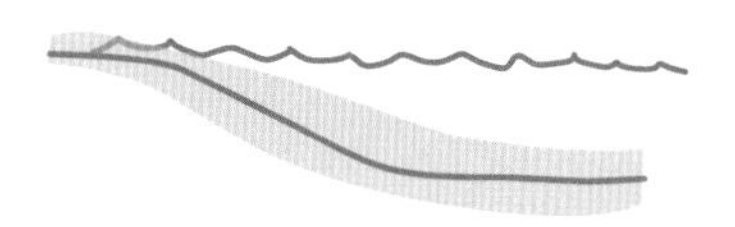

・**変成岩**：岩石が**強い圧力や熱のもとで圧縮され**，**ねじられて**形成されました。これらの岩石はとても硬いです。時間をかけて冷やされた場合，**結晶化した鉱物**ができることがあります。**大理石**と**粘板岩**は変成岩です。

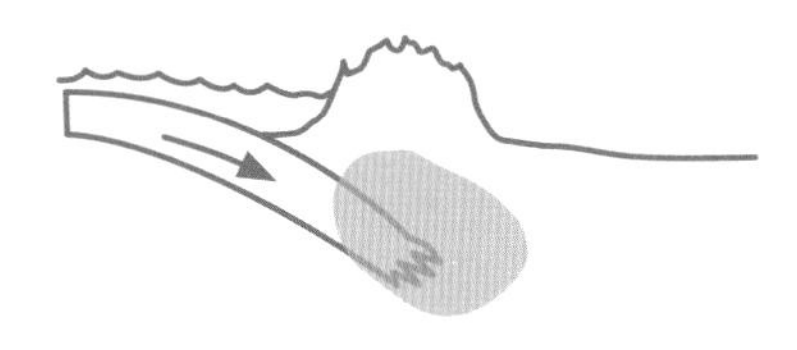

圧力の増加と温度の上昇

岩石の循環

1. **風化**は，火成岩，堆積岩，変成岩を**浸食**する。
2. **雨**や**小川**，**川**で浸食された岩石や小石は，**海へ運ばれる**。
3. **海に沈んだ**岩石粒子は**堆積**する。
4. 堆積物の**圧縮**と**結合**によって**重さ**と**圧力**が増し，下の層を**圧縮する**。
5. **変成作用**は，何百万年もの時間をかけて起こる：堆積岩または火成岩は**地殻運動**に影響を受け，**沈み込み**，**変形し**，**歪められ**，**圧縮される**；**高温**と**高圧**によって変成岩がつくられる。
6. 変成岩は溶けて**マグマ**になる；**火山の噴火**または地殻変動による**プレートの接合部**においてマグマが流れ出し，冷却され，循環に戻る。

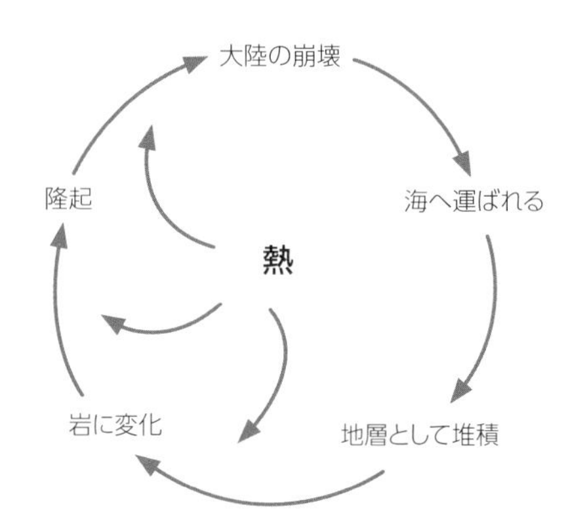

ヒマラヤの海洋化石

アンモナイトや**貝**，**その他の海洋生物**の**化石**がヒマラヤの**石灰岩**から発見されています。ヒマラヤは**地殻運動**によって隆起しました。

浸食と陸地の形成

岩石の循環は**水の循環**と相互作用しています；**風化**と**浸食**は地形を形づくります。**氷河による浸食**は，**フィヨルド**や**山脈**をつくります。

地磁気

地球の磁場は，マントル内部の液体状の鉄から放出される流動性の高い電子から発生しています。地球の自転とマントル内の対流電流が，電磁的に誘導された磁場を引き起こします。

磁場

磁力線から決められる**磁北極**は，**地理的な北極**と完全に一致はしていません。

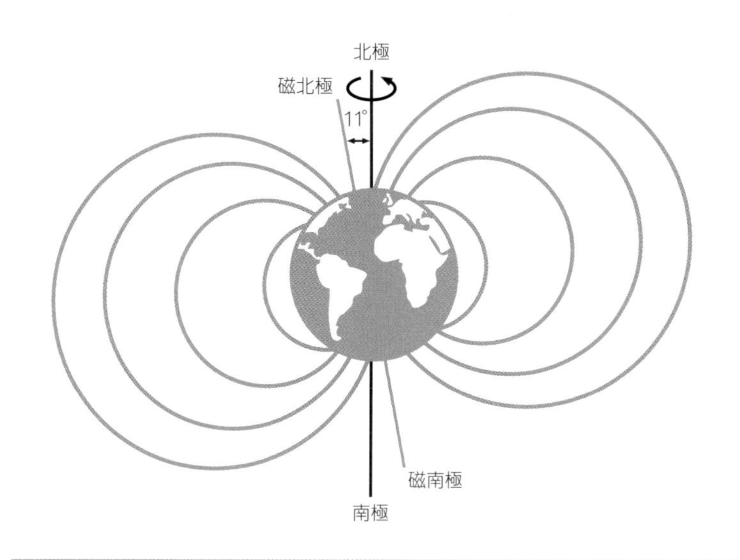

地球磁場逆転

地球磁場逆転は，**磁北極と磁南極が入れ替わり，磁極性が逆転する**ことです。地球の歴史において，これが何度か起きている証拠があります。**岩石層の調査**によって，最後の逆転は78万年前の**石器時代**に起きたことがわかっています。地球磁場逆転が起こり始めてから完了するまで7000年かかります。地球の自転によって曲線軌道となり，またマントルや外核に対流を生み出します。その結果，乱流が古い場をねじれさせ，切り取り，新しい場をつくり出します。

磁気シールド

地球の磁場は地球を**保護シールド**でおおっています。磁気シールドは，生物を**被ばく**させ，**大気の層を吹き飛ばす**危険な高エネルギーの**宇宙線**や**光子**から守っています。地球の磁場は，**宇宙空間に何万km**にも渡って広がっています。

オーロラ

- **太陽**は表面からあらゆる方向に**荷電粒子**を放出する。
- 地球に到達する**太陽風**は，**地球の磁場によってそらされている。**
- 荷電粒子は**加速され**，高層大気中の**分子と衝突**して**光子を放出**する。
- **衝突のしかたの違い**により**異なる色**を示す。

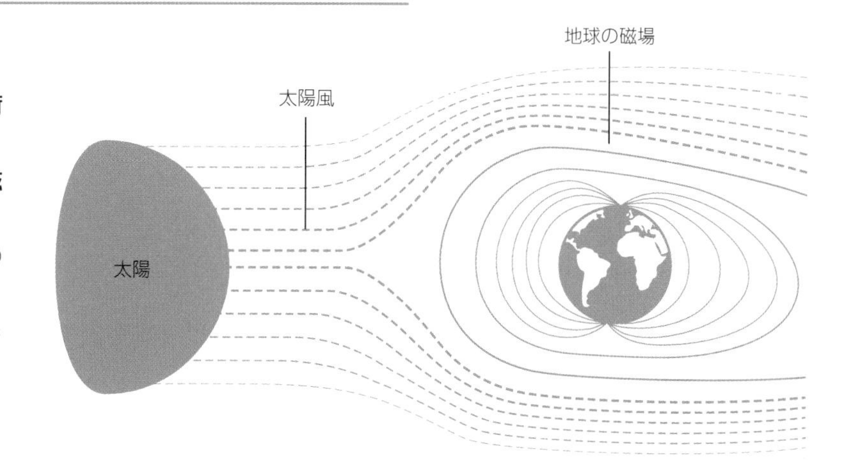

5 地質学・生態学

生物濃縮

生物濃縮は，工業化学物質，農薬，有毒化学物質が生物体内や生態系に蓄積されることです。食物網と養分循環は生物圏において密接に結びついています。有害物質（重金属，放射性同位体，その他の化合物）はその化学的特性によって生物の体内に蓄積します。

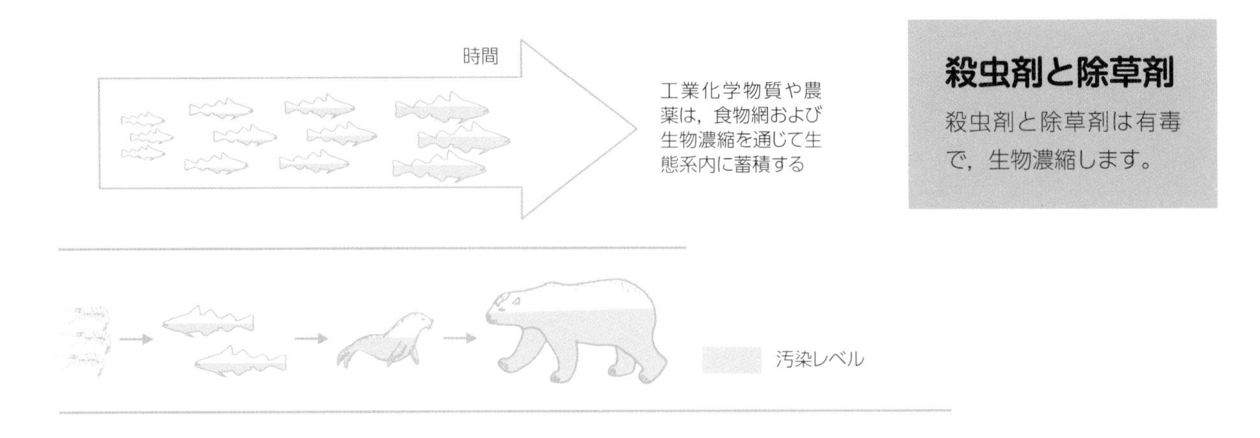

殺虫剤と除草剤

殺虫剤と除草剤は有毒で，生物濃縮します。

DDT

DDT（ジクロロジフェニルトリクロロエタン）やDDEやDDDといった関連する化学物質は，**親油性**（脂肪分子に付着）があり，**土壌や体内に数十年残ります。**DDTは体内に蓄積されます。数十年かけて尿や排泄物，母乳から排出されます。DDTが禁止されてから数十年後に生まれた子どもの血液からも**わずかながらDDTが検出さ**れました。

ストロンチウム90と生物濃縮

核実験による**発がん性放射性核**の生物濃縮も確認されています。それは食物網で循環し続けます。

『沈黙の春』

レイチェル・カーソン（Rachel Carson，1907～1964）は，1962年に出版した**『沈黙の春』**で，**農薬が食物網においていかに作用し，環境にダメージを与え，野生動物の命を奪うか**を説きました。主な要因はDDTでした。DDTは**卵の殻の形成を妨げる**ため，**鳥**は特に深刻な影響を受けたのです。

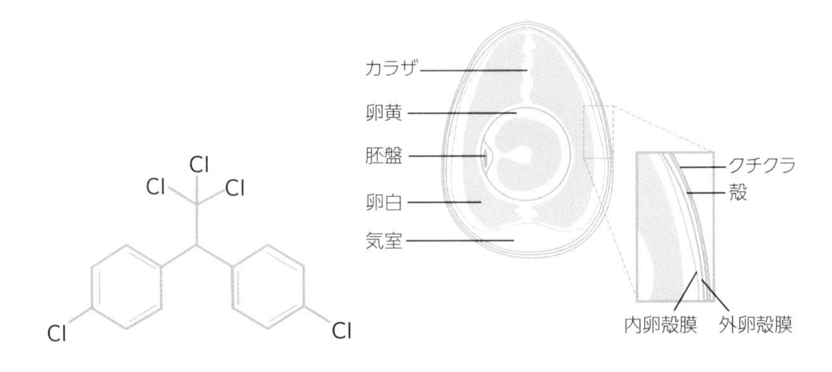

『沈黙の春』は，**開発**の名のもとに行われる**人間による自然の搾取**を批判しました。カーソンの発見は，なかにはこの問題に気づいていた科学者もいましたが，声を上げる科学者はいませんでした。カーソンは，この問題を**勇気をもって訴えました。**

カーソンのおかげで**インド**や**中国**，**アメリカ**や**ヨーロッパ**の国々を含む世界中の多くの国で**DDTが禁止されました。マラリア**などの昆虫媒介性の感染症対策に苦慮する**赤道地域の国々**では**DDTが使用される**ことがあります。これは複雑な問題です。

人為的な気候変動

地球の気候，生物圏，海，循環はたがいに結びついています。
人間の産業活動はそれらを妨げ，歪め，その結果生息環境を破壊し，不均衡や汚染を生み出し，
地球温暖化が進み，生物が絶滅しています。

気候

長期的な天気のパターンを表します。

大気，海，陸の**相互作用**が**自然の天気の変化**を生みますが，その**バランスが崩れると気候の突発的，長期的な変化がもたらされます。**

活動的になってきているシステム

地球のシステムは（単に暖かくなってきているだけでなく）より**活動的**になってきていて，その結果**あらゆる天気が極端**になっています。

水

水の循環はより激しくなっています。**世界中で降水量，洪水，蒸発，降雪**が増え，**飲料水の供給や水質に影響を及ぼしています。**

オゾンホール

1960年代から1970年代にかけて，西欧諸国は**CFC（クロロフルオロカーボン）**を放出し，これによってオゾン層を破壊しました。1987年，**クロロフルオロカーボンの使用を禁止**する**モントリオール議定書**が採択されました。幸運なことに，**オゾンホールは，徐々に回復に向かい始めました。**

不安

人種差別と気候変動

- **北の先進国**に暮らす人々は，**南の発展途上国**に暮らす人々に比べ，**消費が圧倒的に多く，二酸化炭素排出も多量**です。
- **先住民の社会**は，**15世紀のアメリカ大陸（およびオーストラリア）の侵略に続く西欧諸国の手による**歴史的な大量虐殺を経験しました。現在に至るまで，**先住社会の人々は自分たちの土地を破壊から守るために戦い続けています。**
- 北の先進国の富と活動が**過去の帝国や植民地主義，現在の新植民地主義による搾取の結果**であるという事実についての議論の失敗は，**気候問題の根深さと複雑さのため，課題が解決されることもない**ことを意味します。
- 現在，**汚染を広げる産業に依存している発展途上国は，搾取の結果としての貧困であるにも関わらず，その搾取した国々から，その貧困に非難を受けています。**
- **南の発展途上国は，**破壊という直接的な被害を受け，**気候変動の矢面に立たされています。**

アレクサンドリア図書館

知識を整理することは非常に重要であり，また古代からの習わしでもあります。現在では，図書館の司書は熱心に働き，必要なものがすぐ手に取れるよう，増大する知識（デジタル知識を含めて）を整理してくれています。

図書館の設立と崩壊

アレクサンドリア図書館は**エジプト北部**に，紀元前285～紀元前246年の間に設立されました。**古代の世界で最も大きな図書館の一つ**でした。**古代言語**，**詩**，**音楽**，**哲学**，**数学**，**書**などに関する書物が収められていたといわれています。図書館には**巻物**もあり，**学びの中心として栄えていました。**

図書館は次第に**軽視され**，**長い時間の中で巻物は次第に崩壊した**と主張する歴史家もいますが，図書館は，**ユリウス・カエサルによって掌握された**紀元前48年頃，**大火事**という**「事故」**によって破壊されたという説や，**原理主義者**によって放火されたという説もあります。その遺跡は**現在も残っています**。

ヒュパティア

350年から370年頃に生まれたヒュパティア（Hypatia）は**数学者**であり，**天文学者**でした。**幾何学**と**数論**のアイデアを発達させましたが，410年頃，異教徒である彼女の**信念**に反対する**過激派に襲われ**，無残にも**殺されてしまいました**。ヒュパティアも，知識人・賢人と言えど，無知な人々に直面した場合，無残な目に会うことがあるが，後世の人からみると，なんともったいない人物を失ったことかという後悔がくりかえされるという**象徴的な事例**です。

図書館の管理

アーカイブや図書館を管理するには，蔵書のアップデートや追跡といった継続的なメンテナンスが欠かせません。デジタル図書館にも同じことが当てはまります。図書館は誰もが利用でき，よく整理され，常に更新されている必要があります。

モダンな新アレクサンドリア図書館

1988年から2002年にかけて，**新アレクサンドリア図書館**が建設されました。**もう消えてしまった何百万ものWebサイトや何十億ページものデジタルアーカイブ，テレビやオーディオ放送のアーカイブを**含む多くの記録が寄贈されました。

地球の外周の長さ

2000年以上前，ギリシャの数学者エラトステネスが影と三角法，二都市間の距離だけを使って地球の外周を測定しました。

地球の外周の測定

夏至（6月21日）の正午，**北回帰線**近くに位置するスウェネトという町の深い井戸に太陽光線がまっすぐ差し込みます。スウェネトは後にシエネとして，現在ではアスワンとして知られています。同じ日の同じ時間，**アレクサンドリア**の井戸に太陽がまっすぐ差し込むことはありませんが，井戸の中に影が落ちます。エラトステネスは**アレクサンドリアのオベリスク（高い石塔）がつくる影でも同じことが起こる**ことに気づきました。

- 夏至の正午，スウェネトでは影ができない。
- 夏至の正午，アレクサンドリアでは影ができる。

エラトステネスは影の角度を計測しました。

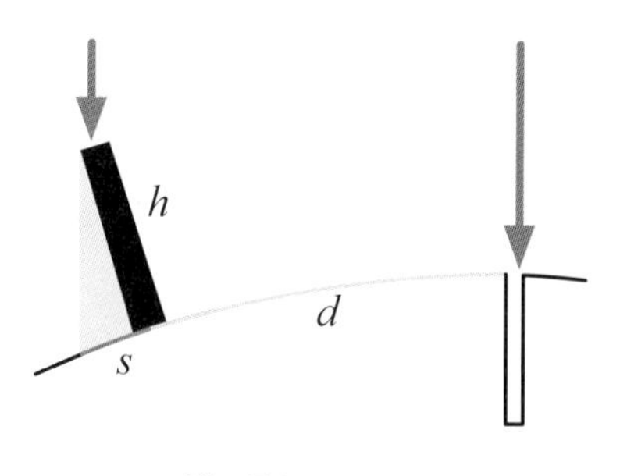

スウェネトとアレクサンドリア間の距離は計測し，この距離と**影の角度**，**幾何学**を用いて，エラトステネスは**地球の外周の長さを計算しました**。

- 円は360°。
- 影の角度は7.2°。
- 360を7.2で割ると50になる。

$$\frac{360°}{7.2°} = \frac{\text{地球の外周の長さ}}{\text{アレクサンドリアからスウェネトまでの距離}}$$

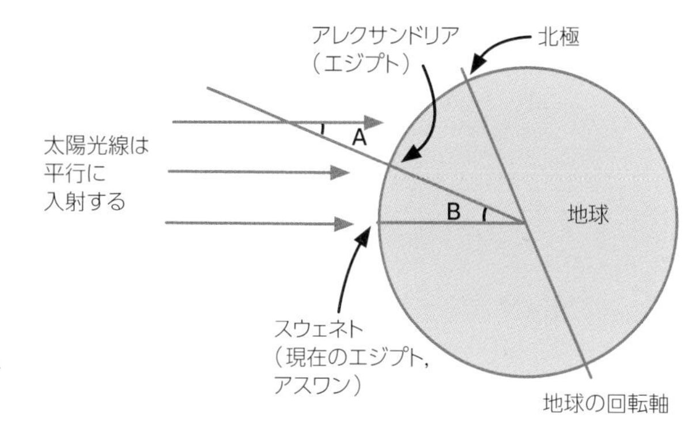

360°を7.2°で割ると50になり，つまりアレクサンドリアからスウェネトまでの距離500マイル（約804 km）は地球の外周の長さの50分の1であることを意味します。

エラトステネスは500マイルに50をかけ，地球の外周を25,000マイル（約40,200 km）と推測しました。実際の地球の外周は24,901マイル（40,075 km）です。

紀元前270年頃，哲学者**アリスタルコス**は**地球から月までの距離**を計算しました。彼は月が**半径Rの円状の軌道を時間Tで周回している**と仮定しました。そして**月食中に地球の影が月を通り過ぎる時間**を観測しました。

彼は幾何学を使って以下の計算をしました。**月が，地球の影に占められた月の公転軌道上部分を移動する時間**を計測し，地球半径と月の半径の比を見積もりました。

幾何学の手法を使うことで，月と地球の平均距離を求めました。現在の正しい測定結果を用いると，月との平均距離は**地球の半径の60倍**となります。

時間の計測

**自然のサイクルは人間や植物，動物の生活に影響を与えます。
そうしたサイクルは古代の暦のみならず，現在も使われている暦の基礎になっています。**

・**太陰暦**は**月の周期**を基にしている。
・**太陽暦**は**太陽の周期**を基にしている。
・**星座暦**は**星の配置の規則正しい変化**を基にしている。

月，太陽，地球のサイクルは異なり，たがいに関連はないにもかかわらず，**複雑な月と太陽，星の運行**は多くの暦に組み込まれています。

月齢

太陰暦は**最も古い暦の一つ**です。

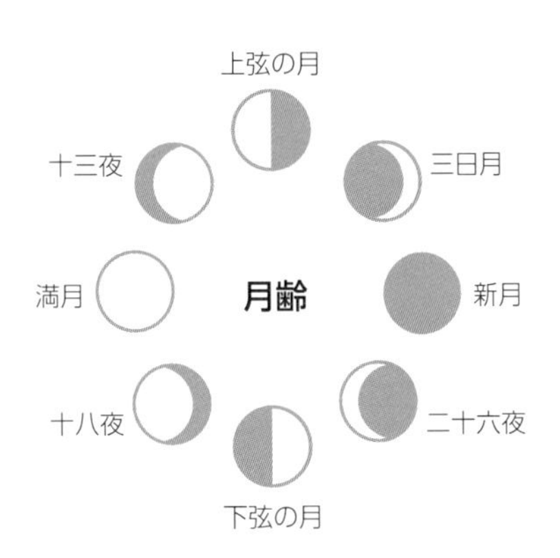

星座暦

星座は**地球から見える星のパターン**です。時間の経過とともに，このパターンは**地球の歳差運動**によって少しずつ移動します。**地域や文化によって**（歴史を通じて）**星座は異なります**。

秒，分，時間

1秒は，おおざっぱには**1日の86,400分の1**または**1分の60分の1**に等しく，**1分は1時間の60分の1**です。**1時間は日の出から日の入りまでの間のおよそ12分の1**です。赤道を除き，**日の出から日の入りまでの時間は年間を通じて変化します**。

重さと計測

自然のサイクルは**十分予測可能なものではなく正確な計測には適しません**。科学においてこれは重要なことなのです。1957年，**1秒に関する世界共通の定義**が求められ**CIPM（国際度量衡委員会）**によって議論されました。

1秒の長さはどれくらい？

SI（国際単位系）は，**国際的に定められた単位系**です。1967年，CIPMによって，**1秒はセシウム133の原子が9,192,631,770回振動する長さ**と定義されました。

おかしな時間

宇宙の特別な性質として，私たちは**過去を覚えていることができても未来を知ることができない**ということが挙げられます。これは当然のことのようですが，**数学的な視点で見るととても不可解**です。

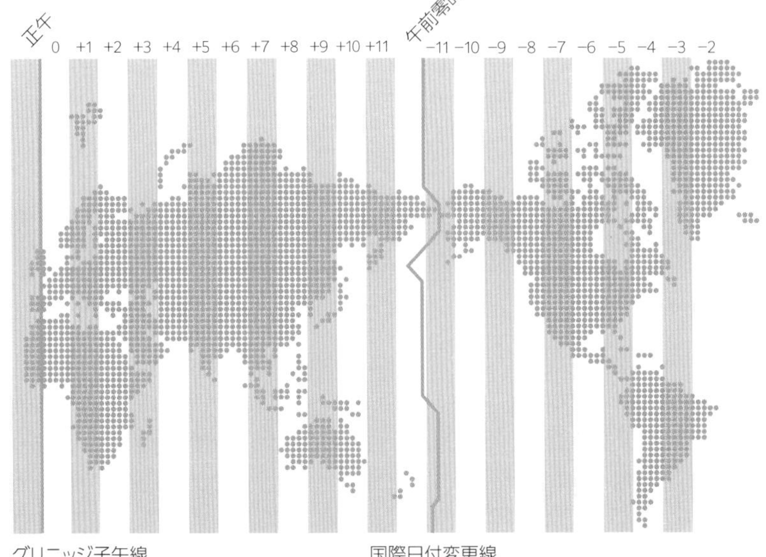

イスマイール・アル=ジャザリー

イスマイール・アル=ジャザリー（Ismail al-Jazari，1136～1206）は，イスラム黄金期を生きたトルコ人の博学者でありエンジニア，芸術家です。彼は『巧妙な機械装置に関する知識の書』を著し，出版された年に亡くなりました。この本では100以上の機械装置やオートマタ（自動装置）がイラストとともに紹介されています。

『からくりの書』

9世紀に先んじて，バグダードの知恵の家で**バヌー・ムーサー兄弟**が出版したこの書では，**てこ**や**平衡錘**，**歯車**について紹介されました。

設計

エンジニアたちは自らがつくるものを改良するために**設計**，**試作品の製作**，**テスト**，**再設計**を続けています。

オートマタ

アル=ジャザリーの書には**水を分配する装置**や**時計**，自動**演奏装置**が含まれていました。彼の装置は**歯車**や**クランク軸**，**ピストン**，**送水ポンプ**，**水車**を使って動かされていました。

エレファントクロック

とりわけアル=ジャザリーの驚くべき仕掛けは複雑な**水時計**で，**日の出から日没までの時間**を計るものです。内部の仕掛けは以下のようになっています。

・水に浮かんだボウルにゆっくりと水が入れられる。
・ボウルが沈むと滑車装置を引き，ボールベアリングで動力する装置を傾ける。
・これが回転して時間を告げる。
・球がドラゴンの口に落下し，象使いの横の容器に入る。すると象使いがドラムを鳴らして時間を告げる。

歯車の原理

歯車は，**力を他の装置に伝える**ものです。**毎分回転数（RPM）を変化させる**ため，**歯車の歯の数の比率**を活用します。**駆動歯車**は**被駆動歯車**より大きいため，被動歯車のRPMの**増速比を増大させます**。

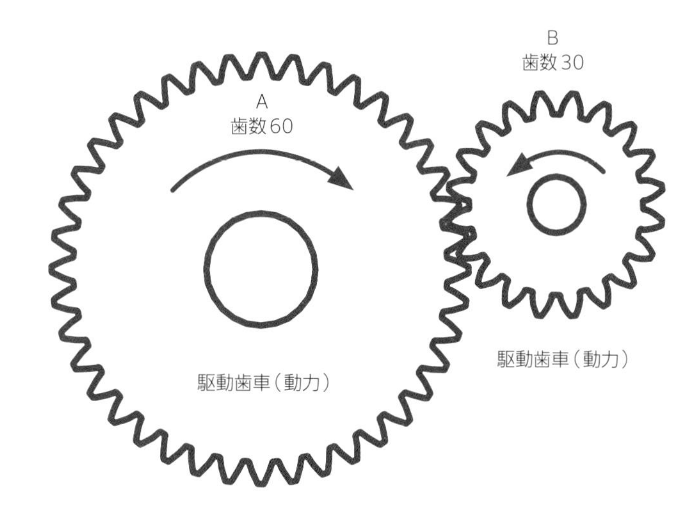

例

（Aの歯数60）÷（Bの歯数30）＝速度比：60÷30＝2
AのRPM＝120であるとき，BのRPM＝AのRPM×速度比：120×2＝240

6 テクノロジー

活字

図や文字をつくり再現する古代の印刷技術です。印刷機は情報の流通に大改革をもたらしました。中国で最初に発明された活字は単語の変更を容易にしました。

印刷の種類

切込みの上部から印刷するものは
凸版印刷
木版，リノリウム版，凸版印刷

切込みの下部から印刷するものは
凹版印刷とよばれます
エッチング，ドライポイント，彫刻

単一面で印刷するものは
平版印刷
単刷り版画，リソグラフィー

開口部を通して印刷するものは
ステンシル
シルクスクリーン，カッパ版

古代のステンシル

35,000年前の**人間の手によるステンシル**が洞窟の壁から見つかっています。ステンシルは**印刷の一種**です。

木版印刷のプロセス

彫刻した木片に均一に**インク**をつけたものを使用し，**紙**や**織物**などの**面に押し付けます。粘土板**を用いた印刷が紀元前3500年に行われていた証拠が発見されています。**木版印刷の技術**は**中国，日本，韓国，インド**で何千年もの間用いられていました。

凸版印刷

インクは**表面を利用**します。**彫り出された部分**にはつきません。

凹版印刷

インクは**印刷面から彫り出された部分**につきます。凸版印刷の反対で，**エッチング**などがこれに当たります。

活字の革新

活字は**調整できる**ので，**簡単に文章を変更できます。**文章を変更したいときは**個々の要素や文字を並べかえるだけ**でよく，一から彫り直す必要はありません。

畢昇

中国の農民だった**畢昇**（ひつしょう）（990～1051）は**世界初の活字タイプの印刷システム**を発明しました。

独立した文字

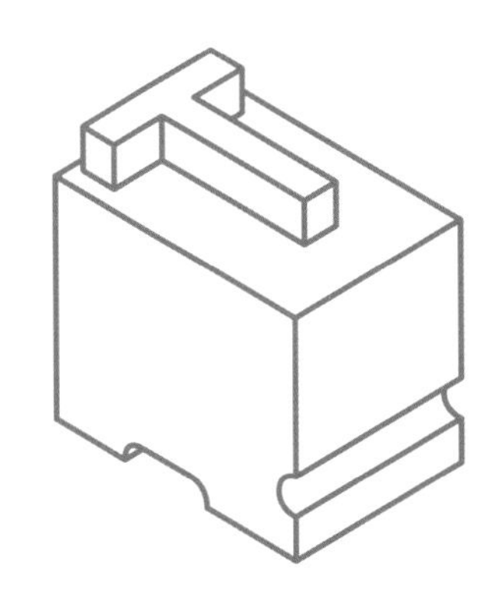

活版印刷

植字工はテキストを逆向きに構成します。つまり**鏡に映ったように反転した各文字**を正しく印刷されるように正しく並べるのです。単語と単語の間やページの端の**スペース**をつくるために**ブロック**が使われます。構成されたテキストは，**プレス機の版盤**に移して**固定され，インクが付けられます。**そして**紙を置き，均一に押し付ける**と印刷が出来上がります。

グーテンベルクの印刷機

ドイツ人の鍛冶屋で金属加工職人だった**ヨハネス・グーテンベルク**（Johannes Gutenberg, 1400～1468）は，1440年から1450年の間に**グーテンベルクの印刷機**を発明しました。これは**情報の伝達方法を変えました。**

6 テクノロジー

建設

土木工学は，人間が古代から行ってきた，
巨大な構造物や建物の設計と建設に関することです。

- **構造工学**：骨組みの設計は，建物や構造物の建設に欠かせません。建物が物理的なストレスに耐えうるように設計する必要があります。
- **建設工学**：インフラなど，計画，管理，設計された構造物の建設を含みます。

コンクリートの補強

コンクリートは**脆く**，**引張強度が低い**です。**鉄骨**，**ロッド**，**バー**，**メッシュ**などで補強することで，**引張**，**せん断**，**圧縮の圧力**を吸収することができます。コンクリートを補強することで，**とても高い建物も建設できるようになりました。**

都市計画

都市計画の歴史は**数千年にも及びます。**都市を計画，開発するには**下水道**，**公共輸送機関**，**上水道**，**病院**，**交通**，**学校**などについて決定しておく必要があります。多くの都市は**既存のインフラ上に発達，発展します。**

コンクリート

コンクリートは，**粉末状の石**と**水**を混ぜたものからつくられています。水と固体粉末状の素材の**水和作用とよばれる化学反応**によって粉末内の原子同士が化学結合し，接着剤のように固く凝固します。**古代では石こうまたは石灰岩を砕いて焼いたものがコンクリートと同等のものとして使われていました。**

石灰

水酸化カルシウム，つまり**消石灰**は，水に触れると**腐食作用や薬品やけど**を起こさせる性質があり，**激しい燃焼**を起こします。しかしながら，**多用途な建設資材**です。**石造建築**では**モルタル**として使用され，**岩やレンガを接着**したり，**表面のコーティング**をしたりするために用いられます。**外装**（化粧しっくい）や**内装**で用いる石こうは石灰を含んでいます。

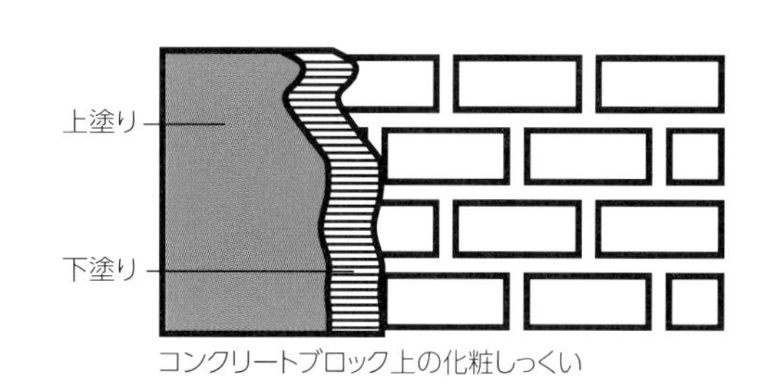

コンクリートブロック上の化粧しっくい

ポルトランドセメント

コンクリートの基本的な原料の一つが**セメント**です。セメントは，**砕いたカルシウム化合物の細かい粒子と粗い粒子**，**シリカ**，**アルミナ**，**酸化鉄などを混ぜ合わせたもの**です。そのほかのコンクリート原料には，**石灰岩**，**砂岩**，**泥灰土**，**頁岩**，**鉄**，**粘土**，**フライアッシュ**などがあります。

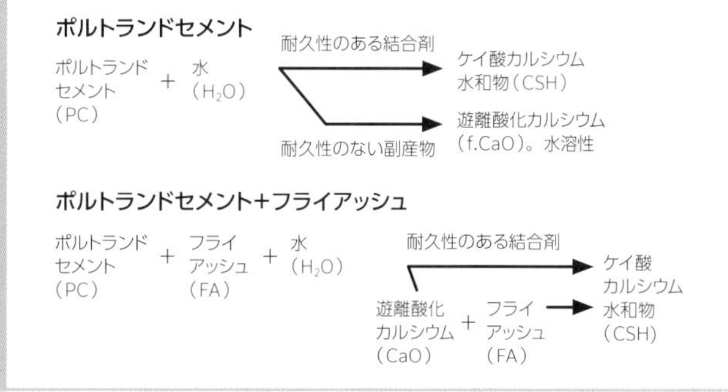

熱機関

熱を別のエネルギーに変換するシステムです。熱は温度が高い方から低い方へ流れ，（タービンなどで）力学的エネルギーに変換されます。電気エネルギーを発生させる発電機に接続されることも可能となります。

熱循環

加熱

圧縮　　圧縮

閉鎖系

熱放出

入力　排出

閉じた系では一定量の「外部との熱や仕事のやり取りを担う物質（作業物質）」を再利用する

熱効率＝仕事÷熱

第一法則

エネルギーは，勝手に生まれたり，消滅したりしない。ほかの形態に**変換**されます。

第二法則

熱効率100%のエンジンは実現できない。仕事に使われないエネルギーが必ずあり，**熱として失われます。**

サディ・カルノー
（Sadi Carnot，1796～1832）

サディ・カルノーは，**気体を使ったエネルギー交換の効率が100%だとするカルノーサイクル**を提案したフランス人技術者です。カルノーサイクルは実現できませんが，**技術者が効率の上限を理解するために役立ちました。**

モハメド・バー・アッバ
（Mohammed Bah Abba，1964～2010）

ナイジェリアの教育者で，古代の**ジーアポット冷却システム**を普及させました。**電気を使わず，暑い時期でも食物を冷やすことができます。湿った砂から水が蒸発する際，**食物が貯蔵されている冷却エリアから**熱を取り去ります。**

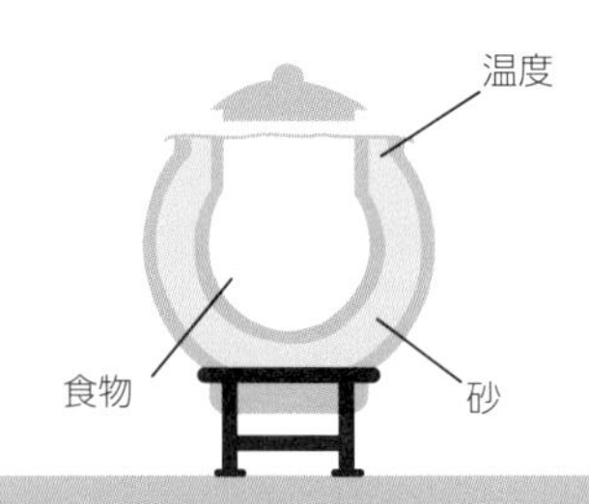

内燃機関

内燃機関は，**閉じられたシステム中で，空気と燃料を燃焼させ**動力を生み出す熱機関です。**気体の熱膨張がピストンを動かします。**自動車に使われる多くの内燃機関は**熱効率が低く，**20%です。

位相サイクル

エンジンの原動力となっているのが沸騰液の相転移です。右の二つのグラフは，**サイクルにおける物質の液体から気体への相変化を表しています。**ここに示されている**位相サイクル**は**ランキンサイクル**とよばれ，**熱タービンの効率を予測するために用いられます。**

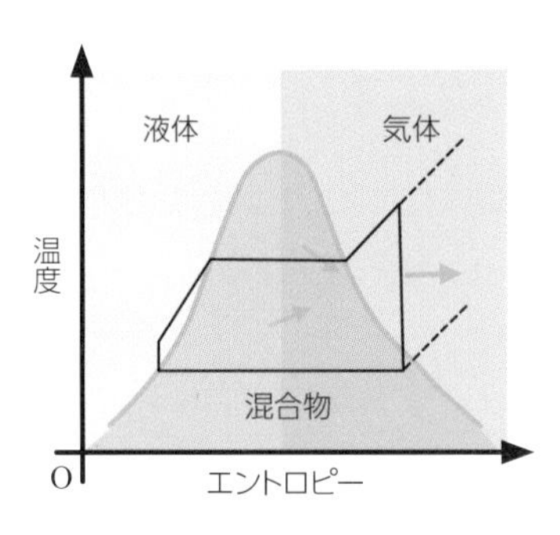

冷却

冷蔵庫内の食べ物は，**庫内の熱が継続的に取り除かれて冷やされています。庫内の液体は，このシステムでは気体に変換して活用されます。**

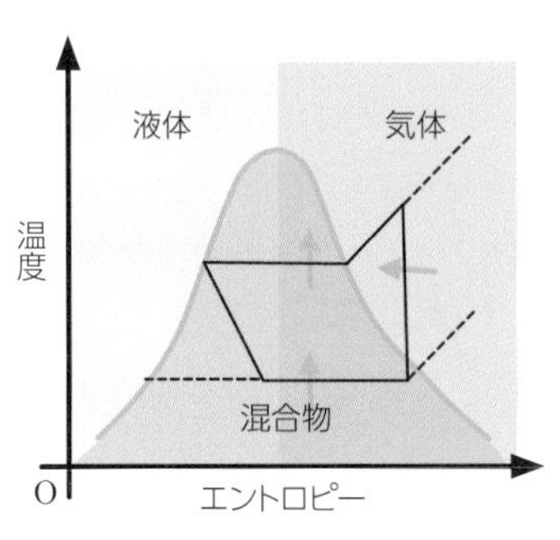

エネルギーの未来

電気の多くは，**化石燃料の燃焼**からつくられています。**燃焼**による熱によって，**水蒸気を発生**させ，これが**タービンを回転させます。化石燃料依存からの移行が求められています。**

エネルギー貯蔵

**電池は，電池の外部の負荷に対して電圧を生み出します。
電気陰性度の違いによって，電池の外部の回路に，
プラス極からマイナス極に電流を流す電位が発生します。**

電池は，以下で構成される電気化学的セルです。
プラス極：回路を組んだとき，**電子を受け取る**側の電極。
マイナス極：回路を組んだとき，**電子を供給する**側の電極。
電解液：**イオンが流れる**ことで，**電流を流すことができる**液体。

レモン電池

- 銅線＝プラス極
- 亜鉛がメッキされたくぎ＝マイナス極
- レモン＝電解液

バグダッド電池

バグダッドで，2000年前につくられた**初期の電池**が発見されました。**銅円筒に包まれた鉄棒**が入った**土器**でつくられていました。

ボルタ電堆（でんたい）

イタリア人化学者**アレッサンドロ・ボルタ**（Alessandro Volta，1745～1827）は，**塩水**に浸した吸い取り紙で仕切った亜鉛と銅の板を積み重ねました。**亜鉛と銅は電極です**。電池として機能しました。しかし，最終的には**塩水が金属を腐食させてしまいます**。

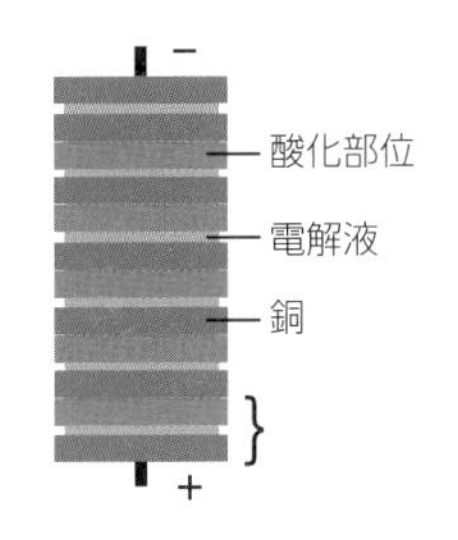

化学電池

電池内で起きる**酸化と還元の化学反応**は**イオンの流れを引き起こします**。**炭素亜鉛電池**はフランス人化学者**ジョルジュ・ルクランシェによって発明されました**。

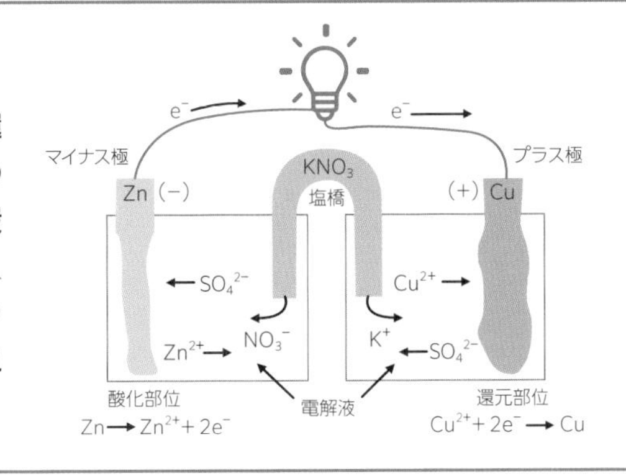

乾電池

液体の代わりにペーストを使う乾電池は1886年，ドイツ人科学者**カール・ガスナー**によって開発されました。**近代的な電池**は1887年，**日本の時計職人で発明家の屋井先蔵**によって**初めてつくられました**。

充電

アルカリ電池は一度しか使うことができません。化学反応を**逆方向にも**起こせるようにすることで，充電可能な電池が実現しました。**初の充電可能な鉛蓄電池**は，1859年に**ガストン・プランテ**によって発明されました。**現代のリチウムイオン電池**は，**ノートPC**や**スマートフォン**などに使われています。

化学廃棄物

電池は**恐ろしい廃棄物**にもなりえます。

- 充電式電池は一度しか使うことのできない電池の使用を減らしましたが，**有毒物質が含まれている**ため**取扱いに注意を要する**ことを忘れてはいけません。
- 電子部品は，永久的なものではなく，電子的な廃棄物となります。

グリーンエネルギー

電気は**風力**，**太陽光**，**波力**からつくることもできます。**こうしたエネルギーを蓄えられるような設計とエンジニアリングは，喫緊の課題です。**

コンピューター

コンピューターは計算や論理演算を行うために設計されました。
コンピューターは，プログラミングによって使える環境になります。

コンピューターの構造

- **ハードウェア**：見て，触れることができる部分。**キーボード**，**モニター**，**マウス**など。
- **ソフトウェア**：コンピューターに**課題を行わせる指示**。
- **インプット**：**情報を入力する**こと。単語，数字，音，画像。
- **システム／処理**：コンピューターは記憶装置やコミュニケーションネットワークと相互作用して計算を行う。
- **アウトプット**：触覚デバイスや視覚または聴覚情報を通じて結果が示される。

単純なコンピュータの構造

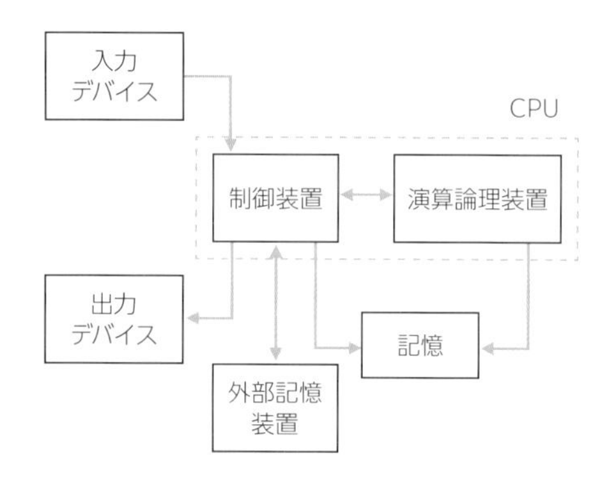

数字の魔法

イギリスの数学者で翻訳者，作家の**エイダ・ラブレス**（Ada Lovelace, 1815～1852）は，**バベッジのコンピューター用に数字**や**文字**，**記号を表すコードを作成**し，機械に対して**ループ状に指示を繰り返す方法**を**開発しました**。彼女の研究は1950年代までほとんど忘れ去られていましたが，ループは**今日のコンピューターに使われています**。

ジャカード織機（しょっき）

ジャカード織機は，**コンピューターの原型**です。1804年，**ジョゼフ・マリー・ジャカール**（Joseph Marie Jacquard）が**複雑な織物を機械化するために**設計しました。

解析機関

機械式汎用コンピューターの案で，**複雑な数学的な計算**をするために，イギリスの数学者で発明家の**チャールズ・バベッジ**（Charles Babbage, 1791～1871）によって設計されました。

コンピューターの略歴

第一世代：
オペレーティングシステムはなし
バイナリーコードとしてスイッチを使用

1937年 デジタルコンピューターがつくられる。
1943年 第二次世界大戦中にコロッサスが軍事用にコンピューターをつくる。
1946年 エニアック（Electronic Numerical Integrator and Computer）がつくられる。数学的処理を一つ実行する。

第二世代：
真空管の代わりにトランジスターを使用
プログラミング言語が発達
コンピューターメモリと**オペレーティングシステム**
外部記憶装置；テープ，パンチカード，ディスクなど

1951年 ユニバック（Universal Automatic Computer）。
1953年 IBM（International Business Machine）がつくられる。

第三世代：1963年から現在
→**集積回路**
→コンピューターは**より小さく**，**よりパワフル**に，**より信頼できる**ものに
→同時に**複数のプログラム**を使用
1980年 MS-DOS
1981年 IBMがパソコンを発表
1984年 アップルがMacintoshとアイコンインターフェースを発表
1990年代 Windowsの登場
1992年 スマートフォン
2007年 個人向けスマートフォンがリリース

電子工学

電子工学は電子の流れの物理学です。負の電荷を帯びた小さな粒子はさまざまな分野のテクノロジーに生かされています。

キルヒホッフの第一法則

流れ込む電流と流れ出る電流は等しい（**電荷の保存**）。

キルヒホッフの第二法則

閉ループ内のすべての電圧の和はゼロである（**エネルギーの保存**）。

圧電発電のエネルギー

圧電素材（石英など）は，**圧力を受けると電流を生じます。クォーツ時計**には圧電部品があり，その**電流が正確な周期で振動するので，正確に時を刻むことができる**のです。

電気用図記号

可変抵抗器	積層電池	交流電源
電池（セル）	ダイオード	電圧抵抗器
抵抗器	変圧器	電球
可変抵抗器	電圧計	太陽電池
電流計	スイッチ	マルチスイッチ
コンデンサ	アース	モーター

全抵抗

（A）直列抵抗：

全抵抗＝各抵抗値の和

$R_T = R_1 + R_2$

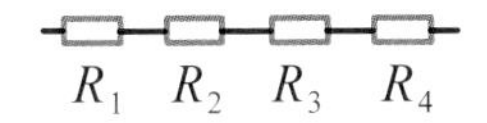

直列に接続された抵抗

（B）並列抵抗：

全体の抵抗の逆数（$1/R_r$）は$1/R$を足し合わせたものに等しい

$$\frac{1}{R_T} = \frac{1}{R_1} + \frac{1}{R_2} + \frac{1}{R_3} \cdots\cdots \frac{1}{R_n}$$

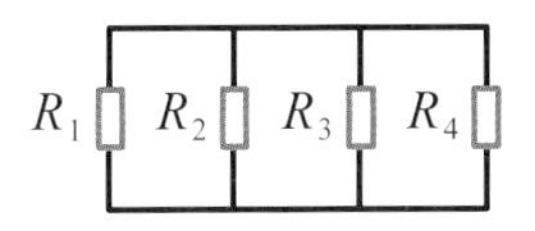

並列に接続された抵抗

抵抗器の値を読む

抵抗器には**色分けされたバンド**があり，**オーム**Ωでその抵抗を示します。左の二つまたは三つのバンドが0から9の数字を示し，それに続くバンドが**乗率**を示します。間をあけた次のバンドが**誤差**を%で示します。

抵抗器カラーコードが以下の場合：

　黄　紫　　赤　…銀

＝4　7　×100　10%

＝4700Ω 誤差±10%

となります。

オーム抵抗と非オーム抵抗

オーム抵抗：**抵抗は一定**で，**電流**は電位差に**比例する。オームの法則**が成り立つ。

IとVは**比例する**。　$V = RI$

非オーム抵抗：IとVは**比例しない**。

- **白熱電球**：白熱電球のフィラメントが熱くなればなるほど，抵抗も大きくなる。
- **NTCサーミスタ**：温度が上がると抵抗が下がる。
- **半導体ダイオード**：ある方向では電流はほとんどゼロ。順方向では電流は増加する。
- **発光ダイオード（LED）**：順方向では電気が流れて発光するが，逆方向では発光しない。
- **光依存性抵抗（LDR）**：光の強さによって抵抗が変わる。

抵抗器カラーコード表

色	数字	乗率	誤差
黒	0	1	
茶	1	10	± 1 %
赤	2	100	± 2 %
橙	3	1,000	
黄	4	10,000	
緑	5	100,000	± 0.5%
青	6	1,000,000	± 0.25%
紫	7	10,000,000	± 0.1%
灰	8		± 0.05%
白	9		
金		0.1	± 5%
銀		0.01	± 10%
なし			± 20%

アラン・チューリング

イギリスのコンピューター科学者で暗号解読者，哲学者，理論生物学者，数学者のアラン・チューリング（Alan Turing，1912～1954）は近代的なコンピューターとAIを発達させました。第二次世界大戦中，ブレッチリー・パークでエニグマを使って送られたナチスの暗号解読に取り組み，勝利に貢献しました。

エニグマ

エニグマは**歯車**と**電子工学**を用いてつくられた機械で，**メッセージを「不規則に」かく乱**しますが，その**かく乱のパターンは限られていました。チューリングはそのしくみを解明しました。**

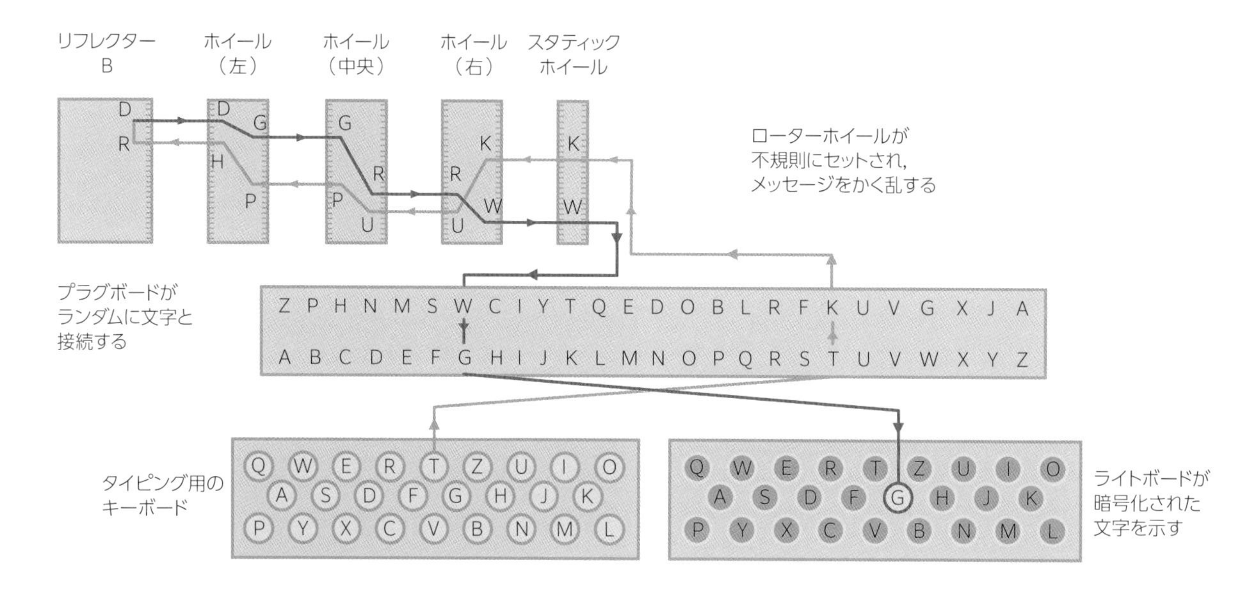

チューリングの試行

1930年代のケンブリッジで，チューリングは**コンピューター**の限界に関する**数学的問題**に取り組んでいました。架空のデバイス**「チューリングマシン」**という彼のアイデアは，いくつかのルールに従って数字を処理するシンプルなものでありながら，アルゴリズムとして書き出せるものであればどのような問題も解くことができる可能性を秘めたものとして非常に有望でした。

1938年，**ドイツのエニグマコードの弱点を見つけるため，政府の暗号解読者として雇われ**，すぐに**ボム**とよばれる電気機械装置を考案しました。これは考えられるエニグマの設定（クリブとよばれるオリジナルのメッセージの断片を予測することに基づく）を総当たりで計算するものです。彼の研究は，**ブレッチリー**でつくられた世界初のプログラム可能なデジタルコンピューター，**コロッサス**に影響を与えました。

しかしながら，1945年以降，ブレッチリー・パークの研究は**機密扱い**とされ，機械は壊されました。より発達した**「内臓プログラム」**コンピューターを構築するためにチューリングの戦後の努力は妨害されました。さらに，チューリングが**同性愛者**であることが安全に対するリスクを高めたとみなされ，**諜報活動から締め出されました。**1952年，当時の同性愛に関する法を犯した罪で逮捕され，**化学的去勢**を命じられました。

ストレスと鬱から，チューリングは1954年に自殺してしまいます。彼の仕事が近代社会に**大きく貢献している**ことが認識され始めたのはここ数十年のことです。

写真技術

写真の発明には光反応性の化学，光学，ビジュアルアートが関係しています。芸術家と科学者は，写真技術を急速に取り入れていきました。

ピンホールカメラ

- レンズなしで作成できる。
- 小さな穴を使用する。
- 小さな穴から光が入り，ボックスの内側に逆さの像を映す。

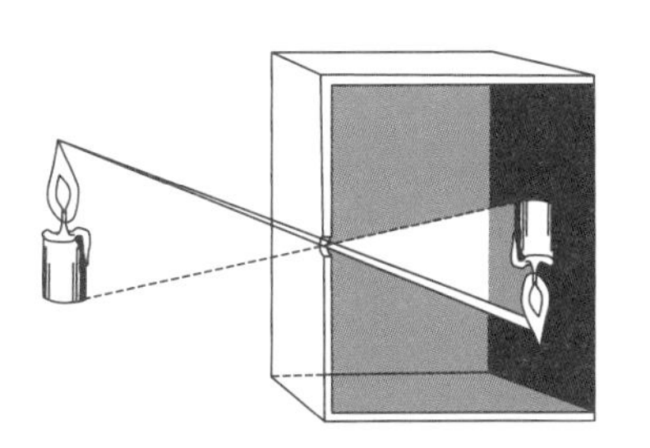

青写真

初期の**光反応性撮像**では，**紙にコーティング剤を塗り**，それが**太陽光を受けると，物体の影になっていた部分が紙に写ります。**

アンナ・アトキンス

イギリスの植物学者**アンナ・アトキンス**（Anna Atkins，1799～1871）は，**女性初の写真家の一人**で，**植物の青写真を掲載した初の写真集**を出版しました。

ダゲレオタイプ

ルイ・ジャック・マンデ・ダゲール（Louis-Jacques-Mandé Daguerre，1787～1851）は，**銀でコーティングした銅板**を使うダゲレオタイプを発明しました。

デジタルカメラ

光がカメラレンズから入ると，**イメージセンサーチップを刺激し，色，トーン，異なる形の輪郭を測定**します。このアナログの情報が，**数百万のピクセルに変換**されます。

レンズ

レンズは，**画像をキャンバスやその他の表面などに映し出します。**ルネサンス初期のフランドルの芸術家たちは，これを使って物体や人物をスケッチし，写実的な絵を描けるようになりました。

一眼レフカメラの構造

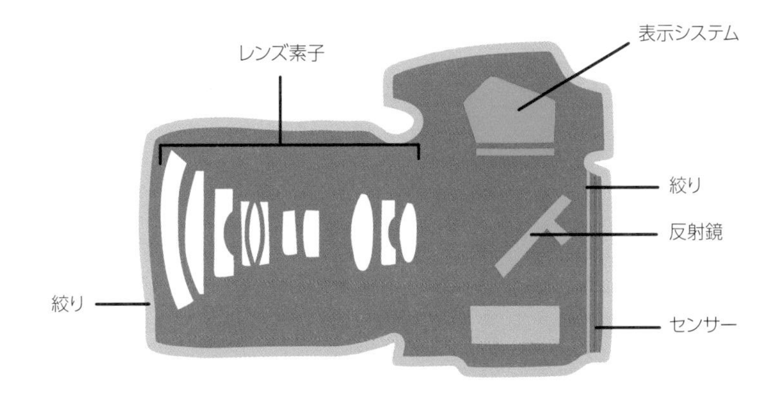

セルロイドフィルム

ジョン・カーバット，ハンニバル・グッドウィン，ジョージ・イーストマンは，**ニトロセルロース，カンフル（樟脳），アルコール，色素**を使った**透明でやわらかいフィルム**をつくりました。1889年，**イーストマン・コダック**は**市販のセルロイドフィルム**をつくりました。

レーダーとソナー

レーダーとソナーは，離れた物体からの音響信号から受け取った反響を利用して物体の場所を特定します。信号の送信と受信の間の遅れから位置がわかります。

レーダー

電磁波を使います。レーダーにはいろんな用途がありますが，とくに夜間や曇りの日でも**飛行機が安全に着陸できるように**使われています

ソナー

音波を使って**水中または人体を測定します。**近代的な**超音波発生器**は20,000 Hzから1 GHzの周波を放ちます（1 GHz＝10億Hz）。

反響定位
（エコーロケーション）

クジラ，トガリネズミ，イルカ，コウモリなどの動物が使います。反響定位を用いる動物は，**周囲の環境や物体の位置，距離を知るため**に**音波を発し，**その**反響を検知**します。耳などの**音の受容器の左右の間隔**によって**正確に計測する**ことができます。

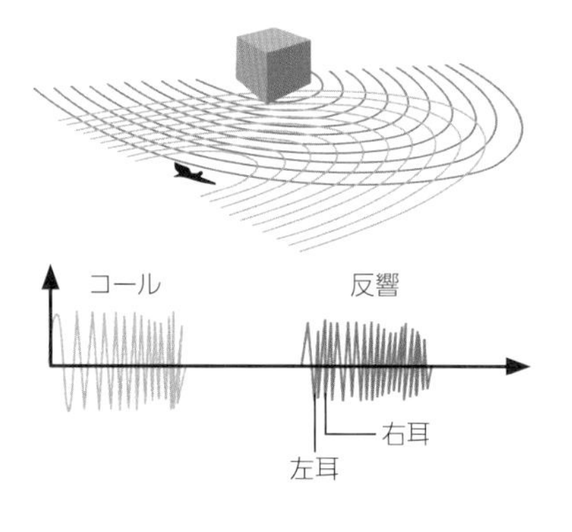

高感度の聴覚

コウモリは**高音の非常に大きな音波**を発します。その音波の**周波数**は**人間が聞きとれる範囲を超えている**ので聞こえませんが，**ジェット機が離陸するときの音よりも大きな音**です。コウモリの高周波の音波は**波長が短く，夜間でも昆虫を検知**できます。また高周波は，**ガなどの小さな昆虫の特徴**（たとえば体に毛が生えているか，触覚はあるかなど）**も捉える**ことができます。この高感度の検出は**至近距離でのみ**作用します。コウモリは**自分の聴覚を弱めることもできる**ので，自分の音波の音で悩まされることはありません。

騒がしい海

海はますます**混雑してうるさい環境**になり，**クジラのコミュニケーションを妨げています。反響定位**や**狩り**，仲間との**コミュニケーション**をクジラは**歌**によって行っています。

クジラが音を出し，歌を歌うと……

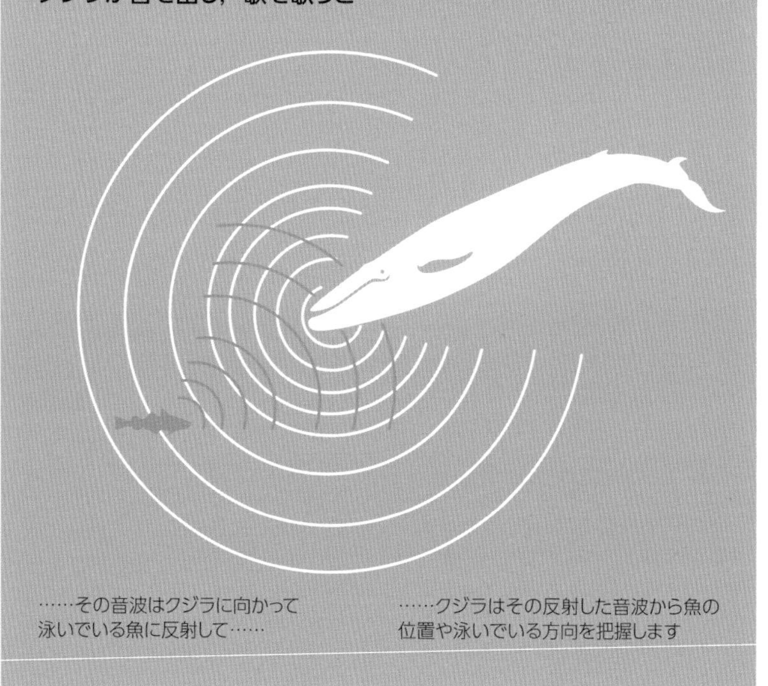

……その音波はクジラに向かって泳いでいる魚に反射して……

……クジラはその反射した音波から魚の位置や泳いでいる方向を把握します

情報

センサーからの情報は，コンピューターで処理するためにデジタル化される必要があります。コンピューターによって使われるデータは，電位差という形で表現されます。

アナログ

連続した電位差（電圧）**での信号をコンピューターで保存したり，直接処理したりすることはできません。振幅**や**波形**によって情報はさまざまであるため，コンピューター処理の前に**デジタル化**されなければなりません。**アナログ波**にはさまざまな形態があります。

デジタル

デジタルシステムにおいて，信号は**二つの値（0または1）**でできていて，これは0または1の信号を割り当てる二つの閾値電圧を使って決められています。**0または1**で形成される信号は**ビット**とよばれます。8ビット＝1バイトで，**解像度**はビット数で決まります。デジタルシグナルは，信号が振幅や波形ではなくパルスシーケンスに依存しているため**ノイズ**や**干渉**が起きた場合でも**簡単に復元**できます。**アナログからデジタルへ変換するためには，正弦波を方形波または方形波の組み合わせに変換します。**

帯域幅

帯域幅は送信したい情報の量によって異なります。**通信速度を速くするためにはより広い帯域幅が必要になります。**

波形

情報の送信には，**電磁波**が使用されます。多くの場合，**金属のケーブル**が使われますが，**ラジオ**の場合は，**大気中に**ラジオ波を発して情報を送信していたり，**光ファイバーケーブル**で**光子**を利用したりしています。

減衰：信号のエネルギーは，送信する距離に応じて弱まっていきます。

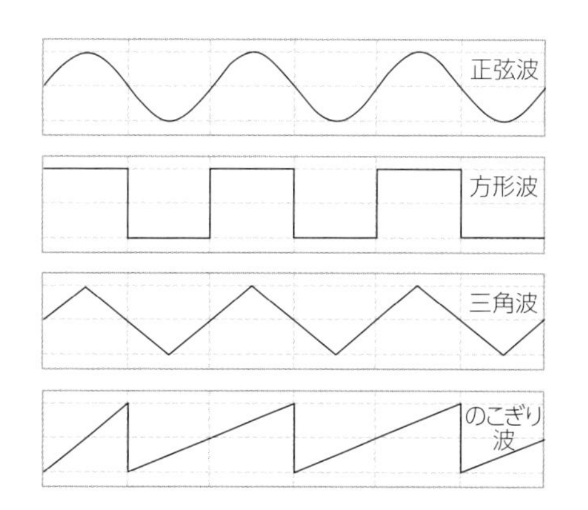

干渉と信号劣化

干渉や信号の劣化が起こる原因は，**摩擦による熱放射**，光ファイバー内の**反射のハウリング**などです。ラジオ波やマイクロ波の場合は**大気の気体の影響**があります。

周波数スペクトル

電磁気的に音を送信するためには，可聴周波数は40 kHz，解像度は16ビットでサンプリングされなくてはなりません。毎秒640 kHz，640,000ビットの速度で送信します。

電磁波を送受信するシステム

- ラジオ
- 携帯電話
- Wi-Fi

音

人間が聞き取れる音域は，20 Hzから20000 Hzです。

搬送周波数（情報を運ぶ電車のような役割をする電磁波）

情報が送信されるとき，**搬送波**といういわば情報を運ぶ電車の役割をする電磁波を**変調**させて情報をコード化します。搬送波は情報通信に必要なエネルギー（周波数で表される）をもっています。

変調

変調は，**時間とともに信号を変化させること**です。変調のさい，情報を運ぶために周期的な波形（または搬送波信号／搬送周波数）の性質を一つ以上変更します。一つは，**FM波**の変調で，音声信号にあわせて周波数を変化させます。もう一つは，**AM波**の変調で，この場合は，音声信号にあわせて，搬送波の振幅を変えます。

GPS

GPS（全地球測位システム）は，高度約20,000kmで地球の周りを周回する軌道上にある30の人工衛星からなるナビゲーションシステムです。三辺測量のしくみをもとにして，少なくとも三つの人工衛星からの位置情報によって詳細な位置がわかるようになっています*。

＊訳注：実用上は時間も含めた四つの人工衛星が必要

20世紀が幕を開けた頃，**列車によってより速く移動できるようになり**，また**テレグラム**による電気通信が可能になるにつれ，列車同士の衝突を避けるために**標準時間帯が必要不可欠なものとなりました。**標準時間帯はより高速になった移動と通信を管理するために導入されました。**1秒の長さ**が**理論的に**世界で統一した**定義をされた**ことにより，**活動が同期できる**ようになりました。

どのように機能するか

GPSは，**衛星からのデータと送信した電磁信号の比較によって**機能します。

- GPSから最も近い衛星に信号が送られる。
- 信号は少なくとも三つの衛星に送られる。
- GPSに送られた**時間遅延のデータ**を使って各衛星の距離が測定される。
- **少なくとも三つの衛星の位置と距離を比較する**ことで主に移動によるエラー率を低下させる。
- この情報を使い，受信者は**デバイスの位置を計算する。**

グラディス・メイ・ウェスト

アフリカ系アメリカ人数学者**グラディス・メイ・ウェスト**（Gladys Mae West, 1930～）はGPSの運用に欠かせない**地球の数学的モデル**の発達に大きく貢献しました。彼女の重要な研究は**衛星測地モデル**に貢献し，現在使われているGPSの一部に組み込まれています。彼女の役割は，1956～1960年頃のコンピューターソフトウェアを使って**衛星の位置を測定し，その軌道を計算すること**でした。

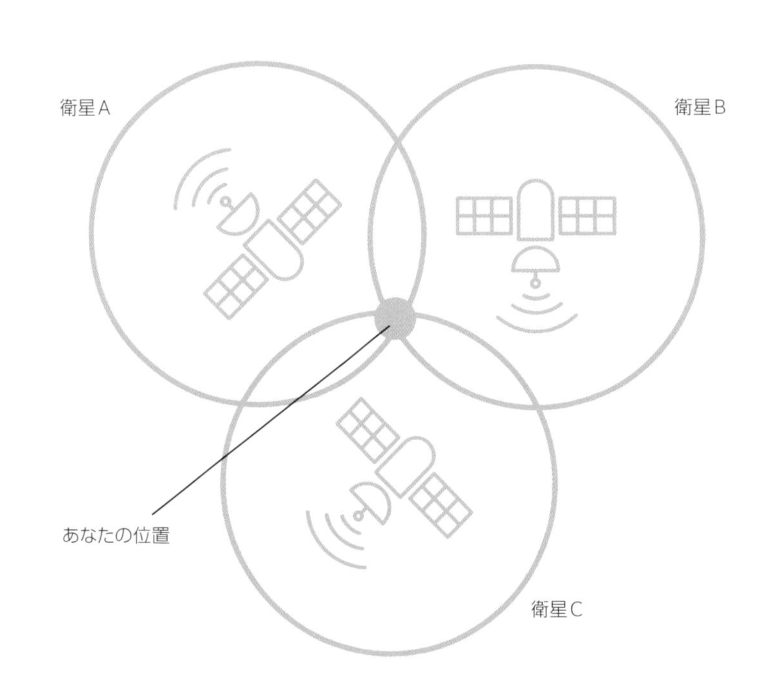

宇宙旅行

これまで500人以上が成層圏を超えて地球の周りの軌道に到達しました。月面を歩いた人は12人いますが，今のところほかの惑星にまでたどり着いたのはロボット探査機のみです。

宇宙旅行のマイルストーン

1957年 初の人工衛星が軌道に到達（スプートニク1号）
動物が初めて軌道に到達：ライカ犬（スプートニク2号）

1958年 アメリカ初の人工衛星（エクスプローラー1号）

1961年 ヒト科の動物が初めて宇宙空間に到達（準軌道）：チンパンジーのハム
人類が初めて軌道に到達：ユーリイ・ガガーリン
アメリカ人が初めて宇宙空間（準軌道）に到達：アラン・シェパード

1962年 アメリカ人が初めて周回軌道に到達：ジョン・グレン

1963年 女性が初めて周回軌道に到達：ワレンチナ・テレシコワ

1965年 初の宇宙遊泳：アレクセイ・レオーノフ

1968年 月周囲の初の有人飛行（アポロ8号）

1969年 初の月面着陸：ニール・アームストロングとバズ・オルドリン（アポロ11号），マイケル・コリンズは月の周回軌道で待機

1971年 初の宇宙ステーション（サリュート1号）

1972年 アポロの最後の月探査（アポロ17号）

1981年 初のスペースシャトル飛行（コロンビア）

1983年 アメリカ人女性が初めて周回軌道に到達：サリー・ライド

1986年 初のモジュール宇宙ステーション（ミール）の組み立て開始

1994年 スペースシャトル（ディスカバリー）が初めてミールへ

1998年 国際宇宙ステーション（ISS）の組み立て開始

2001年 初の宇宙旅行者，デニス・チトーがISSを訪問

2004年 スペースシップ・ワンが初の商業有人宇宙飛行

2011年 最後のスペースシャトル飛行（アトランティス）
ISSの完成

『ドリーム NASAを支えた名もなき計算手たち』

人間とロボットの宇宙飛行は，何千人もの科学者やエンジニア，請負業者，その他大勢の陰の支えがあってはじめて可能になるものです。2016年，マーゴット・リー・シェタリーの『ドリーム NASAを支えた名もなき計算手たち』は，数学者キャサリン・ジョンソンとドロシー・ヴォーン，エンジニアのメアリー・ジャクソンといった初期のNASA宇宙計画に貢献したアフリカ系アメリカ人女性たちにスポットライトを当てています。

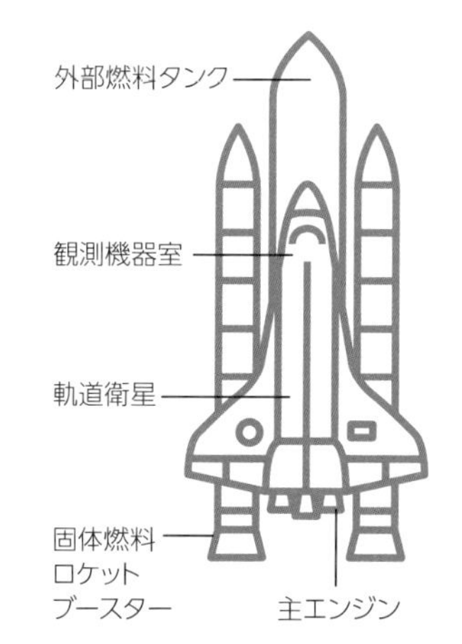

そのほかの世界への訪問

以下の宇宙船は，はじめて太陽系や太陽系外への世界を訪れました。

月
接近通過：ルナ3号（1958）
軟着陸：ルナ9号（1965）

水星
接近通過：マリナー10号（1974）
周回軌道：メッセンジャー（2011）

金星
接近通過：マリナー2号（1962年）
着陸：ベネラ8号（1972）
周回軌道：ベネラ9号（1975）

火星
接近通過：マリナー4号（1965）
周回軌道：マリナー9号（1971）
着陸：バイキング1号（1976）
惑星探査機ローバー：マーズ・パスファインダー（1997）

ケレス（最大の小惑星）
周回軌道：ドーン（2015）

木星
接近通過：パイオニア10号（1973）
周回軌道：ガリレオ（1995）

土星
接近通過：パイオニア11号（1979）
周回軌道：カッシーニ（2004）

天王星
接近通過：ボイジャー2号（1986）

海王星
接近通過：ボイジャー2号（1989）

冥王星
接近通過：ニュー・ホライズンズ（2015）

ハレー彗星
近距離接近：ジョット（1986）

プログラミング

プログラミング言語の発達にともない，コンピューターを使っていっそう多くのことができるようになりました。

モールス信号

モールス信号は，**文字を単純な点と線で表現します**。モールス信号はプログラミングコードの好例です。

A	•-	J	•---	S	•••
B	-•••	K	-•-	T	-
C	-•-•	L	•-••	U	••-
D	-••	M	--	V	•••-
E	•	N	-•	W	•--
F	••-•	O	---	X	-••-
G	--•	P	•--•	Y	-•--
H	••••	Q	--•-	Z	--••
I	••	R	•-•		

複雑さの度合い

英語のアルファベットには**音**と**文法**があり，**文字が26個**あります。一方モールス信号は**点と線のみ**です。それでも**どちらも同じ情報を伝えることができます**。

機械語

コンピューターのハードウェアは0と1の羅列である**バイナリ命令**のみを処理します。

初期のプログラミング

命令は**一から機械語で書かれていました**。まず，**人間の言葉で紙に書き出す**ところからはじまり，それから**バイナリに翻訳**します。

組立指示

組み立てを指示したマップは，機械の操作を指示します。このことは，歴史的には，**機能とリンク**させ，**メモリからデータを呼んでくる**ことで，ほかの**命令**や**ループ**に進化させることを可能にしました。

コンパイラー

コンパイラーは，**高水準言語によるソースコードを機械語あるいはアセンブリ言語など低い水準のコードに変換(コンパイル)する**プログラムです。

FORTRAN 1954年

「FORmula TRANslation（式変換）に由来」

コンパイラーによってプログラミングは簡単になりましたが，**システム全体を書き換えるアップグレードをしなければなりませんでした**。

COBOL 1959年

COBOLによって，今ではコンピューターで**同じソースコードが使える**ようになり，**簡単にアップデートできる**ようになりました。一度コードを書けば，どこでも動くのです！

コンピューター言語の簡単な歴史

1960年代　ALGO／LISP／BASIC
1970年代　PASCAL／C／SMALL TALK
1980年代　C++／Objective-C／Pearl
1990年代　Python／Ruby／JAVA
2000年代　SWIFT／C#／GO／Ubuntu

文(statement)

構文(syntax)は，**コードにおける文構造**を支配しています。

代入文

プログラムには代入文が必要です。**初期値を設定する**ために割り当ては**初期化**されている必要があります。変数には値が割り当てられます；例 b＝7

フロー制御文

条件文です。**IF文**と**WHILE文**が**最もよく使われます**。

関数

関数(ファンクション)とは，コンピュータプログラム上で定義される**サブルーチン**の一種で，**メソッド**ともいいます。条件文には，名前をつけます。ファンクションは数学の関数のように与えられた値(引数)を元に何らかの計算や処理を行い，結果を呼び出し元に返すもので，**「リターン」**で終了します。

カーネル

コンピューターの**OSの心臓部**です。システム内のすべてをコントロールします。

アスキー

American Standard Code for Information Interchangeの略です。アスキーはアルファベット，数字，その他の文字を7ビットの2進数で表します。

バックミンスター・フラー

建築家でエンジニア，デザイナーのリチャード・バックミンスター・フラー（Richard Buckminster Fuller, 1895～1983）は30冊以上の本を出版し，「宇宙船地球号」や「ダイマクション」，「シナジェティクス」，「テンセグリティ」といった言葉を広めました。

フラーはより少ない労力でより多くの機能を果たすデザインを志向し，**住宅設計などで社会貢献すること**を目的としていました。彼は，**地球の資源枯渇**や**気候変動**を懸念していたのです。

宇宙船地球号

地球の**資源は限られており**，**社会**や**経済**，**システム設計**の際にそれを考慮する必要があります。宇宙船地球号の考え方は，このことを意識した議論を促しました。

ダイマクションホーム

ダイマクションホームは**安価**で，**大規模な大量生産**ができますが，商業化されることはありませんでした。このデザインのポイントは移動させやすく，ポップアップ式で組み立てられることです。

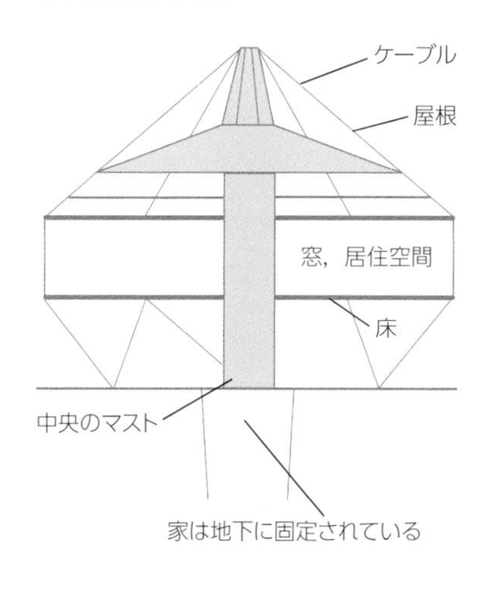

ダイマクション地図

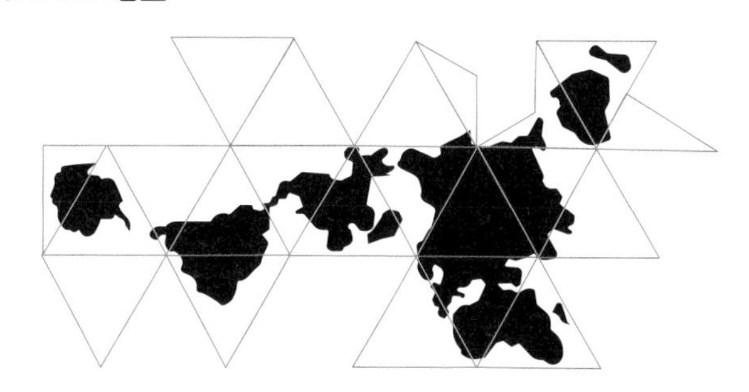

ダイマクション展開ユニット

これらは，第二次世界大戦中に，遠隔操作でレーダー（電波探知機）を操作するクルーをかくまうために使用されました。

ダイマクション地図

フラーは，**三角形でつくられた地球の地図**をデザインしました。これは合わせると**正多角形**になるもので，**どの大陸もどの島も分割されたり切断されたりすることはありません。**

ジオデシックドーム

組み立てが簡単な構造で，**内部に邪魔な支柱はなく広い空間を囲う**ことができます。ジオデシックドームの**並外れた強度**は，**内部の応力分布と質量分布によって**実現されています。ジオデシックドームは**非常用のシェルター**に加え**研究**や**娯楽施設**として世界中で使われています。

自然からのインスピレーション

フラーは**自然の形状**を観察してインスピレーションを得ていました。

問題解決へのシステム

問題を定義するためにシステムを利用することで，**要素同士の関連性**や，その**システム自体が解決策となる可能性**を考えることができます

ソーシャルデザイン

バックミンスター・フラーと同時期の**ビクター・パパネック**といった人たちも同様に，**誰にもまねできない**すばらしいデザインというよりも，**よりよい社会のためにデザインがもたらす効果**について関心をもっていました。

核磁気共鳴画像法（MRI）

**人体はタンパク質や脂肪，ミネラル，神経伝達物質，
そして水といったさまざまな物質でできています。これらの物質は水素原子を含み，
分子内結合や分子間結合などの相互作用をしています。水素原子核は陽子です。**

MRI（核磁気共鳴画像法）のカギとなるのは**陽子**です。陽子は**スピン**をもっています。体内のすべての陽子はスピンをもっていますが，周囲にある物質によって**向きが異なります。**MRIは，**スピンと相互作用します。**

基礎知識

- MRI機器の中にある強力な**磁石**は，陽子の**スピンを同じ向きに揃えます。**
- **ラジオ波パルス**（日光よりエネルギーが低い）で**陽子を活性化する**と，**磁場内で陽子の配列がわずかに移動します。**陽子が含まれている物質（**タンパク質**，**脂肪**，**骨**など）によって動き方が異なります。
- 陽子は**磁石によって再び焦点を合わされ**，**吸収したエネルギーを再放出します。**
- スキャナー内部の**ラジオ波コイル**によって，電磁波が検知されます。
- それぞれの陽子が**放出するエネルギーの周波数**はさまざまです。その**シグナル内の差異がコンピューターによって処理され**，**画像がつくられます。**

フーリエ変換

波形を分析するために用いられる数学的な手法です。バイオリンの音のようなシグナルは異なるたくさんの周波数で構成されていますが，フーリエ変換はシグナルを構成するすべての異なる周波数を拾い上げます。MRIで陽子が放出したシグナルの周波数はフーリエ変換の計算を用いて再構成されます。

基礎的なフーリエ級数

下の基礎的なフーリエ級数は，**独立した（個別の）複数の指数関数の和として周期関数がどのように表されるか**を示しています。

F（Hz）	A（m）
1	1
3	1/3
5	1/5
7	1/7
9	1/9
11	1/11
13	1/13
15	1/15
17	1/17

診断，治療，モニタリング

MRIスキャナーは，さまざまな**臨床（医療）や実験（研究）の現場**で**診断や治療**，**モニタリング**に用いられます。

インターネット

インターネットはコンピューターやデバイスのネットワークを接続します。1989年，ティム・バーナーズ=リー（Tim Berners-Lee）はCERNの科学者たちが情報を共有するための手段としてハイパーリンク（結果としてワールドワイドウェブ）を発明しました。それは世界を一変させました。

HTML

Webページは**HTML（ハイパーテキスト・マークアップ・ランゲージ）とよばれるプログラミング言語**を用いて構築されます。HTMLには以下のようなデータが埋め込まれています。

・ページに含まれる**情報**
・ページの**デザインとレイアウト**（フォーマット）
・ほかのページ／サイトへの**リンク**

HTMLテキストは「.html」ファイルとして保存されなくてはなりません。

例：

```
<html>
   <body>
      <h1>Hello world</h1>
      <p>これはWebページです。</p>
   </body>
</html>
```

タグはレイアウトを表します。
<html> はテキストがHTMLドキュメントであることを示す
<body> はページ内の情報を示す
<h1> は見出し
<p> はパラグラフのはじまり

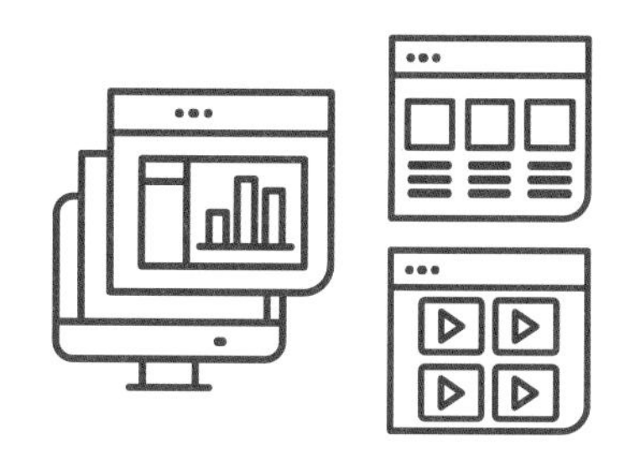

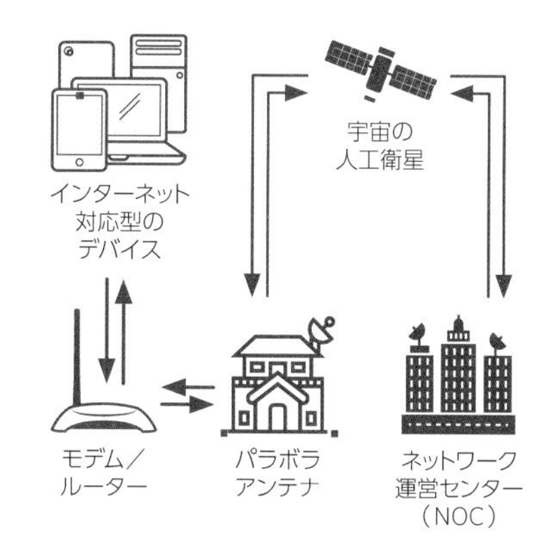

モノのインターネット

家の中の**スマートデバイス**が，インターネットに接続されます。**マルウェア**は，モノのインターネットを脅かす悪意のあるソフトウェアです。

専門用語

・**データパケット**：コンピューター間の元データと送り先に送るデータに関する情報はパケットとよばれるビットに分解されます。
・**IPアドレス**：インターネットプロトコルは，コンピューターの所在を表す固有の番号です。
・**スイッチまたはハブ**：デバイスどうしを接続します。
・**ルーター**：インターネットの情報の行き先を決めます。
・**DNS**：ドメインネームシステムの略で，WebサイトとIPアドレスをひもづけます。コンピューターがデータをやりとりするために用いる手順です。

インターネットの起源

インターネットは，1960年代後半に**アメリカの高等研究計画局**の支援のもと，**コンピューターどうしを簡単につなぐ手段**として産声を上げました。1969年に初めてコンピューター間でメッセージが送られ，1971年にファイルのやりとりができる能力が加わりました。そして同年には**初めて簡単なEメールが送られました**。しかしながら現在一般的に使われている「ワールドワイドウェブ」が現実のものとなるには，**1989年にHTML言語が発明される**のを待たなくてはなりませんでした。通信速度がより速くなり，コンピューターがより小型化し，ワイヤレスでつながるようになった現在，長所と短所を含めてインターネットは私たちの生活の一部になっています。

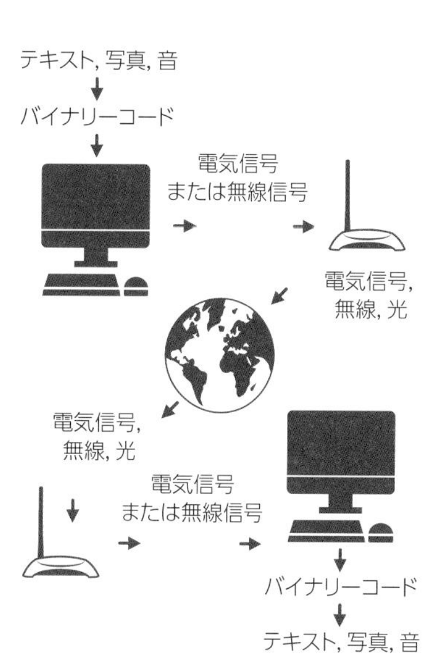

6 テクノロジー

遺伝子工学

遺伝子工学は，生物の性質に影響を与える，DNAを変換する技術を含んでいます。これは論争を引き起こしていますが，倫理的に行えばより多くの食物を生産でき，病気を治療でき，新しい物質の発明にもつながる技術です。

DNA

遺伝子工学者はゲノムを**置き換えたり，編集したり**します。

遺伝子は，生物の**特徴**を決めています（たとえばライオンやトラ，ジャガーの模様の違い）。

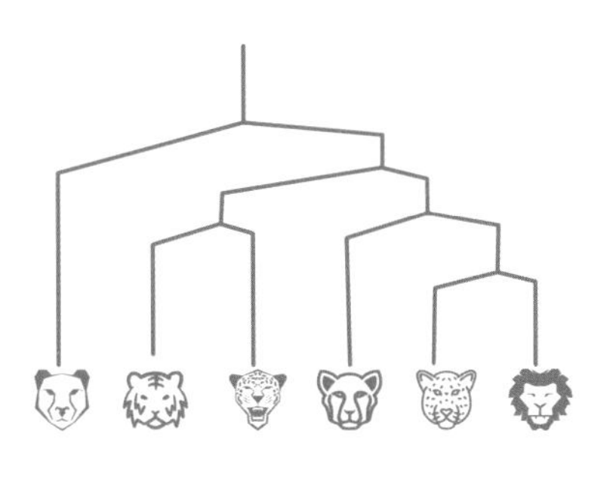

耕種農業とGMO（遺伝子組換え作物）

生物が**複製**されるとき，その一部またはすべての遺伝子が**次の世代へと渡されます**。人間は数千年もの間，**生産量を高め，病気や干ばつに耐えられるようなものを選んで作物を栽培してきました。選抜育種は遺伝子選択と同じ**です。

トランスジェニック生物

ゲノムが編集された生物です。**ビタミン不足が原因で起こる病気の解決策**として，**ビタミンA**を含むように品種改良された米，**ゴールデンライス**がその一例です。

珪藻

細胞壁に二酸化ケイ素を含む藻です。**センサーをつくり出す**，または**薬物伝達システム**として作用するよう遺伝子が編集されています。

シトクロムP450

抗がん性の酵素（シトクロムP450など）を生成する**細菌や植物**がいます。それらの**遺伝子を改変すると，より多くの酵素を生成するようになります。Ⅰ型糖尿病**に関係するインスリンは**遺伝子編集**を用いてつくられています。

CRISPRと細菌

CRISPR（Clustered Regularly Interspaced Short Palindromic Repeats）は，**細菌の防御機構**を利用した**遺伝子編集技術**です。細菌は**ウイルス感染を「記憶する」**ために，**ウイルスのDNAとRNAを切り刻んでCAS9 タンパク質**を生成します。**がん**と**鎌状赤血球貧血**の研究では，CRISPRを用いた治療法開発の研究が進められています。

デザイナーベビー

胎芽内の遺伝子を取り除く，または編集することは倫理上の論争を巻き起こしました。胎児から病気の原因であることがわかっている遺伝子を取り除くことはよいことかもしれませんが，標準に合致しない人間の体や精神を取り除き，髪色を選択したり，多様性や障害を取り除くために遺伝子を編集するというアイデアは，過去の差別的な考えと憂慮すべき類似性があります。

細菌プラスミドDNA編集

細菌プラスミドDNAは，細菌を使ったクローニングによく用いられます。これには，ゲノムの特定の部位が使われます。

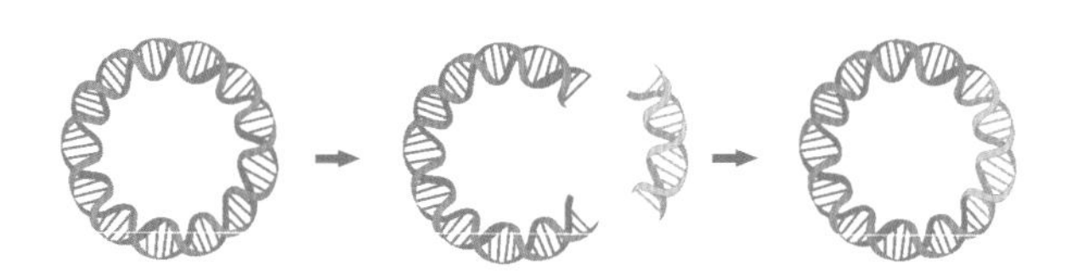

3Dプリンティング

3Dプリンティングは「付加製造」という技法で，液化または硬化された物質を層状に積み上げて立体構造（中身の詰まったものや空洞になっているもの）をつくります。

データを実体化する

物体をつくるために3Dデータを使います。データを視覚化したり，デジタル画像を立体化することで，クリエイティブな可能性を広げます。印刷にはさまざまな素材が用いられます（**粘土**や**セメント**，**樹脂**，**粉砂糖**，**プラスチック**など）。洗練されたモデルが3Dソフトウェアを使ってどんどんつくられており，**デザイナー**や**アーティスト**，**科学者たち**はさらに多くの種類の素材が使えるように実験を重ねています。

調整の幅が広がり，プリントの**精密さが高まった**ことにより，**より効果的な人工装具**を作成できるようになりました。

3Dプリンティングの限界

3Dプリンティングは**製造という世界を一般に開放しました**が，多くの革新的な技術同様に，**これを利用できる人はごく一部**に限られています。また木材や繊維，粘土などの素材は自分の体の感覚を通して操る方法を学べますが，3Dプリンターではそうとだけではありません。

医薬開発

化学者は，3Dプリンティングを用いて，患者それぞれにとって必要な薬を一粒にまとめた**カスタムプリント薬**を開発しました。

バイオプリンティング

生物学的に適合する組織のプリントです。有名なのは**幹細胞で3Dプリントしたステーキ**です。3Dプリンターで**軟骨**や**骨**をつくるために幹細胞が使われています。この技術によってエンジニアたちは特に**やけどを負った患者の鼻や耳**をつくることができるようになることを期待しています。

臓器

体と**免疫システム**は，**移植された臓器を拒絶する**ことがあります。3Dプリンティングは**多能性胚性幹細胞**や患者の**成体幹細胞**を使って臓器拒絶反応を回避できるかもしれません。**胚性幹細胞（ES細胞）は繊細である**ため解決が難しい問題でもあります。

3Dプリンティングによる付加製造法

デカルト座標：*x*，*y*，*z*のデカルト座標を基に，プリントします。

デカルトタイプ

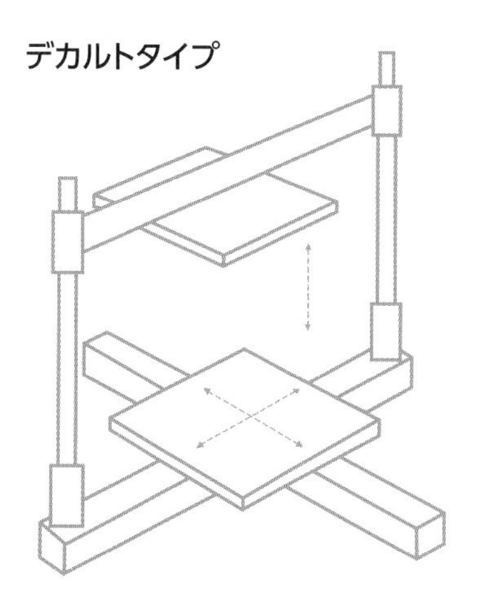

デルタ：ノズルとプリントヘッドで，作製した物を一層ずつ積み上げていきます。

デルタタイプ

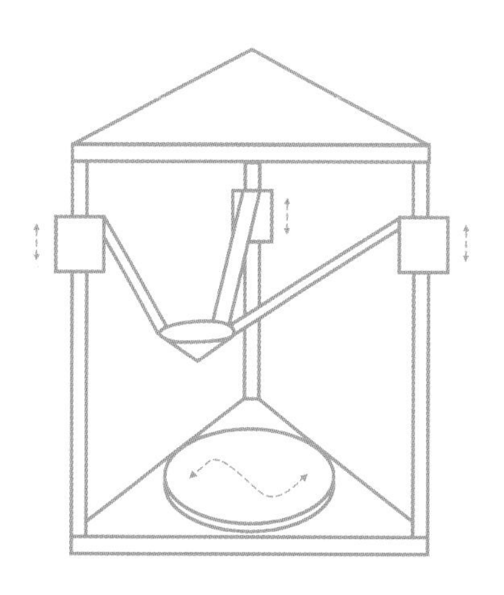

タッチスクリーン

量子力学的な粒子は，障壁を上側がから飛び越えて障壁の向こう側へ移るのではなく，
量子トンネルといって障壁を通り抜けることができます。
これは現代のタッチスクリーン技術の基礎になっています。

ボールを壁に向けて蹴ると跳ね返ってきます。量子力学では，このボールとは違い，**粒子は確率的にいくつかの場所に現れます。**粒子は突然障壁の向こう側に現れるかもしれません。単純に，障壁の反対側に存在する**可能性があります。**これは**トンネル効果**とよばれ，**自然界**や世界中の**研究所で観測されています。**

太陽光

太陽が輝く理由は，**陽子がエネルギー障壁を通り抜けるからです。同じ電荷が反発する**概念にはなじみがあります。しかし**陽子は，量子力学的なサイズでトンネル効果をもつ**ので，それらは**太陽の表面に近づくことができ，宇宙線として放出されます。**

トンネル磁気抵抗効果

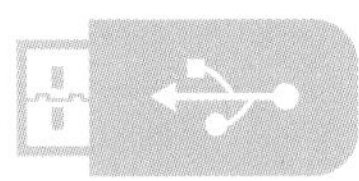

コンピューターの**ハードディスク**と**USB メモリ**は，**トンネル磁気抵抗効果**とよばれるテクノロジーによるものです。デバイスの**メモリ**は，**電荷を利用して**保存され，**電子が障壁をトンネルすることによって消去（削除）されます。**

量子トンネル?=魔法?

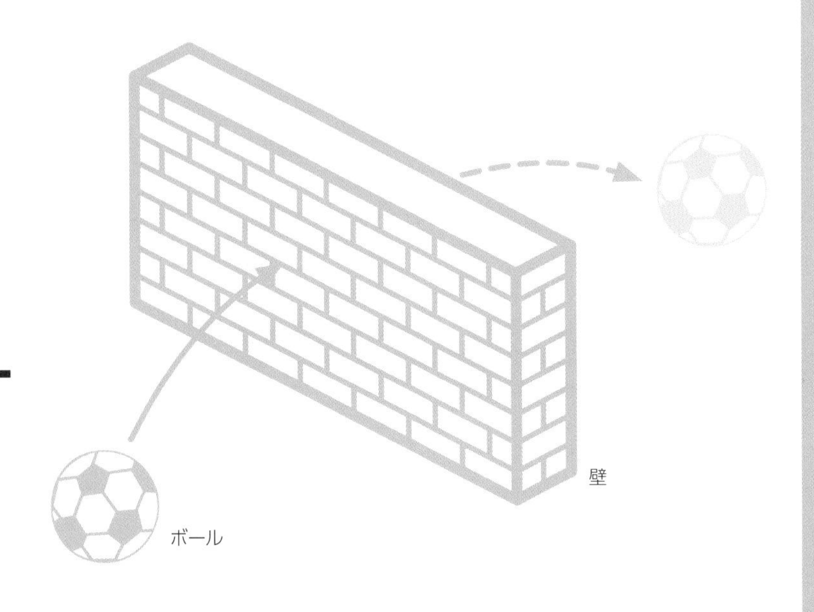

タッチスクリーン

スマートデバイスのタッチスクリーンには，**高分子フィルムに埋め込まれたナノ粒子**が含まれています。フィルムを指で押すなど，**圧力を変える**ことによって**高分子の障壁とナノ粒子間**のトンネル率は**飛躍的に上昇**します。これが，トンネル効果によって**電子の移動速度を劇的に変化させます。**

アルゴリズムとAI

AIシステムは複数の非常に詳細なアルゴリズムでできていて，アートや産業，診断，データ分析，ビジネスなどに利用されています。しかしながら，「知性」とはかけ離れていますし，人間の偏見を拡大することもあります。

機械学習

機械学習には情報をアルゴリズムに返すデータが必要で，時間をかけて**微調整し，パフォーマンスを改善**します。これは病理学において生体医学画像を使った**診断と分類**に役立つことが証明されています。「学習」という用語は，システムがデータセット（新しいスキャンデータなど）を与えられたときに，処理を自動調整するときに用いられます。

ニューラルネット　神経網

ニューラルネットは，**数学的モデル**で，**比較した証拠（データ）を基に決定が行われます**。

機械バイアス

AIは知的な存在として売り出されており，**AIを利用すれば時間とお金を節約できます**。限られたデータセットでアルゴリズムを訓練するとバイアスが生まれ，時間をかけて拡大され，結果的に危険で差別的な決定や行動につながることもあります（**保険料の計算**，**出会い系アプリ**，**検索エンジン**，**警察のプロファイリングデータベース**など）。

アルゴリズム：人間によって書かれた**一連の指示**。指示は，繰り返しオペレートする。
ソートアルゴリズム：リクエストされたオーダを実行するため，情報をスキャンし，配列の順を入れ替えるなどの方法で，**データの配列を繰り返す**ことで，検索し整理する。
マージソート：配列を**分割**して**整え**，**統合**する。
グラフ検索：二点間の**最速ルート**を検索する。
複雑さ：アルゴリズムの複雑さは**ステップ数**によって変わる。
ヌル文字：**値の文字列の最後**で，ゼロとカッコで示される。
マトリックス：**多次元**配列の配列。
関連変数：**構造体**などとして構造化される。
ノード：**ネットワーク**における**データポイント**。
キュー：先入先出。
スタック：後入先出。
ツリー構造：**最上位ノード**は**ルート**（根）とよばれる。**下位ノード**は**子**とよばれ，**上位ノード**は**親**とよばれる。**末端**は**リーフ**（葉）ノード。

ルービックキューブのアルゴリズム

図のようにしてルービックキューブを解くことができます。

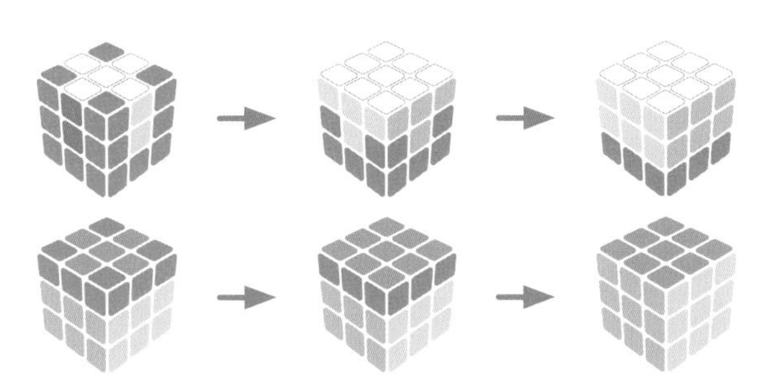

データ構造

・アクセスするには，データは構造化されていなければならない。
・データ配列は変数として保存される。
・インデックスは配列を構造化するために使われる。
・インデックスは[0, 1, 2, 3]のように角カッコ内で示される。
・最初の数字は必ずインデックス0になる。

影響を与えた科学者たち

アヴェティスヤン, ヴァンディカ・E（1928~）植物学者, 菌学者
アスキン, ローズマリー（1949~）南極調査
アトウォーター, タニヤ（1942~）地球物理学者, 海洋地質学者
アブドゥルガニ, アリ（1944~）海洋生物学者
アブラッチオ, マリア（1956~）薬理学者, プリン受容体
アルコニーニ, ソニア（1965~）考古学者, チチカカ湖流域
アレクサンダー, クラウディア（1959~2015）惑星科学者
イーズリー, アニー（1933~2011）ロケット科学者
ヴァーハーフティグ, クライド（1919~1994）
　地質学者, 環境保護主義者
ヴィラ-コマロフ, リディア（1947~）細胞生物学者
ヴィルムンダルドティル, エルザ・G（1932~2008）地質学者
ヴィルプルー=パワー, ジャンヌ（1794~1871）海洋生物学者
ウィング, ジャネット（1956~）コンピューター科学者
呉秀蘭（1963年学位取得）素粒子物理学者
ヴォラー, ブルース（1934~1994）生物学者, エイズ研究者
ヴォルコウ, ノラ（1956~）心理学者
キットレル, フレミー・P（1904~1980）栄養士
クオレク, ステファニー（1923~2014）
　化学者, ケブラーの発明者
クーパー, ヘザー（1949~）天文学者, 教育者
クラーク, マミー・P（1917~83）社会心理学者
グールド, スティーヴン・J（1941~2002）古生物学者
ゲツォワ, ソフィア（1872~1946）病理学者
コウィングス, パトリシア・S（1948~）心理学者
コシタル-シモノビチ, クリスタ（1923~2018）生理学者
コックス, アラン（1926~87）地球物理学者
ゴドボレ, ロヒニ（1952~）物理学者
コブ, ジュエル・P（1924~2017）生物学者
コラナ, ハー・G（1922~2011）生化学者
コールマン, ベシー（1892~1921）飛行士
コールマン-カンムラ, シータ（1950~）
　化学者, プラスチックデザイナー
コワレフスカヤ, ソフィア（1850~1891）数学者
サーハー, メーグナード（1893~1956）
　星の化学的, 物理的条件
謝希徳（1921~2000）物理学者
ジャクスン, シャーリイ（1916~1965）原子物理学者
ジャブロンカ, エバ（1952~）生物学者, 哲学者
ジンメル, マリアン（1923~2010）心理学者, 幻肢
スキャントベリー, ベルマ（1955~）移植外科医
スチュワート, サラ（1905~1976）微生物学者
スパーロック, ジャンヌ（1921~1999）精神科医
スンビ, ラグンヒル（1922~2006）動物学者
セーガン, カール（1934~1996）天体物理学者
ダンチャコフ, ベラ（1879~1950）細胞生物学者, 発生学者
チャウラ, カルパナ（1961~2003）宇宙飛行士
辻村みちよ（1888~1969）農生化学者
ディバイン, ニール（1939~1994）天体物理学者
テイラー, グレース・O（1937~）化学者
デイリー, マリー・M（1921~2003）化学者
トーマス, ヴァレリー（1943~）
　イリュージョントランスミッターの発明
トリアス, ヘレン・R（1929~2001）小児科医
ドルトン, ジョン（1766~1844）相対原子量
ナタラジャン, プリヤムバダ（1993年学位取得）天体物理学者
ノヴェロ, アントニア（1944~）物理学者, 米軍医総監
ハウ, レネ（1959~）簡単に言うと光子を止めて光を減速
バウマン, キャサリン（1989~）コンピューター科学者
ハーシェル, カロライン（1750~1848）彗星を発見
パジュア, マリア・T・J（1943~）生態学者
バック, リンダ・B（1947~）嗅覚受容体
バーナル, マーサ・E（1931~2001）心理学者
ハリス, ベティー（1940~）化学者
ハワード, ルース・W（1900~1997）心理学者
ビッセル, ミナ（1940~）腫瘍医
ファーカス, エディス（1921~1993）オゾンを計測
フイエ, キャサリン（1965~）分子生物学者
フランクリン, メリッサ（1957）素粒子物理学
フローレス, アナ・M（1952~）エンジニア
ベーカー, サラ・J（1873~1945）
　ニューヨークシティ初の児童衛生課
ボーア, ニールス（1885~1962）アルファ粒子, 原子構造
ボース, サティエンドラ・N（1894~1974）量子論
ボネリー, イデリサ（1931~）海洋生物学者
ボール, アリス（1892~1916）
　化学者, ハンセン病の治療法を開発
ポルコ, カロリン（1953~）惑星科学者
マクドナルド, エレナー・J（1906~2007）がん疫学者
マクラッケン, アイリーン（1920~1988）植物学者
マリッチ, ミレヴァ（1875~1948）物理学者
ミルザハニ, マリアム（1977~2017）数学者, フィールズ賞
ムーア, マリアン・V（1975年卒業）水生生態学者
ムトゥル-パクディル, ブーチン　天体物理学者
保井コノ（1880~1971）細胞学者
ヤロー, ロサリン・S（1921~2011）医学物理学者
鮑哲南（1970~）化学工学者, 材質科学者
湯浅年子（1909~1980）原子物理学者
米沢富美子（1938~）理論物理学者
ライアン, ウーナ（1941~）
　心臓病, 生物工学によるワクチン開発
ライト, ジェーン（1919~2013）腫瘍医
ライド, サリー（1951~2012）宇宙飛行士, 物理学者
リム, グローリア（1930~）菌学者

データ集

接頭辞

接頭辞をつけることで非常に大きな，または非常に小さな数字を簡単に表せます。
0.001 cmと書くよりも1 mmと書く方が簡単です。また接頭辞によって計算もしやすくなります。

接頭辞	記号	意味	小数位
yotta-	Y	10^{24}	1,000,000,000,000,000,000,000,000
zetta-	Z	10^{21}	1,000,000,000,000,000,000,000
exa-	E	10^{18}	1,000,000,000,000,000,000
peta-	P	10^{15}	1,000,000,000,000,00
tera-	T	10^{12}	1,000,000,000,000
giga-	G	10^{9}	1,000,000,000
mega-	M	10^{6}	1,000,000
kilo-	k	10^{3}	1,000
deci-	d	10^{-1}	0.1
centi-	c	10^{-2}	0.01
milli-	m	10^{-3}	0.001
micro-	μ	10^{-6}	0.000,001
nano-	n	10^{-9}	0.000,000,001
pico-	p	10^{-12}	0,000,000,000,001
femto-	f	10^{-15}	0.000,000,000,000,001
zepto-	z	10^{-21}	0.000,000,000,000,000,000,001

国際単位系の基本単位

基本単位はほかの単位の組み合わせではありません。

単位名	単位記号	数量名	数量記号	ディメンジョン（次元）記号
メートル	m	長さ	l, x, r	L
キログラム	kg	質量	m	M
秒	s	時間	t	T
アンペア	A	電流	I	I
ケルビン	K	熱力学的温度	T	Θ
カンデラ	cd	光度	I_v	J
モル	mol	物質量	n	N

組立単位と数量

組立単位は基本単位の組み合わせです。力の国際単位系は kg m/s^2 で、ニュートン（N）としても知られています。ニュートンなどの組立単位はほかの単位からできています。

数量	単位／組立単位	国際単位系における表記
面積	m^2	m^2
体積	m^3	m^3
速さまたは速度	m/s	m/s（ms^{-1}と同じ）
加速度	m/s^2	m/s^2 または ms^{-2}
波数	m^{-1}	1/m または m^{-1}
密度	kg/m^3	kg/m^3 または kg m^{-3}
ニュートン毎メートル	N/m または J/m^2	kg s^{-2}
比体積	m^3/kg	m^3/kg または m^3 kg^{-1}
電流密度	A/m^2	A/m^2 または A m^{-2}
磁界強度	A/m	A/m または A m^{-1}
物質量濃度	mol/m^3	mol/m^3 または mol m^{-3}
輝度	cd/m^2	cd/m^2 または cd m^{-2}
仕事率	J/s	m^2 kg s^{-3}
比エネルギー	J/kg	m^2 s^{-2}
圧力	J/m^3	m^{-1} kg s^{-2}

二次方程式

標準的な形式の二次方程式：$ax^2+bx+c=0$
二次方程式の解の公式：$x=(-b\pm\sqrt{b^2-4ac})/2a$

幾何学における方程式

弧の長さ＝$r\theta$
円周＝$2\pi r$
円の面積＝πr^2
円柱の表面積＝$2\pi rh$
球の体積＝$4\pi r^3/3$
球の表面積＝$4\pi r^2$
ピタゴラスの定理：$a^2=b^2+c^2$

円運動

角速度：$\omega=v/r$
向心加速度：$a=v^2/r=\omega^2 r$
向心力：$F=mv^2/r=m\omega^2 r$

波動と単振動

波の速さ：$c=f\lambda$
周期(周波数)：$f=1/T$
回折格子：$d\sin\theta=m\lambda$
加速度：$a=-\omega^2 x$
変位：$x=A\cos(\omega t)$
速さ：$v=\pm\omega\sqrt{A^2-x^2}$
最高速度の大きさ：$v_{\max}=\omega A$
最大加速度の大きさ：$a_{\max}=\omega^2 A$

天文学に関するデータ

太陽の質量：1.99×10^{30} kg
太陽半径：6.96×10^{8} m
地球の質量：5.97×10^{24} kg
地球の半径：6.37×10^{6} m
1天文単位＝地球から太陽までの距離＝1.50×10^{11} m
1光年＝光が1年かけて進む距離
＝5,878,499,810,000マイル（約6兆マイル）
＝9,460,000,000,000 km
＝9.46×10^{15} m

物理定数

物理量	記号	値	単位
真空中の光速	c	3.00×10^{8}	$m\ s^{-1}$
プランク定数	h	6.63×10^{-34}	J s
換算プランク定数（ディラック定数）	$\hbar$（h-bar）	$1.05457182 \times 10^{-34}$	J s
アボガドロ定数	N_A	6.02×10^{23}	mol^{-1}
真空の透磁率	μ_0	$4\pi \times 10^{-7}$	$H\ m^{-1}$
真空の誘電率	ε_0	8.85×10^{-12}	$F\ m^{-1}$
素電荷　電気素量	e	1.60×10^{-19}	C
万有引力定数	G	6.67×10^{-11}	$N\ m^{2}\ kg^{-2}$
モル気体定数	R	8.31	$J\ K^{-1}\ mol^{-1}$
ボルツマン定数	k	1.38×10^{-23}	$J\ K^{-1}$
ステファン定数	σ	5.67×10^{-8}	$W\ m^{-2}\ K^{-4}$
ウィーン定数	α	2.90×10^{-3}	m K
電子の静止質量（5.5×10^{-4} uに相当）	m_e	9.11×10^{-31}	kg
比電荷　（素電荷／質量比）	e/m_e	1.76×10^{11}	$C\ kg^{-1}$
陽子の静止質量（1.00728 uに相当）	m_p	1.673×10^{-27}	kg
陽子の電荷／質量比	e/m_p	9.58×10^{7}	$C\ kg^{-1}$
中性子の静止質量（1.00867 uに相当）	m_n	1.675×10^{-27}	kg
アルファ粒子の静止質量	m_α	6.646×10^{-27}	kg
重力場の強さ	g	9.81	$N\ kg^{-1}$
重力加速度	g	9.81	$m\ s^{-2}$
原子質量単位（1 uは931.5 MeVに相当）	u	1.661×10^{-27}	kg

重力場

二つの質量間の力：$F = Gm_1m_2/r^2$
重力場の強さ：$g = F/m$
放射状の場における重力場の強さ：$g = GM/r^2$

電場

二つの点電荷間の力：$F = (1/4\pi\varepsilon_0) \times (Q_1Q_2/r^2)$
電荷に作用する力：$F = EQ$
一様な電場のおける電場の強さ：$E = V/d$

熱力学

温度を変化させるエネルギー：$Q = mc\Delta t$
状態変化をさせるエネルギー：$Q = m_l$
気体法則：$pV = nRT$
$pV = NkT$

気体の分子運動論モデル

$$pV = \frac{1}{3} mN\bar{v}^2 \rightarrow \bar{\varepsilon}_K = \frac{3}{2} k_B T$$

用語集

イシサンゴ（Scleractinian corals）：造礁サンゴ，ハードコーラルともいう。

異常（anomaly）：期待される値からのずれ。

遺伝的浮動（genetic drift）：餓などの要因によって集団が小さくなったとき，偶然性によってある遺伝子が集団に広まる現象をいう。

X-バンド（X-band）：5200～10,900 MHzの間に拡張されたラジオ周波数。

エニアック（ENIAC）：電子式数値積分器；初の汎用電子計算機。

LANL：ロスアラモス国立研究所。

黄熱（yellow fever）：ネッタイシマカによって感染が広がる急性ウイルス病。

確証バイアス（confirmation bias）：仮説や信念を検証する際に，支持する情報ばかり集め，反証する情報を無視する傾向のこと。

化石（fossil）：生物などの痕跡や遺骸が保存されたもので，組織は鉱物化している。

活性化エネルギー（activation energy）：化学反応を開始するために必要とされるエネルギー；EAと省略。

褐虫藻（zooxanthellae）：造礁サンゴと共生する黄褐色の単細胞藻（渦鞭毛藻類(うずべんもうそう)）。

緩衝液（buffer）：水素イオン（H^+）の濃度 変化を相殺し，一定のpHを保つ物質

気候変動に関する政府間パネル（IPCC）：1988年に設立された国際的な科学者グループ。人類の活動による気候変動のリスクを評価する。

基底状態（ground state）：最も低いエネルギー状態。電子は，最も低いエネルギー準位から順に埋まっていく。

凝集（cohesion）：物質内の分子間の相互作用

クーロン（coulomb）：電荷の単位で，1クーロンあたり電子 6.24×10^{18} 個ぶんの電気の量

クロマチン（chromatin）：核内のDNAを保護する；真核生物にのみ見られる。

蛍光（fluorescence）：物質が光やエネルギーを吸収したのち，その後に光を放出する現象；原子の発光や線スペクトルに関連する。

結合長（bond length）：結合した原子間の距離であり，最も安定する位置のこと。

月食（lunar eclipse）：地球が太陽と月の間に配置するときに生じる。

玄武岩（basalt）：暗い色で粒子の細かい，鉄とマグネシウムを豊富に含む溶岩から形成された火成岩；海洋地殻と月面表土の主要構成要素。

高輝度銀河（ultra-luminous galaxies）：赤外波長をもつ明るい銀河。

較正（calibrate）：計器の正確さを確認して修正すること。

光線（beam）：光源から放たれた光の線または筋。

黄道十二宮（zodiac）：黄道をほぼ等分に分割した12星座。

サイトゾル（cytosol）：細胞質内の流体で，ここで代謝が行われる；水と線維状タンパク質で構成されている。

サッピング（sapping）：多孔質岩を通って上向きに水が漏れ出ることによる浸食。

静かの海（Sea of Tranquility）：1969年7月20日にアポロ11号が月面に着陸した地点。

自然発生（abiogenesis）：無機物系から生命が出現すること。

重水素（deuterium）：原子核が，陽子1個と中性子1個とである水素の安定同位体。

従属変数（dependent variable）：実験や観察において，変更できるパラメーターのこと。

証拠（evidence）：意見や仮説を支持する事実。

真空（vacuum）：あらゆる物質が完全に排除された空間。

正確さ（accuracy）：計測値が正確な値にどれほど近いか。

制限要因（limiting factor）：生物が生存する環境において供給される生存するために必要な資源のこと。

生存能力, 生存可能性（viability）：生物がそのライフサイクルを完了させる可能性：生き延びて成熟すること。

青方偏移（blueshifted）：天体が地球に向かって移動している場合, 光のドップラー効果で光源の光よりも青色に偏ることが観測される 。

線スペクトル（line spectra）：はっきりとわかる線状の発光スペクトル；輝線は, 電子が励起状態から基底状態へと遷移するときに放つ光の波長に対応している。

タールサンド（tar sand）：高濃度の硫黄分が含有するビチューメン（天然アスファルト・コールタールなど）を含む砂質堆積物。

大気汚染二次物質（secondary air pollutants）：一次汚染物質が反応して形成される汚染物質。酸性雨では, 二酸化硫黄または窒素酸化物が雨水と反応して生じるが, これらの汚染物質がこれにあたる。

地衣類（lichen）：光合成をする藻や細菌と共生する菌類。

定数（constant）：決まった値。

定性（qualitative）：観察した内容やデータを言葉で説明すること（例：数値を用いない大小比較など）。

定量的（quantitative）：数値であらわされた観察結果やデータを示すこと。

デカルト平面（Cartesian plane）：(x, y)を用いる直交座標系で, xの値は水平座標, yの値は垂直座標に表される。

動物プランクトン（zooplankton）：水中に住む微小動物。

独立変数（independent variable）：実験中に管理された方法で変更されるパラメーター。

ド・ブロイ波長（De Broglie wavelength）：$\lambda = h/p$。素粒子の波長をλ, 運動量をp, プランク定数をhとする。

ハーディー・ワインベルグ平衡（Hardy–Weinberg equilibrium）：進化しないという仮定のもとでは, 世代間で伝わる対立遺伝子と遺伝子型の頻度は一定に保たれるという法則。

発熱反応（exothermic）：熱を放出する反応。

氷床コア（ice core）：非常に長い期間にわたって, 降り積もった雪が圧縮されて氷になった層を含む氷柱。

分子運動論（kinetic molecular theory）：分子と運動エネルギーに関する理論的説明；運動エネルギー=温度。

ベクトル（vector）：大きさ, 長さ, 方向をもつ量。

ボイルの法則（Boyle's law）：一定温度における一定量の気体において, 気体の体積はその圧力に反比例することを示す法則。

放射性炭素年代測定法（carbon dating）：自然界に存在する放射性同位体である炭素14を使って炭素を含む物質 の年代を特定すること。

放射線帯（radiation belt）：磁気圏における荷電粒子の領域。

本影（umbra）：太陽黒点の中心の暗い部分。

ミミズコンポスト（vermicomposting）：ミミズが堆肥をつくり, 廃棄物の転換プロセスを強化する。

湧昇（upwelling）：風が原因となって, 密度が高く温度が低い栄養を多く含んだ海水が海面に向かって湧き上がる現象。

ユビキチン（ubiquitin）：細胞質内に見られるタンパク質。

ラジアン（radian）：国際単位系における平面の角度；円での角度は, 2πラジアン。

ラジカル（radical）：不対電子を持つ原子や分子。

理想気体（ideal gas）：気体の分子には体積がなく, 分子間の引力も反発もない理論上の気体；理想気体の状態方程式には気体定数Rが使われる。

連星（binary stars）：共通重心の軌道を周回する二つの星。

■ 著者
ジェニファー・クラウチ／Jennifer Crouch
アーティスト，教師，研究者であり，職人。ポーツマス大学の博士号候補生であり，ロンドン大学先端生物医学イメージングセンター（CABI）にてアーティストとして教鞭を執っている。アート/物理学の集団「Jiggling Atoms」を共同設立し，セントジョージ大学，ゴードン病理学博物館の解剖学者，自然史博物館の昆虫学者，クイーン・メアリー大学，ロンドン大学の物理学者などと共同で仕事をしてきた。メディカルイラストレーターとして訓練を受け，セントラル・セント・マーチンズでアナトミカルドローイング（解剖学的描写）の講師を務めてもいる。

■ 監訳者
川村康文／かわむら・やすふみ
東京理科大学理学部第一部物理学科教授。
1959年，京都市生まれ。博士（エネルギー科学）。歌う大学教授（Youtubeチャンネル「川村康文」），みんなが明るく楽しくなる「ぷち発明」を提唱。専門は物理教育・サイエンス・コミュニケーション。高校物理教師を約20年間務めた後，信州大学教育学部助教授，東京理科大学理学部第一部物理学科助教授・准教授を経て2008年4月より現職。

■ 訳者
春宮真理子／はるみや・まりこ
翻訳者。翻訳書にマシュー・ランドルス『レオナルド・ダ・ヴィンチが遺した宝物』（トランスワールドジャパン），共訳書にニーナ・ウィルドルフ『都会のオンナの子ひとり暮らしノート』（ディスカヴァー・トゥエンティワン）などがある。

図解　教養事典
科学 INSTANT SCIENCE
インスタント・サイエンス

2021年2月15日発行

著者　ジェニファー・クラウチ
監訳者　川村康文
訳者　春宮真理子
翻訳協力　Butterfly Brand Consulting
編集　武石良平
表紙デザイン　岩本陽一
発行者　高森康雄
発行所　株式会社 ニュートンプレス
〒112-0012 東京都文京区大塚 3-11-6
https://www.newtonpress.co.jp

ISBN 978-4-315-52328-7